Alquimia
en la cocina
y en la vida

LA NUEVA COCINA
ENERGÉTICA II

Montse Bradford

Alquimia
en la cocina
y en la vida

*Alimentación natural
para la armonía interna*

OCEANO AMBAR

primera edición, primavera 2004
segunda edición, otoño 2004
tercera edición, primavera 2006
cuarta edición, primavera 2008
quinta edición, invierno 2010
sexta edición, primavera 2011
séptima edición, otoño 2013

ALQUIMIA EN LA COCINA • LA NUEVA COCINA ENERGÉTICA II

MONTSE BRADFORD

Cocina y estilismo: ADRIANA ORTEMBERG, MERCÈ ESTEVE
Fotografías recetas: BECKY LAWTON, ROSA CASTELLS
Imágenes: VISIÓ DE FUTUR, ARCHIVO OCÉANO ÁMBAR, ARCHIVO RR
Dirección de arte: MONTSE VILARNAU • Edición: MÒNICA CAMPOS
Cubiertas: MONTSE VILARNAU • Maquetación recetas: MARC ACOCHEA
Edición digital: JOSE GONZÁLEZ

© 2003, Montse Bradford

© 2013, Editorial OCEANO, S.L.
GRUPO OCÉANO - Milanesat 21-23 – 08017 Barcelona
Tel: 93 280 20 20 – Fax: 93 203 17 91
www.oceano.com

ISBN: 978-84-7556-306-0 — Depósito legal: B- 3947-XLVII
Impreso en España - *Printed in Spain*
9001158070913

Energía, vitalidad
y bienestar personal

La amplia experiencia y dotes de observación de los hábitos dietéticos y culinarios actuales aparecen de nuevo en este completísimo libro de Montse Bradford sobre nueva cocina energética. Una obra madurada con calma, fruto de su trabajo personal de estudio e investigación; una tarea ampliamente experimentada a través de los innumerables cursos que desde 1982 lleva a cabo por toda Europa, y muy especialmente en Gran Bretaña y España.

Como se sabe, el actual interés por la calidad de lo que comemos –tanto de los alimentos como de la forma de prepararlos– viene acentuado por la industrialización de todo el proceso, desde que el alimento brota en el campo hasta su llegada a los hogares... cada vez más transformado, lo que produce un preocupante deterioro de la calidad biológica final. Montse Bradford conoce bien ese proceso. Pero, además, como terapeuta emocional, trabaja a fondo sobre la manera de comportarnos en la cocina y las socorridas excusas al estrés cotidiano, el ritmo de trabajo y la escasez de tiempo. Esos pretextos con los que queremos justificar y autoengañarnos, a menudo tumbados ante un televisor. El resultado es este nuevo libro, que muestra un punto decisivo de madurez de la autora.

La alquimia en la cocina y en la vida completa y concreta definitivamente las recetas e ideas de *La nueva cocina energética* y propone, de forma práctica y al alcance de todos, su punto de vista, integrador de **mente**, **cuerpo** y **espíritu** a través de algo que hacemos muchas veces al cabo del año, todos los años: comer. Como se muestra claramente en este libro, todo indica que la alimentación ejerce un papel más importante de lo que parece en nuestra propia danza interna de energías.

Montse Bradford ha adquirido una maestría admirable en el estudio de la energía y los efectos de los alimentos, su personalidad y espíritu, así como en la forma en que ayudan a cada persona a equilibrar sus necesidades únicas de acuerdo a su constitución, forma de vida y propósitos vitales. Esta nueva entrega de consejos y de sabrosas y saludables recetas facilita una vez más la mejor adaptación de los menús cotidianos «a medida», es decir, según la edad, constitución física, rasgos emocionales y carácter de cada persona. ¡Que lo disfrutéis!

Índice

LA NUEVA COCINA ENERGÉTICA

segunda parte
ALQUIMIA EN LA COCINA
Y EN LA VIDA

El propósito de este libro es continuar el trabajo de autodescubrimiento energético iniciado con el volumen 1, **La nueva cocina energética**. Os recomiendo encarecidamente que empecéis con el primer libro, recojáis sus beneficios, y luego paséis a este segundo. Una casa fuerte y sólida debe empezarse siempre por los cimientos. No tiene sentido empezar por el primer piso o el ático, o llenarla de muebles y detalles, antes de terminar de construirla. Así pues, el camino hacia una armonía y equilibrio interior es un trabajo constante de equipo, en el que todos nuestros cuerpos energéticos, empezando por el de vibración más lenta y sólida (el cuerpo físico) y continuando con los cuerpos emocional y mental (de vibraciones más rápidas) tienen que cooperar al unísono.

ALEGRÍA, COLOR Y TEXTURAS

• Compra **variedad de verduras** cada semana, de todas las que no conozcas o nunca hayas usado. La oferta es muy amplia, ¡atrévete a experimentar!
• Aplica **diferentes estilos de cocción** a las verduras.
• Anota los platos de verdura con **más éxito** en la familia. A medida que los vayas practicando serán más fáciles de preparar y ganarás tiempo.
• Presenta en cada comida al menos **dos platos diferentes** de verdura. Puedes optar por un primer plato caliente, como por ejemplo un estofado o salteado otro puede ser más refrescante y de textura más crujiente, de cocción muy corta o ensalada.

Todo lo que afecte a uno estará relacionado directamente con los demás. Cada uno vibra de diferentes formas, se alimenta de diferentes nutrientes, más sólidos o más vibracionales, y hay que entender sus necesidades energéticas. También somos únicos, lo que significa que lo que funciona para un amigo o un familiar, puede que no funcione para nosotros. Hay que buscar nuestra propia forma de encontrar la **armonía interior**. Hay muchas formas de subir la montaña, y todas validas, pero debemos encontrar nuestro propio modo de hacerlo.

En este libro intento dar una **visión energética** de la vida, pero con amplitud de miras, libre, abierta y alegre; que pueda amoldarse a todos, sin restricciones, rigideces, limitaciones… ¡ni fanatismos!

Se trata de una información práctica y simple, que se pueda aplicar al día a día, que pueda ser entendida no sólo por una «minoría alternativa selecta», sino por todo el mundo, sea cual sea su educación, nacionalidad, religión o edad, y que genere efectos a largo plazo sorprendentes y poderosos, aportando calidad, libertad y armonía a nuestras vidas.

Para poder sentirnos libres de escoger, primero debemos conocer los efectos y las consecuencias; de este modo podremos elegir lo que deseamos crear en nuestras vidas; los frutos que deseamos recoger en relación con las semillas plantadas. Por esta razón, este libro no es únicamente de cocina. Es mi visión de la vida, ya que no se puede separar por compartimentos: fluye y vibra en una Unidad.

Nuestro mundo interior
y su reflejo exterior

Hay información energética de alimentación física, con más detalle que en el volumen 1, pero también cómo afecta al resto de nuestros cuerpos. También he incluido a lo largo del libro «vivencias interiores o «visualizaciones» para poder facilitar la transformación y el cambio más rápidamente; englobando el desequilibrio, la carencia o el exceso no tan sólo con respecto a los alimentos físicos, sino ofreciendo herramientas a todos los niveles de vibración.

Es un trabajo lento, que requiere mucha claridad, propósito y coraje. Puede que el camino interior esté por el momento muy oscuro, que nuestro desván necesite una limpieza a fondo. Espero que la información ofrecida en este libro sea como una pequeña antorcha que

La vivencia interior

Vamos a descolgar el teléfono y a disponer de unos minutos para vivir una jornada interior.

Vamos a relajarnos, estirados en el suelo o sentados en una silla, cómodos y con la espalda en posición recta. Hacemos varias inspiraciones profundas y expiramos muy lentamente, sintiéndonos más y más relajados, pesados y conectados con la madre Tierra.

Vamos a imaginar que estamos en un camino, en el camino de nuestra vida:

- ¿Cómo es? Fácil de ir por él, con bajadas y subidas, tortuoso, estrecho, ancho...

- ¿Con qué paisaje se relaciona nuestro camino? Paisaje llano, de montaña, un bosque, entre la maleza...

- ¿Nos sentimos a gusto en este camino?

- ¿Tenemos energía y vitalidad para seguir nuestro camino o estamos sentados a un lado, sin chispa para seguir?

- ¿Hay obstáculos que se interponen en nuestro camino?

- ¿Hacia dónde vamos? ¿Tenemos claro hacia dónde deseamos ir? ¿Sabemos cuál es nuestra meta o todavía vamos sin dirección fija?

- ¿Hay niebla, tormenta, nieve... o brilla un sol radiante?

- ¿De qué forma viajamos por nuestro camino? ¿A pie o en algún transporte?

- ¿Con quién vamos en nuestro camino? ¿Vamos solos, acompañados o con una multitud en la misma dirección o en contra...?

Podemos imaginarnos todas estas circunstancias y vivir la experiencia de lo que sentimos, ya sea guardándola en nuestra mente o apuntándola en un papel...

- ¿Qué clase de equipaje llevamos en nuestra jornada / viaje? ¿Un equipaje muy grande y pesado, o algo muy ligero, libre de responsabilidades?

- ¿Nos sentimos a gusto con nuestro equipaje? ¿O deseamos dejar algo que ya no necesitamos, algo del pasado?

Podemos reflexionar con objetividad y claridad acerca de lo que deseamos dejar atrás... Y podemos seguir nuestro camino más ligeros, con menos equipaje, con más libertad para movernos y para explorar nuestro camino y disfrutar de la aventura de cada nuevo día.

Antes de terminar, vamos a inspeccionar de nuevo el equipaje que hemos decidido llevar con nosotros: ¿puede que ahora sea más ligero, más sencillo, con menos excesos...?

os ayude a averiguar qué rincones de vuestro desván necesitan limpiarse y transformarse.

Sugiero que el trabajo de vivencias interiores que ofrezco, lo hagas a solas o con algún amigo que desee también trabajar en ello. Muchas veces, al aplicarlo en mis seminarios, veo personas reacias o aprensivas al termino «visualizar»; por esta razón, intento sustituirlo por «imaginar». ¡Todo el mundo puede imaginar!

La vivencia interior

Si le decimos a alguien que se imagine mordiendo un limón, podrá incluso sentir sus efectos físicos, producir en segundos más salivación en su boca, en un proceso instintivo. Si le preguntamos

cómo ha llegado hasta aquí (andando, en metro, en coche, etc.), inmediatamente recurrirá a una memoria instintiva que le mostrará con imágenes el pasado. Y si le preguntamos: «¿De qué color es tu cepillo de dientes o tu coche?», también podrá, por medio de imágenes mentales, recordar y visualizar.

Este proceso parece mucho más difícil cuando las vivencias que deseamos refrescar, extraer hacia el exterior, son las interiores. Y

muchas veces nos bloqueamos inmediatamente, casi incluso sin intentarlo.

Podría ser debido a falta de práctica, a la falta de una conexión interior frecuente, a tener miedo de encontrar lo que no deseamos ver (lo que con tanta eficiencia hemos escondido durante años); las excusas son interminables...

Con práctica y constancia, la conexión será más fácil y rápida. Cada persona tendrá una cierta facilidad para conectar con su

> **¡No todo lo que se descubre puede cambiarse, pero nada puede cambiarse hasta que se descubre!**

y descubrir nuestra forma de conexión.

Os invito a hacer el camino juntos, a conoceros un poco más, sin miedo, con coraje y espíritu de aventura. Puede que descubramos que el *monstruo* que nos perseguía desde hace tanto tiempo no es más que nuestra propia sombra.

Vamos a abrir el compartimento secreto
que existe en este equipaje

¿Qué objeto o mensaje hay en este compartimento secreto?
Lo reflexionamos con tiempo, ya que es el mensaje que nos ayudará a seguir nuestro camino con más claridad, fuerza, dirección y propósito.

Guardamos este mensaje en nuestro corazón y seguimos nuestra jornada, como un peregrino más en el camino de la vida... Y, poco a poco, volvemos a dirigir toda la atención a nuestro cuerpo físico; a sentir nuestras extremidades, nuestra respiración, a abrir los ojos y volver a la realidad de la habitación donde estamos.

Si no hemos recogido nuestras vivencias en un papel, lo podemos hacer ahora y reflexionar acerca de ellas. ¡Merece la pena!
Recomiendo hacer este ejercicio regularmente: nos sorprenderemos de sus beneficios.

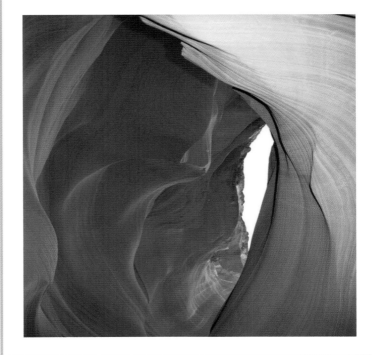

interior, de una forma u otra. Somos únicos, nuestros transmisores son diferentes, y es posible que lo que funcione para nuestro amigo no funcione para nosotros.

Tenemos que encontrar el *interruptor* que nos conecta con nuestro interior.

Probablemente a una persona le sea muy fácil imaginar; a otra, sentir o visualizar; y tal vez a otra, las palabras le broten y necesite escribirlo o expresarlo con colores. Somos únicos y hay que honrar

capítulo 1

Autodiagnóstico

Todo en el universo vibra con dos energías,
polos opuestos y complementarios:

Energía de expansión: apertura, vibración
rápida y superficial. Dispersa, disipa.
Movimiento centrífugo. Energía Yin.

Energía de contracción: cierra, densa, tensa,
condensa, vibración lenta e interior.
Movimiento centrípeto. Energía Yang.

Viaje a través de la vida
Las etapas energéticas

Todo es energía; nosotros mismos lo somos. Todo vibra, fluye, y el ritmo de vibración puede ser diferente de una persona a otra, de un objeto a otro, de un alimento a otro. Es posible que una vibración sea tan rápida que no la percibamos con nuestros ojos; pero existe, la intuimos con otros sentidos más sutiles. Y puede ser que otra sea densa, pesada, e incluso la podamos tocar con las manos.

Los seres humanos pasamos por diferentes etapas energéticas a lo largo de nuestra vida. Es importante reconocerlas, honrarlas y darles el valor que se merecen.

Todo en el universo vibra, con dos energías opuestas y complementarias:

■ **Energía Yin.** Energía de expansión, apertura, vibración rápida y superficial. Movimiento centrífugo (de dentro hacia fuera).

■ **Energía Yang.** Energía de contracción, cierre, condensación, vibración lenta e interior. Movimiento centrípeto (de fuera hacia dentro).

Si podemos reconocer estas dos energías sea donde sea (en nosotros, en una planta, en una verdura, en el tiempo, en nuestras emociones y pensamientos...) podremos equilibrarnos, con reflexión y autoconciencia, en este baile interminable de espirales y movimiento.

Una simple zanahoria, por ejemplo, posee las dos energías: por un lado, su raíz compacta y dura crece profunda hacia la tierra que la nutre; y por otro, sus hojas verdes se elevan alimentadas por la luz y la energía del universo. Es una simple zanahoria, pero cada energía va en diferente dirección.

> Es importante dar valor a las etapas energéticas que pasamos a lo largo de nuestra vida.

Siempre veremos que nuestro propósito es tratar de complementarnos a todos los niveles; buscar lo que nos falta e integrarlo en nuestras vidas para sentirnos más holísticos y equilibrados.

Cuando hace frío intentamos abrigarnos y tomar alimentos más calientes; y cuando hace calor, vestirnos ligeramente y comer algo que nos refresque. Si estamos cansados, tratamos de dormir más; y si nos sentimos con exceso de energía, queremos movernos, bailar, andar, correr... Siempre buscamos la parte opuesta para sentirnos en armonía. Pero para poder encontrar la parte que necesitamos, primero deberemos saber cómo estamos; observarnos sin juicios ni ataduras, tanto mentales como emocionales.

Los alimentos aconsejados para todas las etapas de la vida son los de origen vegetal: cereales integrales, leguminosas y proteínas vegetales (tofu, tempeh, seitán), frutas y verduras variadas, semillas y frutos secos, algas, endulzantes naturales, condimentos salados (sal marina, salsa de soja, miso), pescado y verduras fermentadas naturales.

Vamos a hacer, pues, un viaje energético desde el nacimiento hasta la vejez, intentando dar una dirección a nuestra forma de alimentarnos de acuerdo a la etapa de la vida en que nos encontremos.

Bebé | 0-12 meses

El bebé es pequeño y flexible; es el estado energético más Yang y su alimentación debe aportarle energía de relajación y expansión, así como ser muy dulce. ¡Y qué mejor alimento que la leche de su madre!

Poco a poco el bebé va creciendo y, gradualmente, comenzamos a darle alimentos sólidos, pero cocinados en forma de leches, papillas, cremas o purés. **La mejor forma de empezar a nutrir al bebé es con alimentos del reino vegetal**: verduras, cereales integrales, proteínas vegetales, semillas, frutos secos, algas, frutas del tiempo y endulzantes naturales.

Niño-niña (1-12 años)

Su tamaño todavía es pequeño y su energía, Yang, pero a medida que crece esta energía se va expandiendo. Su alimento será aún dulce y cremoso, pero poco a poco su consistencia cambiará a sólida y densa (no tan líquida), con más variedad de colores, sabores y texturas.

Aunque el sabor principal es el dulce, el niño empieza a interesarse por el sabor ácido (de las verduras fermentadas y los cítricos).

En el momento en que empiezan a andar (a adoptar una posición vertical, más Yin) se puede incluir en la cocción de los alimentos un poco de condimento salado (sal marina, salsa de soja o miso), ya que comienzan a necesitar este sabor. Los dos sabores restantes, picante y amargo, se introducirán más tarde, dependiendo de las necesidades particulares de cada niño. También incluiremos un poco de pescado fresco.

Adolescente (13-21 años)

El adolescente está llegando al estado de expansión máximo. Su cuerpo crece y vive un momento muy activo: desarrollo sexual, actividades deportivas, estudios, amistades, etcétera. Se produce un trabajo intenso a todos los niveles: el cuerpo físico se desarrolla; el cuerpo mental necesita concentración y claridad; y el cuerpo emocional empieza a despertarse en profundidad. El adolescente se pregunta «quién soy yo», y experimenta el rechazo a lo enseñado por sus padres, especialmente si ha sido adoctrinado de forma autoritaria.

En lo referente a la alimentación hay que hablar el lenguaje del adolescente, que es bombardeado por la publicidad y la televisión de la sociedad de consumo. Deberemos hablar un lenguaje de los colores, los sabores, las texturas y las formas similar al que se les intenta vender sin escrúpulos, pero con ingredientes de buena calidad en una cocina sensorial y atractiva.

Es importante nutrir y reforzar al adolescente; es decir, incrementar la cantidad de proteínas (vegetales, pescado, huevos y aceite) y minerales (algas y condimentos salados) para que su cuerpo se desarrolle con normalidad. Hay que cuidar la calidad de los carbohidratos (cereales integrales) para reforzar el sistema nervioso y obtener la glucosa de calidad que necesita a su edad. El cuerpo emocional está muy activo, por lo que si el adolescente no obtiene glucosa de calidad (carbohidratos en forma de cereales integrales), empezará a desear azúcares refinados, estimulantes, alcohol, etcétera, llevándolo a extremos energéticos difíciles de controlar. Otra forma de obtener esta calidad energética dulce es mediante el consumo de verduras dulces de raíz y redondas, que le aportarán tanto al cuerpo emocional como al físico la calidad de dulce que necesita. Y para ello hay que empezar a educarlos desde la infancia hacia una forma de vida más natural.

La mujer adulta

La mujer ha alcanzado su máximo crecimiento (estado máximo Yin) y ahora debe fomentar y equilibrar su energía. Tradicionalmente, la mujer ha representado la energía de la Tierra; una energía de tipo centrífugo, de expansión, ligera, dulce y relajada necesaria para alimentar su estructura femenina.

La alimentación se basará, pues, en una menor cantidad de cereales y proteínas animales (pescado); más proteínas del reino vegetal y verduras preparadas en diferentes estilos de cocción; y ensaladas y frutas durante las estaciones calurosas. Una cocina con simplicidad y pureza; de cocciones ligeras pero con energía y vitalidad.

Un exceso de alimentos extremos Yang (productos animales en forma de grasas saturadas, horneados, sal) producirá un estado energético extremo de contracción Yang, y con ello todos los problemas que sufre la mujer hoy en día: síndrome premenstrual, menstruaciones abundantes, obesidad, retención de líquidos, problemas durante la menopausia, osteoporosis...

El hombre adulto

El hombre ha alcanzado su estado de crecimiento máximo (estado máximo Yin), por lo que debe nutrir y reforzar su energía. Tradicionalmente, el hombre ha representado la energía del cielo, una energía centrípeta que necesita para equilibrar y reforzar su estructura.

La alimentación irá enfocada hacia una mayor cantidad de cereales, proteínas (con frecuencia pescado), algas y condimentos salados, así como una mayor cantidad de aceite y sal. Las cocciones serán más largas y elaboradas, y habrá variedad de verduras, en especial redondas y de raíz.

La alimentación que el hombre necesita para mantener su vitalidad está muy bien expresada en la cocina de nuestras abuelas: rehogados, estofados, salsas, aderezos, sofritos, picadas de frutos secos, etcétera.

No es necesario utilizar carne ni grasa animal; con la ayuda del entendimiento energético podemos producir perfectamente el efecto deseado: nutrir, reforzar, remineralizar o generar calor interior.

Lactancia

Se trata de un proceso tan importante como olvidado. **Para crear una leche de buena calidad,** la mujer debe estar relajada, descansada y bien alimentada, por lo que incrementará en su dieta las proteínas de origen vegetal y el pescado, las semillas, los frutos secos, el aceite en las cocciones, los cereales integrales, las algas, las verduras, las frutas y los postres naturales.

Hay que generar una energía de relajación, de dulzor; que nutra a la madre y cree una leche de óptima calidad. Es una etapa durante la cual se tiene más apetito, por lo que la mujer deberá comer *más de tres veces al día*, o todas las que necesite.

Bebidas dulces como la leche de arroz, de avena, de almendras, de avellanas o amásake son importantísimas para producir una buena leche.

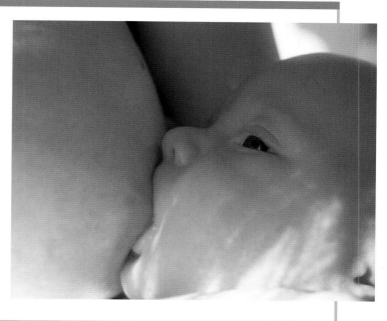

Embarazo

Se trata de una etapa de la vida de la mujer muy importante y muy descuidada a nivel energético, ya que la alimentación del primer mes de embarazo no puede ser igual que la del sexto o noveno mes, por ejemplo.

Durante los tres primeros meses la mujer debe comer más alimentos con energía de contracción (Yang), puesto que el «nido» debe quedar bien cerrado para no perder al bebé. Se desean alimentos más secos y salados, como el pescado o ciertos condimentos, e incluso más proteínas. Por supuesto, hay que incrementar los alimentos ricos en hierro y calcio, y es recomendable un aporte extra de minerales cada día (en forma de algas).

De los tres a los seis meses se sigue con una cocina normal, tan sólo con un incremento de proteínas, hierro y calcio. Los platos deben ser nutritivos, con fuerza, vitalidad y mucha variedad.

De los seis a los nueve meses podemos aumentar los alimentos con energía de expansión (más frutas y verduras de la estación). Estos alimentos generarán energía de relajación, tan necesaria en los últimos meses de espera. Ya no se necesita tanta sal, o los condimentos salados o la proteína de los primeros meses, y la ingesta de alimentos será más reducida, aunque más frecuente, puesto que hay que fomentar la energía de expansión Yin sin debilitar ni desmineralizar a la futura madre.

La tercera edad

Poco a poco nuestra estructura física disminuye y nos volvemos más quebradizos y secos. Volvemos a ser Yang, es decir, más cerrados y de energía centrípeta.

Se puede decir que volvemos a la edad infantil a muchos niveles, por lo que hay que volver a consumir más cremas y purés, vegetales y algas para reforzar los huesos y, por supuesto, cereales integrales, aunque preparados de forma jugosa y adecuada para la tercera edad. Se trata de alimentos con energía más expansiva, ligera y dulce.

Si miramos el proceso de la vida bajo una perspectiva energética, podremos comprender con más humildad nuestras reacciones y deseos alimentarios.

Entendiendo
nuestra constitución y herencia

Nuestra constitución viene dada por numerosos factores y no se puede cambiar: el árbol genealógico; la energía que había en el universo en el momento de nuestro nacimiento; aspectos astrológicos o el período de gestación de nuestra madre (cómo se alimentó, la época del año, el clima, su forma de vida y salud general, sus pensamientos, su estado mental y emocional...). Todo ello contribuyó a la creación del «producto final»: ¡nosotros!

A todos nos fascina el estudio de la constitución corporal y deseamos conocer el máximo de detalles, como las arrugas o las pecas que tenemos y dónde están situadas. Si estamos en un grupo de varias personas, cada una tendrá unas características diferentes. Puede incluso que podamos clasificar a estas personas por su constitución (de Yin a Yang) a muy grandes rasgos, pero ninguna característica es mejor que la otra. De hecho, debemos respetar y cuidar nuestros rasgos constitucionales, ya que por alguna razón los escogimos.

Es como nacer con un pedazo de arcilla debajo de nuestro brazo. Hay muchas clases y cualidades de arcilla, pero con todas ellas podemos moldear y hacer realidad nuestro sueño. Debemos conocer la clase de arcilla que poseemos, su potencial, aceptarlo y adaptarnos a ella para conseguir lo que deseamos.

Según nuestra constitución tendremos más facilidad para realizar una u otra actividad, pero con conocimiento energético ¡podemos llegar a todas! Por ejemplo, si nuestra constitución es más bien Yin (frágil, fría, idealista, artística, cuerpo delgado, dedos delicados y finos...) y nos empeñamos en hacer una expedición al Polo Norte, puede que nos cueste más estar en forma que a una persona de constitución Yang (pequeña, robusta, fuerte y práctica). O viceversa, una persona Yang (práctica, dinámica, competitiva, impaciente, social) que desee aprender a tocar un instrumento musical o hacer alguna actividad pasiva y mental, puede no verse favorecida por su naturaleza y constitución, aunque a la larga siempre podrá conseguirlo.

Como siempre, lo más importante es tener una idea o una visón general de la estructura / naturaleza de la persona en cuestión y, a partir de este punto, observar con atención su condición y qué es lo que podrá modificar con tiempo, perseverancia y conocimiento de la energía en su cuerpo, en la cocina y en su vida.

Don Quijote y Sancho Panza

Se trata de un ejemplo inolvidable de nuestra literatura española. ¿Quién no ha leído al menos unas líneas o estudiado en la escuela las naturalezas y características de estos dos famosos personajes?
Don Quijote es alto, delgado, frágil, idealista, aventurero y soñador. Vive en su mundo de fantasía e idealismo. Aquí podemos observar una naturaleza / constitución Yin. Por el contrario, **Sancho Panza** es pequeño, robusto, arraigado a la tierra, siempre pensando en las actividades más simples y naturales del ser humano, como comer y beber. Aquí podemos observar una naturaleza / constitución YANG.

Hay otros personajes populares que han representado estas dos características: **el Gordo y el Flaco,** por ejemplo. Mientras que uno es más práctico, dinámico y arraigado al PRESENTE, el otro es más soñador, mental, filósofo, artista y enfocado al FUTURO, creando sueños en un mundo de fantasía que puede que nunca se hagan realidad.

Constitución Yin

- **Cuerpo.** Con tendencia a ser alto y delgado. Proporción cabeza/cuerpo: cuerpo más proporcionado comparado con la cabeza. La proporción ideal es 1/7.
- **Estructura ósea.** Alta, huesos largos, delicados, ligeros y delgados.
- **Contorno cara.** Más bien alargado y delgado.
- **Mandíbula.** Delgada y puntiaguda.
- **Manos.** Alargadas y generalmente húmedas y frías.
- **Dedos.** Medir la distancia de la palma de la mano, desde la muñeca hasta el comienzo de los dedos, y comparar esta medida con la del dedo corazón. Si el dedo es más largo, la constitución es más Yin. También se puede apreciar esta constitución, si al juntar los dedos de la mano aún vemos espacios entre ellos.
- **Pies.** La energía que fluye a través de los seis meridianos de acupuntura empieza y termina en nuestros dedos y plantas de los pies. Tenemos más tendencia Yin si los tobillos están hinchados o nuestro tendón de Aquiles es doloroso o de color violáceo.
- **Orejas.** Pequeñas y lóbulos escasos. Es la tendencia de hoy en día.
- **Dientes.** La condición de nuestros dientes se relaciona con la condición de nuestros huesos. Si la tendencia es Yin, tendremos múltiples problemas dentales ya que son débiles, se carean y rompen fácilmente.
- **Lengua.** Pálida, blanquecina y muy húmeda.
- **Temperamento.** Tendencia a ser más creativo, mental, artístico, emocional, pasivo, volátil; a actividades más de origen intelectual y artístico.

Constitución Yang

- **Cuerpo.** Con tendencia a ser pequeño, denso y robusto. Proporción cabeza/cuerpo: la proporción ideal es 1/7. En general, si el cuerpo es de una proporción inferior a 7, la constitución tiene más tendencia Yang.
- **Estructura ósea.** Pesada, fuerte, con los huesos de los tobillos y muñecas robustos.
- **Contorno cara.** De forma generalmente cuadrada o redonda.
- **Mandíbula.** De forma cuadrada.
- **Manos.** Cuadradas y más bien secas
- **Dedos.** Cortos, sólidos y densos. Bien juntos unos con otros.
- **Pies.** Con durezas, con uñas duras y gruesas.
- **Orejas.** Grandes con lóbulos pronunciados. Observar los lóbulos de nuestros antepasados.
- **Dientes.** Fuertes y con escasos problemas.
- **Lengua.** Amarilla o roja y de aspecto seco.
- **Temperamento.** Tendencia a ser más dinámico, social, práctico, competitivo; a actividades que requieren acción y movimiento. Más arraigado a actividades mundanas y de supervivencia.

Transformando nuestra condición
y clima interior

Nos relajamos y acomodamos en un lugar tranquilo, donde nadie nos moleste durante varios minutos. Descolgamos el teléfono y cerramos la puerta.

Estirados o sentados con la espalda bien recta, hacemos varias respiraciones, inspirando y expirando muy lentamente. Sentimos nuestro cuerpo relajarse y acomodarse donde está descansando.

Vamos a visualizar o imaginar en nuestro interior qué clima hay en este momento. Puede que la imagen nos venga rápidamente o que tengamos que imaginarla. Es lo mismo.

¿Qué clase de imagen crearemos? ¿Qué clima existe en nuestro interior en estos momentos?

¿Un calor agobiante, seco, una imagen de un desierto sin fin? ¿O un lugar helado, frío, en el que es muy difícil poder sobrevivir? ¿O puede que en esta imagen haya agua, humedad, lluvias abundantes y torrenciales?

- **¿Qué clase de paisaje vive en nosotros?**
- **¿Qué clima tiene?**
- **¿Qué temperatura?**
- **¿A qué estación del año corresponde esta imagen?**
- **¿Estamos a gusto con ello?**
- **¿Desearíamos cambiarlo?**

Se trata de un ejercicio de sentir al mismo tiempo que de visualizar o imaginar.

Con la ayuda de lápiz y papel podemos anotar nuestras experiencias, acordándonos también de apuntar la fecha y un breve resumen de cómo nos sentimos emocionalmente. Esto nos ayudará a identificar y relacionar las emociones y los pensamientos con el estado de nuestro cuerpo físico.

También en esto **somos los creadores,** los responsables. Hemos moldeado nuestro pedazo de arcilla de tal forma que hemos creado el clima que ahora vive en noso-

Perder es ganar

«Da por bien perdido lo perdido, sobre todo cuando te sirva para libertarte de algo o de alguien; a veces se gana más cuando se pierde que cuando se gana.»

WALT WHITMAN

tros. **Aunque, si hemos podido crearlo, también podemos «descrearlo» y conseguir así lo que deseamos.**

Podemos cambiar a cada momento nuestra condición, y de hecho lo hacemos, aunque la mayoría de las personas lo hacen de forma inconsciente y puede que no de la forma que lo necesitan.

Éste es nuestro regalo: poder obtener a cada momento el tipo de energía que necesitemos de forma consciente y racional, nutrirnos de ella y llevar a cabo en esta vida las metas que nos hemos propuesto.

Principios energéticos

¿Cómo podemos ser conscientes e ir orientándonos paulatinamente hacia lo que deseamos llevar a término? ¿Cómo podemos nutrirnos de las energías que necesitamos? Pues teniendo siempre en cuenta unos principios energéticos fundamentales:

❋ Todo lo que consumimos debe ser eliminado.

❋ La calidad de la energía eliminada vendrá determinada por la calidad de la energía consumida.

❋ Los cambios bruscos y rápidos no duran.

❋ Un cambio lento es la base para una forma de vida sana, equilibrada y duradera.

Algunas características
de condiciones extremas Yin y Yang

Si observamos las características que describimos a continuación, siempre podremos encontrar en nosotros algunas de ellas, tanto en el extremo Yin como en el Yang. Esto no debe crear confusión ni dudas, sino que es totalmente normal. Seguro que en algún momento de nuestra vida hemos comido alimentos extremos (carne, alcohol, azúcar...) y hemos vivido situaciones extremas (estrés, enfermedad, muerte, despido, rebeldía, etc.), con los cuales nos hemos creado diferentes síntomas y condiciones. Debemos observar nuestra condición globalmente para poder cambiarla poco a poco y tomar la dirección que necesitamos.

Condición extrema YIN

- Nos sentimos cansados, sin motivación.

- **Calidad de sueño.** Necesitamos muchas horas de descanso, levantarnos tarde e irnos a dormir también tarde (después de la medianoche).

- **Orina / heces.** Tendencia a orinar con mucha frecuencia, durante el día y la noche. Heces húmedas, de color verdoso, y tendencia a gases, diarrea...

- **Temperatura.** Cuerpo frío, clima interior invernal con lluvias y humedad. Deseos constantes de irnos de vacaciones a lugares de clima cálido. Tendencia a resfriados, gripes e infecciones.

- **Emociones.** Preocupados, miedosos, deprimidos, sentimiento de víctima, lentos en las acciones, falta de concentración, dudosos, hipersensibles, todo nos afecta aunque siempre es «culpa de los demás». Falta de control en la propia vida.

- **Voz.** Tono suave y débil.

- **Forma de andar.** Despacio, sin ganas y energía.

- **Piel.** Tendencia a la hinchazón, húmeda o aceitosa.

- **Ojos.** En el diagnóstico oriental, la posición de los ojos es muy importante para poder conocer la condición de la persona. La palabra "Sanpaku" significa 'tres blancos'. Cuando miramos a los ojos de una persona sana y equilibrada, deberíamos ver dos zonas blancas: la parte derecha y la izquierda, mientras que el iris y la retina se encuentran centrados en el medio. No se percibe ningún espacio blanco, ni por arriba ni por abajo.

Cuando un bebé nace, sus ojos están hacia abajo y presenta una parte blanca en la parte superior del ojo denominada «Yang Sanpaku». Un bebé es extremadamente Yang (pequeño, denso), pues ¡acaba de llegar al planeta Tierra! En cambio, cuando una persona decide partir dirige sus ojos hacia arriba, hacia la parte espiritual, y presenta un blanco en la parte inferior del ojo denominado «Yin Sanpaku».

Una persona con condición Yin tendrá tendencia a Yin Sanpaku y, por tanto, a tener ojos cansados con parpadeo frecuente y tendencia a evitar la mirada directa a los ojos de otras personas...

- **Cabello.** Tendencia a tener un cabello sin vida, aceitoso, húmedo, débil; propenso a la caída, especialmente en las zonas laterales de la cabeza o en la frente.

- **Actividades.** Actuaremos despacio, sin ganas, callados, pasivos e introvertidos.

- **Estrés.** Siempre llegamos tarde a las citas, nos quejamos, sentimos que hemos perdido el control de nuestra vida, no sabemos qué hacer. Estamos dudosos, lloramos a menudo, sentimos pánico. Tampoco vemos a nuestros amigos, ya que nos abate un sentimiento de incapacidad y cansancio general.

- **Formas de conducta.** Hemos perdido las ganas de empezar nuevos proyectos y la confianza en nosotros mismos. Tenemos tendencia a ser suspicaces y escépticos, complejo de inferioridad y una vida interior de fantasía.

Condición extrema YANG

- Nos sentimos hiperactivos, agresivos, con dificultad para tomarnos la vida relajadamente.

- **Calidad de sueño.** Tendencia a dormir muy poco y despertarnos de madrugada.

- **Orina y heces.** Orina escasa, de olor fuerte y color oscuro. Heces muy densas, oscuras y pequeñas. Tendencia al estreñimiento.

- **Temperatura.** Cuerpo con calor, sudor, volcán interior. Necesidad de quemar calorías haciendo mucha actividad física. Clima interior en plena canícula de Agosto, sequedad y agobio. Las vacaciones ideales son en zonas de alta montaña.

- **Emociones.** Irritables, ansiosos, coléricos, impacientes, inflexibles y de ideas fijas.

- **Voz.** Tono excesivamente fuerte, claro.

- **Forma de andar.** Con prisa e impaciente.

- **Piel.** Se percibe como vieja, arrugada, seca.

- **Ojos.** Yang Sanpaku, brillantes, casi sin parpadear, intensos, tendencia a fijarse en un punto concreto.

- **Cabello.** Seco, con dificultad para moldearlo, con caspa. Puede que con pérdida de pelo, especialmente en las zonas centrales de la cabeza y hacia atrás.

- **Actividades.** Hablamos continuamente y andamos con prisas, con agresividad, con ruido. Espíritu competitivo y siempre centrados en nosotros mismos.

- **Estrés.** Se padece de insomnio, dolor y tensión en el cuello; irritabilidad, agresividad y ansiedad por conseguir lo que se desea. Fruncimos el ceño muy a menudo y hacemos ruido con los dientes. Somos impulsivos y movemos constantemente las manos, las piernas o los pies como signo de impaciencia y falta de relajación.

- **Formas de conducta.** Nos volvemos muy rígidos, obstinados y nos fijamos en exceso en los detalles. Somos hiperactivos y poco tolerantes con los errores de los demás, aunque no queremos reconocer los nuestros; muy selectivos con las amistades, con complejo de superioridad, controladores y egocéntricos.

De gusano a mariposa

En la vida todo se puede transformar si realmente existe claridad y propósito, ¡y lo deseamos de corazón!

Así el gusano, encerrado en su propio escondite, sin libertad al principio, irá poco a poco transformándose; puede que los cambios más dramáticos ocurran sin que nadie los vea, pero poco a poco irá convirtiéndose en una bonita mariposa con alas para disfrutar de la vida, de la naturaleza y de la libertad.

También nosotros podemos transformarnos a todos los niveles de nuestro ser y dejar atrás ataduras energéticas que ya no necesitamos. **En primer lugar**, entendiendo de qué forma nos hemos generado la condición que tenemos (si estamos perdidos en una gran ciudad y deseamos ir a un determinado punto, antes deberemos saber dónde nos encontramos, tener un punto de referencia). **En segundo lugar**, intentando reducir o evitar las energías extremas que generarán efectos extremos en nuestro ser. **Y, en tercer lugar**, intentando generar la energía que deseamos a todos los niveles: en la cocina, en el trabajo, en los hobbies, en la forma de pensar, vivir y sentir, etc.

Alimentos naturales para el uso diario

Extremo energía Yin I eliminar

- ❋ Azúcares refinados de todas clases
- ❋ Endulzantes muy concentrados (miel, sirope de arce...)
- ❋ Endulzantes refinados (mermeladas con azúcar, chocolate, fructosa...)
- ❋ Pastelería
- ❋ Frutas y zumos industriales
- ❋ Estimulantes (café, té, bebidas con gas y azúcar, alcohol, colas...)
- ❋ Exceso de picantes y vinagres
- ❋ Exceso de aceites y grasas saturadas
- ❋ Verduras solanáceas (pimientos, patatas, berenjenas, tomates...)
- ❋ Exceso de verduras depurativas y que enfrían (champiñones, espárragos, espinacas, acelgas...)
- ❋ Comidas y bebidas heladas
- ❋ Aditivos y colorantes, verduras congeladas, levaduras
- ❋ Aceites refinados, aderezos, salsas y aliños comerciales

Extremo energía Yang I eliminar

- ❋ Productos animales (carnes, embutidos, aves, huevos...)
- ❋ Productos lácteos (quesos, cremas saladas...)
- ❋ Horneados (pan y bollería, especialmente con harina blanca)
- ❋ Comidas preparadas
- ❋ Snacks y platos muy salados
- ❋ Utilización de sal cruda en las comidas
- ❋ Productos ahumados
- ❋ Pescados en lata
- ❋ Aderezos, aliños y salsas comerciales

Observación
y autodiagnóstico

Si deseas tener una idea más clara de qué dirección necesitas tomar para continuar tu camino hacia la ARMONIA, EL EQUILIBRIO Y LA SALUD, a continuación te ofrecemos unas sencillas orientaciones para tu autodiagnostico y reflexión personal. En estas tablas se indican las energías que necesitas de acuerdo a tus estados personales, tanto a nivel físico como emocional y mental. Es conveniente tener en cuenta que cambiamos, fluimos, vibramos a cada instante de nuestra vida, y puede que lo que necesitemos hoy no lo necesitemos dentro de dos semanas. O quizá alguna de estas descripciones pueda interpretarse de diferentes formas según cada individuo o estado de ánimo. Es una labor constante de autoobservación, flexibilidad y cambio.

NOS SENTIMOS	RE	NU	CA	DU	RL	AC	DE	EN
AL LEVANTARNOS								
Cansado y tenso						✖	✖	✖
Cansado y débil	✖	✖	✖			✖		
Sin energías	✖					✖		
Tenso e impaciente					✖		✖	✖

NOS SENTIMOS	RE	NU	CA	DU	RL	AC	DE	EN
CALIDAD SUEÑO								
Necesito más de 9 horas	✖					✖		
Necesito menos de 6 horas				✖	✖		✖	✖
Me acuesto tarde y me levanto tarde	✖	✖	✖			✖		
Me acuesto temprano y me levanto muy temprano				✖	✖			
Me cuesta conciliar el sueño	✖			✖	✖			
Me duermo, pero me despierto entre las 3-4 am				✖	✖		✖	✖

NOS SENTIMOS	RE	NU	CA	DU	RL	AC	DE	EN
CUERPO FISICO								
Siempre tengo frío	✖	✖	✖					
Siempre tengo calor							✖	✖
Tendencia a la diarrea	✖		✖					
Tendencia al estreñimiento				✖		✖	✖	
Con retención de líquidos				✖		✖	✖	
Con SPM y tensiones				✖	✖		✖	✖
Menstruaciones (- de 28 días)				✖	✖		✖	✖
Menstruaciones (+ de 30 días)	✖		✖					
Falta de peso		✖	✖	✖	✖			
Sobrepeso				✖	✖		✖	✖
Con mucho apetito y sobrepeso				✖	✖		✖	✖
Con mucho apetito y delgado		✖		✖	✖			
Falta de apetito y delgado	✖	✖	✖			✖		

REMINERALIZAR y REFORZAR	RE
NUTRIR	NU
CALENTAR	CA
DULZOR	DU
RELAJAR	RL
ACTIVAR	AC
DEPURAR	DE
ENFRIAR	EN

NOS SENTIMOS

	RE	NU	CA	DU	RL	AC	DE	EN
Orina muy frecuente	✖		✖					
YIN Sampaku	✖	✖	✖					
YANG Sampaku				✖	✖		✖	✖
Con muchos resfriados	✖		✖					
Sistema inmunitario débil	✖		✖					
Presión arterial alta					✖		✖	✖
Presión arterial baja	✖	✖	✖					
Anémico	✖	✖	✖					
Falta de concentración y memoria	✖		✖			✖		
Olor corporal fuerte							✖	✖
Huesos débiles	✖	✖	✖					
Dolor de cabeza frontal	✖				✖			

NOS SENTIMOS

	RE	NU	CA	DU	RL	AC	DE	EN
Dolor de cabeza lateral							✖	✖
Dolor de cabeza interior/ migrañas							✖	✖
Exceso de mucosidades						✖	✖	
Quiere muchos dulces				✖	✖		✖	
Desea pan y galletas		✖		✖				
Atado al alcohol				✖		✖	✖	✖
Desea exceso de estimulantes				✖		✖	✖	✖
Apegado a los lácteos		✖	✖	✖				
Problemas de hígado							✖	✖
Desea climas cálidos	✖	✖	✖			✖		

EMOCIONES Y ACTITUDES MENTALES

	RE	NU	CA	DU	RL	AC	DE	EN
Agresivo, impaciente, competitivo				✖	✖		✖	✖
Deprimido, con miedos	✖	✖	✖			✖		
Hiperactivo				✖	✖			
Lento en acciones	✖	✖				✖		
Rígido, tenso, inflexible				✖	✖		✖	
Siempre llega tarde	✖	✖	✖			✖		
Sin control en su vida	✖	✖	✖					
Controlador				✖	✖			✖
Soñador, en el futuro	✖	✖	✖			✖		
En el pasado				✖	✖		✖	
Intolerante y crítico				✖	✖		✖	✖
Todo le afecta	✖	✖	✖					
Falta de confianza, tímido	✖	✖	✖			✖		

capítulo 2

Conocimiento energético y vibracional

¡Todo es **energía**!
¡Nosotros somos **energía**!

Todo vibra, fluye, puede que el ritmo de vibración
sea diferente de unas personas a otras, de unos
objetos a otros, de unos alimentos a otros...

Puede que algunas vibraciones no las percibamos
con nuestros sentidos, con nuestros *ojos* físicos,
pero existen y las podemos intuir con otros sentidos
más sutiles.

Dos energías
universales

odo en el universo vibra con dos energías opuestas y a la vez complementarias. Por un lado, la energía Yin, que es una energía de expansión, dispersión, apertura; de vibración y efecto muy rápidos. Se trata de una energía volátil y superficial que actúa primeramente en la parte superior del cuerpo, y cuyo movimiento es centrífugo (de dentro hacia fuera). Es la energía que ofrece la Madre Tierra (las plantas crecen hacia arriba y hacia fuera, en un movimiento expansivo).

Por otro lado, tenemos la energía Yang. Es una energía de contracción, cierre, condensación, acumu-

lación; de vibración y efecto lentos. Su movimiento es centrípeto (de fuera hacia dentro) y es la energía que recibimos del universo.

El conocimiento reflexivo y consciente de estas dos energías puede ayudarnos a conseguir el

---

Si podemos reconocer estas dos energías a todos los niveles de nuestra vida, podremos equilibrarlas y encontrar nuestro propio grado de paz y armonía.

---

equilibrio, tanto en nuestro interior como en lo que nos rodea.

Todo se contrae y se expande; todo es Yin y Yang, y podemos apreciarlo en…

■ **Nuestro cuerpo.** Las funciones vitales contienen estas dos energías de contracción y expansión: en el corazón, el movimiento rítmico de sístole-diástole; en los órganos digestivos, el movimiento peristáltico de contracción-dilatación; en la respiración, el movimiento de espiración-inspiración…

Nacemos pequeños, densos (Yang), y poco a poco nos vamos expan-

diendo, creciendo (Yin), hasta llegar a la estatura máxima y luego, con la vejez, volvemos de nuevo a cerrarnos, condensarnos (Yang).

◼ **La naturaleza.** Un *árbol* tiene la parte de contracción (raíces) y la parte de expansión (tronco, ramas); la *Madre Tierra*, su parte seca (Yang) y su parte líquida (Yin), el *día* (actividad Yang) y la *noche* (pasividad Yin).

◼ **Las 24 horas del día.** Cuando dormimos estamos en posición horizontal, nos nutrimos y nos regeneramos con la energía de la Tierra (energía Yin). En cam-

bio, desde que nos levantamos estamos en posición vertical y nos nutrimos principalmente de la energía del universo (energía Yang).

◼ **Los climas y las estaciones.** Un clima caluroso y seco es Yang, mientras que un clima frío y húmedo es Yin.

◼ **Nuestras emociones.** A veces estamos más hiperactivos, agresivos, críticos, materialistas, introvertidos y con ideas fijas (Yang), en tanto que otras veces estamos más lentos, pasivos, con falta de concentración y emociones muy volátiles, depresivos y con falta de control en nuestras vidas (Yin).

◼ **Los movimientos en espiral** Cuando estas dos energías se encuentran (polos opuestos con diferentes direcciones [centrífuga-centrípeta]), se produce un movimiento de energía en espiral que fluye, dinámico y vital.

Así, en la naturaleza vemos la forma espiral en el mapa del tiempo (un tornado, formaciones de nubes, etc.); en las galaxias y agrupaciones de estrellas; en la forma en que un bebé se encuentra en el vientre materno; en las huellas digitales y en órganos (intestinos...); etcétera.

Si podemos reconocer estas dos energías a todos los niveles de nuestra vida, podremos equilibrarlas y encontrar nuestro propio grado de paz y armonía.

La personalidad
de los alimentos

Puede decirse que cada alimento posee su fuerza vital (Ki) y que, en función de cómo y en qué cantidad lo consumamos, así nos ofrecerá su espíritu y energía. Cada alimento tiene su personalidad y reacción en nosotros. Puntos a tener en cuenta :

- **Crecimiento.** Muy rápido (Yin) o muy lento (Yang); en la superficie (Yin) o dentro de la tierra (Yang); de crecimiento vertical hacia arriba (Yin) o vertical hacia abajo (Yang).

- **Tamaño.** Grande (Yin) o pequeño (Yang).

- **Altura.** Crece mucho (Yin) o poco (Yang).

- **Contenido en agua.** Es muy jugoso (Yin) o de consistencia seca (Yang).

- **Densidad.** Blanda (Yin) o dura (Yang).

- **Olor.** Fuerte (Yin) o casi inodoro (Yang).

- **Componentes.** Más alto en potasio (Yin) o en sodio (Yang).

- **Estación de crecimiento.** Crece en primavera-verano (Yin) o en otoño-invierno (Yang).

- **Origen.** Es de clima tropical (Yin) o de clima frío (Yang).

- **Calidad biológica.** De origen vegetal (Yin) o de origen animal (Yang).

Tabla general
de la energía de los alimentos*

ENERGÍA EXTREMA YIN
Vibración y efecto: rápido, volátil, superficial, enfría, disipa, desintegra, expande, abre...

- **Drogas**, **alcohol**, **bebidas gaseosas azucaradas**, **estimulantes** cafés | tés
- **Azúcares** azúcar blanco, moreno, de caña | miel | sirope de arce | helados | chocolate | fructosa...
- **Algas de lago** y **agar-agar** espirulina | clorella | klamath
- **Lácteos blandos** leche de soja | tofu crudo | mantequilla | nata | cuajada | leche | quesos blandos | yogur | kéfir
- **Hierbas aromáticas y especias** curry | pimienta negra | pimienta blanca | mostaza | ajo...
- **Frutas tropicales o locales muy expansivas** plátano | piña | mango | aguacate | coco | papaya | pomelos | ciruelas | higos | dátiles...
- **Verduras solanáceas** y **otras muy expansivas** pimientos | tomates | berenjenas | patatas | espinacas | acelgas | champiñones...

ENERGÍA MODERADA
- **Endulzantes moderados naturales** melaza de cebada y maíz | miel de arroz | amasake | concentrado de frutas naturales
- **Frutas secas locales** (sin sulfato) pasas | albaricoques | orejones | manzanas | peras...
- **Frutas frescas locales y de la estación** manzanas | peras | melocotones | albaricoques | nísperos | cerezas | fresas | sandía | melón...
- **Semillas y frutos secos** sésamo | girasol | calabaza | almendras | nueces | cacahuetes...
- **Verduras locales y de la estación**
- **Verduras del mar** (algas) kombu | wakame | hiziki | dulse | arame | nori | espaguetti de mar...
- **Leguminosas y proteínas vegetales** lentejas | garbanzos | pintas | azukis | alubias | seitán | tempeh | tofu ahumado...
- **Cereales integrales** y **pasta integral**
- **Pescado** y **marisco**

ENERGÍA EXTREMA YANG
Vibración y efecto: lento, profundo, de tensar, cerrar, acumular, interior, calienta...

- **Aves**
- **Carnes rojas** y **grasas saturadas**
- **Quesos secos y salados**
- **Huevos, embutidos, pizzas, horneados**
- **Condimentos salados** sal | miso | salsa de soja | tamari | umeboshi...

* Ampliación de la tabla «Estudio energético de los alimentos» *(La nueva cocina energética, pág. 89)*

Cuando observamos los alimentos debemos tener en cuenta todos estos puntos de forma general, como si estudiáramos su herencia y su «trabajo global»; de este modo entenderemos cómo nos sentará cada uno de ellos al consumirlos. ¿No es así que aceptamos sin ningún problema los efectos que producen las plantas medicinales? Todo lo que consumimos tiene un efecto, no sólo la tila, el anís o la menta. El problema es que nunca lo hemos estudiado y ¡ni se nos ocurre pensar en el efecto de una manzana o de unas almendras! Así, bajo la perspectiva de la alimentación energética vamos a clasificar los alimentos:

Efecto de expansión:
Vibración rápida, volátil, superficial, disipa...
Efecto de concentración:
Vibración lenta, profunda, de tensar, cerrar, acumular interiormente...
Tendencia a enfriar
Tendencia a calentar

Efectos energéticos de los alimentos moderados

INGREDIENTES	EXPANSIÓN	CONCENTRACIÓN	ENFRÍA	CALIENTA
Cereales		✖		✖
Leguminosas	✖			✖
Tofu crudo	✖		✖	
Tofu ahumado	✖	(menos que el crudo)	✖	
Tempeh	✖	(menos que el tofu)	✖	
Seitán		✖		✖
Pescado		✖		✖
Algas de mar		✖		✖
Algas de lago y agar-agar	✖		✖	
Verduras	✖		✖	
Aceite crudo	✖		✖	
Aceite de cocción		✖		✖
Semillas	✖			✖
Frutos secos	✖			✖
Frutas frescas	✖		✖	
Frutas secas	✖		✖	
Endulzantes moderados	✖		✖	
Hierbas aromáticas	✖		✖	
Especias picantes	✖		✖	
Ajo	✖		✖	
Canela, clavo, nuez moscada, jengibre	✖			✖
Cítricos	✖		✖	
Vinagre de arroz	✖		✖	
Vinagre Umeboshi		✖		✖
Miso		✖		✖
Tamari (Salsa de soja)		✖		✖
Sal marina		✖		✖
Espesante kuzu		✖		✖
Espesante arroruz	✖		✖	
Café de cereales		✖		✖
Infusiones (tila, manzanilla, menta, anís...)	✖			✖
Leche de arroz, avena, almendras	✖		✖	
Fermentados cortos	✖		✖	
Fermentados largos (umeboshi...)		✖		✖
Germinados	✖		✖	

Aclaraciones
sobre alimentos específicos

Muchos se sorprenderán de mis clasificaciones o no estarán de acuerdo con ellas. Lo importante para poder opinar sobre algo es vivirlo, que no sea una simple teoría mental; que sintamos su vibración y efecto; que observemos cómo nos hace reaccionar a nivel físico, emocional y mental.

A continuación aclararé cómo percibo personalmente la energía de los alimentos y por qué los clasifico de esta forma. Los efectos de algunos alimentos no hace falta mencionarlos porque existe igualdad de opinión. Me referiré solamente a los que han originado más tema de debate.

Una forma de experimentar la energía de un alimento es comerlo durante todo un día como mínimo, sin mezclarlo con ninguna otra energía. Así podremos percibir su efecto con claridad.

■ **Leguminosas.** Su efecto es expansivo, por lo que cuando las cocinemos debemos neutra-

---

Una forma de experimentar la energía de un alimento es comerlo durante todo un día.

---

lizar su naturaleza expansiva, que produce gases, flatulencias, etc. (véase *El libro de las proteínas vegetales* para más información al respecto). Al mismo tiempo, las leguminosas calientan (¿quién no desea en pleno invierno comer un estofado de garbanzos o una buena sopa de lentejas?), pero también podemos tomarlas en platos fríos, combinándolas con ingredientes y estilos de cocción que generen dispersión y disipen su calor.

■ **Tofu.** El tofu crudo es de naturaleza muy fría, por lo que debemos comerlo siempre cocinado. El tofu ahumado también enfría,

Como vemos, cada alimento tiene una personalidad, energía y efectos únicos. Dependiendo de sus características de crecimiento, velocidad, dirección, estación, tamaño, densidad, contenido del agua... Todas estas diferentes cualidades produciran diferentes efectos: enfriar/calentar, expansión/contracción, relajante/activante...

■ **Algas de mar y de lago.** Las algas de mar crecen en un ambiente salado y, por su alta composición en minerales, contraen y calientan. Podemos comer algas durante un par de días y comprobar sus efectos. Las excepciones serían el alga agar-agar y las algas de lago, que por su composición aportan energía de dispersar, distender, purificar y enfriar.

■ **Aceite.** Mientras que el aceite crudo dispersa, expande y enfría (en los países mediterráneos se utiliza normalmente crudo en ensaladas), el aceite que se utiliza en cocción (salteados, plancha, sofritos, fritos...) tiene el efecto de calentar y contraer.

■ **Semillas y frutos secos.** En realidad se trata de aceites y, como tales, provocan una expansión. Podemos comer avellanas durante tres días y ver si nos expandimos o nos contraemos. Pero, al igual que las leguminosas, son proteínas y nos producirán el efecto de calentar.

■ **Endulzantes moderados.** Aunque provengan de cereales integrales producirán un efecto de relajación y expansión. Sin embargo, los que proceden de cereales no enfriarán tanto como los que proceden de frutas.

■ **Hierbas aromáticas.** Todas las hierbas aromáticas son de naturaleza expansiva y enfriado-

pero su efecto es más moderado porque se le ha aplicado un estilo de cocción, el ahumado, y no es necesario cocinarlo de nuevo si no se desea.

■ **Tempeh.** También es una proteína de la soja amarilla, una fermentación y, por tanto, una desintegración. No enfría ni dispersa tanto como el tofu crudo, pero hay que cocinarlo.

■ **Seitán.** Es una proteína derivada del gluten del trigo; por ello es la proteína de origen vegetal que más calienta y refuerza. Su efecto es el de contraer y calentar.

Las especias

En general todas las especias enfrían, dispersan, disipan. Aunque esta afirmación pueda crear confusión (todos hemos sentido calor intenso al acabar de cenar en un restaurante hindú), lo cierto es que las especias disipan el calor interior. Cuando tomamos especias, la primera reacción del cuerpo será de calor. Todo nuestro calor interior se disipará y dispersará hacia la superficie, apareciendo incluso el sudor, pero al cabo de unas horas nuestra temperatura interior será más baja, por lo que sentiremos frío. Por esta razón se toman tantas especias en países muy calurosos.

Podemos sentir el efecto de las especias casi instantáneamente porque su vibración es muy rápida. Utilizaremos especias para dar a ciertas recetas un toque de polaridad, de energía de expansión, de sabor picante, pero con mucha moderación por ser un ingrediente extremo. Algunas especias calientan más que otras, como el jengibre, la canela, la nuez moscada y el clavo, por lo que las utilizaremos más hacia el invierno.

ra, aunque cada planta produce su propio efecto. Así, mientras que el tomillo, la salvia, el romero y el laurel son más secos, menos expansivos, la menta, la albahaca y el cebollino tierno son de naturaleza más expansiva, enfrían más y son apropiados para temperaturas más calurosas.

■ **Ajo.** El ajo es un ingrediente picante, de naturaleza muy expansiva y enfriadora. Por supuesto que posee muchas cualidades medicinales, pero si nuestra forma de alimentarnos está basada en productos vegetales, el ajo está muy descompensado (muy Yin). Probablemente, se utiliza mucho en

El tercer paso para obtener los efectos deseados es el estudio de la personalidad de los aderezos o condimentos. De hecho, podemos obtener de cualquier plato el efecto que buscamos si sabemos combinar la energía de los ingredientes con los efectos de los estilos de cocción y de los aderezos. Cuando se conocen todas la piezas del rompecabezas, poco a poco se ve la imagen con claridad.

Ya hemos mencionado la energía de muchos de los aderezos en la Tabla 2, por lo que ahora vamos a hacer su clasificación final.

Condimentos salados

Son necesarios para compensar muchos alimentos de efectos ácidos; para alcalinizar la sangre; regenerar y nutrir nuestro sistema nervioso; crear huesos fuertes; reparar nuestra flora intestinal con los condimentos fermentados, etc. Eso sí, con mucha moderación.

El miso es un condimento salado muy recomendable. Los hay de muchas clases, pero los más conocidos y usados son:

- **Mugi miso** (fermentación de la soja amarilla con cebada y sal)
- **Hatcho miso** (fermentación de la soja amarilla con sal)
- **Genmai miso** (fermentación de la soja amarilla con arroz integral)
- **Kome miso** (fermentación de la soja amarilla con arroz blanco)
- **Miso blanco** (fermentación muy corta de la soja amarilla)

Recomiendo tener en la cocina dos clases de miso: uno de larga fermentación (Mugi o Genmai), que es el que realmente nos ayudará a regenerar nuestra flora intestinal y aportará muchas cualidades saludables; y otro para condimentar cuando no deseamos oscurecer el plato o sólo queremos aportar un ligero toque salado y dulce (el miso blanco).

Algunas personas tienden a no utilizar sal en absoluto y poco a poco se van debilitando y generando una condición muy Yin. Mientras que, en el polo opuesto, están las tendencias alimentarias que abusan de los condimentos salados y que producen tensión, rigidez e introversión en las personas, así como graves problemas de salud a largo plazo.

Todos los condimentos salados nos **contraen y calientan** (son condimentos muy Yang), pero el que más lo hace es la sal, especialmente cruda en las ensaladas o empleada en exceso en los platos cocinados. ¿Acaso no es cierto que la sal (Yang) se utiliza para disolver la nieve (Yin)?

---

países mediterráneos para compensar el clima caluroso o para contrarrestar el efecto de las grasas saturadas.

En una alimentación vegetariana con proteínas vegetales, el ajo no tiene mucho equilibrio y, si abusamos de él, experimentaremos sus efectos Yin.

Si estamos apegados al uso del ajo, ya sea por hábito o predilección personal, y no nos sienta bien o nos percatamos de sus efectos de dispersión, una forma de contrarrestarlo es hacer pickles de ajo (macerar los ajos con agua y sal o con agua y salsa de soja durante varias semanas). Véase la forma de hacer pickles en *La nueva cocina energética*).

Personalidad
de los aderezos

ENERGÍA EXTREMA YIN
Vibración y efecto: rápido, volátil, superficial, enfría, disipa, expande, abre...

Alcohol
Vinagres de vino y manzana
Vinagre de arroz y balsámico
Ajo
Especias
Cítricos
Zumos concentrados de frutas
Hierbas aromáticas frescas
Hierbas aromáticas secas
Zumos de fruta fresca
Amasake
Endulzantes naturales
Arroruz
Miso blanco
Vinagre de Umeboshi
Kuzu
Mugi miso, salsa de soja, tamari
Umeboshi
Sal marina

ENERGÍA EXTREMA YANG
Vibración y efecto: lento, profundo, de tensar, cerrar, acumular interior, calienta...
Más tiempo, más llama, más presión, más sal, menos agua

■ **Vinagres.** Los vinagres son de naturaleza muy dispersante y enfriadora, por lo que nos desmineralizan muy rápidamente. En una alimentación en la que abundan las grasas saturadas, suelen utilizarse para contrarrestar los efectos de estos alimentos, obteniendo como resultado una doble desmineralización: por las carnes y por los vinagres. Podemos hacer la prueba colocando varios huevos en recipientes con diferentes vinagres (manzana, vino, arroz, balsámico...) y dejarlos ahí durante varias horas. El efecto que el vinagre produce en la cáscara del huevo es evidente: la corroe, la disuelve, la consume... ¡Y de la misma forma actúa en nuestros pobres huesos!

Podemos utilizar unas gotas de vinagre en nuestras comidas (especialmente de arroz o balsámico, que no son tan fuertes) pero con moderación y sólo para personas de condición más Yang.
El vinagre de umeboshi tiene un efecto más moderado. Es producto de la fermentación de la ciruela umeboshi con sal durante tres años y su sabor es

El ajo en una dieta vegetariana queda muy descompensado, por ser un alimento muy Yin.

ácido-salado. Todos podemos utilizar este vinagre sin correr el peligro de desmineralizarnos.

■ **Espesantes.** Hay dos espesantes que utilizo normalmente en mis recetas. Uno llamado Kuzu (de efecto muy Yang, calienta y contrae) y otro Arroruz (de origen tropical y efecto más Yin).
Si deseo espesar una compota de frutas o un postre (Yin), utilizaré normalmente Kuzu (Yang). Si es invierno y me siento con frío y débil, al espesar un estofado puede que utilice Kuzu. Pero si me siento tensa, rígida, agresiva, con calor interior, y deseo espesar un plato, utilizaré siempre Arroruz o maicena (Yin).

Personalidad
de los estilos de cocción

Para poder experimentar la personalidad de los estilos de cocción es importante sentir sus efectos en nuestro interior. Para ello existe un ejercicio muy fácil de realizar, divertido y efectivo, que utilizo en mis clases.

Imaginamos que nos convertimos en una zanahoria y que nos cocinamos de diferentes formas. Así experimentaremos sus efectos.

Dispondremos como siempre de tiempo y espacio para nosotros, sin interrupciones de ningún tipo. Nos relajaremos un poco antes de empezar el ejercicio.

Vamos a experimentar la **cocción al vapor:** nos sentaremos en una olla de vapor, con llama media-baja. El agua está por debajo de nosotros, no nos toca, y pronto empieza a hervir. Tapamos la olla con la tapadera y nos distendemos. El vapor empezará a cubrirnos totalmente, relajándonos. No hay movimiento, sólo tiempo y vapor.

Ahora experimentemos un **salteado corto,** estilo chino. Estamos en una gran sartén o en una olla ancha y plana. Hay un poco de aceite que se calienta y nos salteamos en él, moviéndonos continuamente de un lugar al otro, con llama alta y sin tapa, generando movimiento, actividad, fluidez, ligereza.

Puede que deseemos sentir el efecto de una **cocción estofada:** nos sentamos en una olla de hierro fundido o de acero inoxidable con doble fondo; el agua nos cubre hasta los tobillos, nos tapamos y con llama media-baja, sin remover, nos vamos cocinado durante largo tiempo, generando calor interior y una energía profunda, pero con efecto relajado.

Así podemos experimentar todos los estilos de cocción. Es más vivo y divertido si se hace en grupo, aunque claro está, primero tenemos que saber a la perfección cómo efectuar cada estilo de cocción. (Véase «Estilos de preparación» en *La nueva cocina energética*).

Pensar que cada estilo de cocción genera un efecto y una reacción en nosotros resulta tan extraño popularmente ¡como cuando Julio Verne describía el viaje a la Luna en sus libros!

Al terminar el experimento vivencial, acordaos de salir de la cazuela y ¡apagar el fuego!

El conocimiento energético de los estilos de cocción es el segundo paso para obtener, en nuestro «laboratorio energético», la clase de efecto que deseamos.

Efectos energéticos de

EFECTO YIN
Vibración y efecto: rápido, volátil, superficial, enfría, disipa, expande, abre... ⇨ *Menos tiempo, menos llama, menos presión, menos sal, más agua.*

1 • Crudo y licuado.
Enfría, dispersa, energía superficial. Sin llama.

2 • Germinado.
Energía activa de apertura, depuración ligera. Enfría. Sin llama.

3 • Macerado.
Energía de apertura, textura crujiente, relaja a las personas muy Yang. Efecto superficial. Sin llama.

4 • Prensado.
Enfría, textura crujiente, con sabor más dulce y menos contenido de agua que crudo. Energía ligera, de apertura con efecto superficial. Sin llama.

5 • Pickles cortos caseros.
Regeneran la flora intestinal. Efecto ligero, superficial, aligeran y relajan el hígado. Sin llama.

6 • Escaldado.
Ligero, refrescante, crujiente, efecto activo y superficial. Llama alta, sin tapa, tiempo de cocción: unos segundos. Utilizar cazuelas de acero inoxidable.

stilos de cocción

7 • Hervido.

Ligero, refrescante, crujiente, efecto activo y superficial. Llama alta, sin tapa, tiempo de cocción: de 3 a 5 minutos. Utilizar acero inxidable.

8 • Salteado corto con agua.

Ligero, sabor dulce, efecto activo, dinámico, superficial. Llama alta, sin tapa, tiempo de cocción: 5-10 min.

9 • Salteado corto con aceite.

Ligero, sabor dulce, efecto activo, dinámico, superficial, calienta ligeramente. Llama alta, sin tapa, tiempo de cocción: de 5 a 10 minutos.

10 • Plancha.

Ligero, sabor dulce, efecto activo, dinámico, superficial, calienta ligeramente. Llama alta, sin tapa, tiempo de cocción: de 3 a 7 minutos.

11 • Vapor.

Ligero, efecto superficial, calma, relaja, centra y estabiliza, realza el sabor dulce. Llama media-baja, con tapa, tiempo de cocción: de 7 a 10 minutos.

12 • Frito.

Calienta interiormente, satisface, nutre, activa, estimula, crea dinamismo. Depende de qué alimento se fría, su efecto será más superficial (verduras) o más profundo (pescado). Llama media, sin tapa, tiempo cocción: de 3 a 5 minutos.

13 • Estofado.

Centra, estabiliza, calienta por dentro, realza el sabor dulce de las verduras de raíz y redondas, nutre y satisface, refuerza si se utilizan algas, efecto más interior y profundo. Nutre el plexo solar y relaja. Llama media-baja, con tapa, tiempo cocción: de 30 minutos a 1 hora (y más). Utilizar acero inoxidable o hierro fundido.

14 • Presión.

Energía concentrada, refuerza, calienta, para condiciones YIN. Es recomendable usarlo para obtener los efectos descritos, en vez de utilizarlo para ahorrar tiempo. Llama media baja, con tapa, tiempo cocción: dependerá del ingrediente a cocinar.

15 • Salteado largo.

Dulce intenso, nutre, calienta, refuerza, calma, centra y satisface. más saludable que los fritos. Llama baja, con tapa, tiempo de cocción: de 30 a 45 minutos.

16 • Horno con agua.

Calienta interiormente, contrae, intensifica el sabor dulce de las verduras, efecto más estático y denso.

17 • Horno seco.

Calienta interiormente, contrae, intensifica el sabor dulce de las verduras, efecto más estático, denso y seco. Llama media, tiempo cocción: dependerá del ingrediente.

18 • Barbacoa.

Concentra, contrae, consistencia seca, calienta en profundidad. Energía más dinámica que el horno, pero todavía actuando interiormente en el cuerpo.

19 • Ahumado.

Se utiliza en pocas cantidades, especialmente se usa el tofu o el pescado. Efecto profundo, calienta, tensa, concentra y densa.

20 • Pickles largos.

Fermentados largos de varios meses o años, como miso, salsa de soja o ciruelas umeboshi. Efecto muy Yang, por lo que deben deben usarse como condimento en pocas cantidades.

EFECTO YANG

Vibración y Efecto: lento, profundo, de tensar, cerrar, acumular interior, calienta... ⇨ *Más tiempo, más llama, más presión, más sal, menos agua.*

Obteniendo
los resultados deseados...

Cómo combinar alimentos, estilos de cocción y aderezos

A continuación mostramos algunos ejemplos de cómo combinar alimentos, estilos de cocción y aderezos para obtener las energías deseadas; si bien será sólo una muestra general, ya que hay tantas variantes como nuestra creatividad y entendimiento energético nos ofrezcan.
Los platos propuestos pueden encontrarse también en el apartado «Recetas» correspondiente a cada energía.

	...con zanahoria	...con arroz
REFORZAR REMINERALIZAR	Podemos hacer un estofado largo y utilizar alga kombu (remineralizar), aderezando desde el principio de la cocción con laurel o tomillo y sal.	A presión con sal marina o alga kombu.
NUTRIR	Salteado largo, incluyendo tacos de seitán (proteína; nutre) y aderezando con salsa de soja y jugo de jengibre fresco al final.	Paella de pescado o paella con verduras y otra proteína vegetal.
GENERAR CALOR INTERIOR	Cocción al horno, junto con otras verduras o estilo papillote, con algunas hierbas aromáticas secas, aceite de sésamo tostado y miso.	A presión con semillas o frutos secos ligeramente tostados (en cocción o añadidos después).
DULZOR	Crema o puré, cocinadas con una pizca de sal.	En crema, cocinado lentamente, con canela o con alguna verdura dulce (calabaza, cebollas...).
DEPURAR	Hervidas o escaldadas, condimentadas con vinagre de arroz, jugo concentrado de manzana y ralladura de limón.	Hervido, en ensalada con verduras depurativas (champiñones, alcachofas, rabanitos...), un aliño y aderezos picantes o ácidos y hierbas aromáticas frescas.
ENFRIAR	Crudas y ralladas, aliñadas con aceite de oliva, jugo de limón, mostaza y miso blanco.	Hervido, en ensalada con verduras refrescantes (pepino, zanahoria rallada, aguacates...), un aliño y aderezos picantes o ácidos y hierbas aromáticas frescas.
ACTIVAR	Salteado corto al estilo chino, cortadas muy finas y condimentadas con salsa de soja, jugo concentrado de manzana y jengibre.	Hervido y luego salteado corto con verduras, aliñado con curry o jengibre.
RELAJAR	Al vapor, condimentadas con sólo unos granitos de sal marina.	En crema, cocinado lentamente tipo cocido, estofado, etc.

Vemos, pues, que para obtener los efectos deseados no nece

Lo más importante es l

...con tofu	...con garbanzos	...con calabacín	...con manzana
Tipo queso de tofu con mugi miso, o en estofado largo con algas.	A presión o en cocidos lentos con algas y verduras. También con cereales y verduras, tipo paella...	Al horno, con mugi miso y hierbas aromáticas secas. También salteado largo con algas arame o hijiki...	Tipo compota o puré, cocidas largo tiempo con sal marina y espesadas con kuzu.
Frito, tempura, libritos de tofu y seitán, rebozado...	En cocidos, con verduras. También en estofados, hamburguesas, croquetas...	Frito, rebozado o tempura, o salteado largo con seitán, tofu ahumado o gambas.	Tipo compota con frutos secos tostados.
Al papillote con verduras y hierbas aromáticas secas. También tipo quiche con nueces y verduras...	En potajes o cocidos.	Al horno o estilo papillote.	Al horno, rellenas con mugi miso, pasas, canela, mantequilla de almendras y ralladura de limón. También fritas o rebozadas.
Tipo revoltillo con cebolla y calabaza y/o maíz. También estofado con verduras redondas y de raíz.	En cocidos, cremas, estofados o potajes con verduras dulces.	Salteado largo o estofado con cebollas y calabaza.	En compota, cocinadas con frutas secas y una pizca de sal marina.
Hervido, añadido a una ensalada, con un aliño y aderezos picantes o ácidos, y hierbas aromáticas frescas.	Tipo ensalada, con verduras depurativas, un aliño y aderezos picantes o ácidos y hierbas aromáticas frescas.	Escaldado o hervido, aliñado con aderezos picantes o ácidos y hierbas aromáticas frescas.	Maceradas con otras frutas y una pizca de sal durante 1-2 horas.
Macerado con hierbas aromáticas frescas y secas, ajo, salsa de soja, aceite de oliva...	En paté, tipo hummus, con ajo, jugo de limón y aceite de oliva.	Crudo en ensalada.	Crudas o en licuado.
Braseado con jengibre. También salteado corto con verduras ligeras y llama alta, condimentado con especias.	Con verduras y especias.	Salteado corto con salsa de soja y jengibre.	Salteadas con una pizca de sal marina y canela en polvo.
Estofado lento con verduras de raíz y redondas.	En cremas o purés con verduras dulces.	Al vapor con unos granitos de sal marina.	Al vapor o tipo compota.

...arnos horas en la cocina con recetas complicadas y gran cantidad de ingredientes.
...a simplicidad y tener claro nuestro propósito.

La combinación
de los alimentos

Para obtener un estado equilibrado de salud y vitalidad no basta con usar ingredientes de buena calidad; hay que saber combinarlos para absorberlos al máximo y obtener todos sus beneficios.

■ **SOPAS**

No mezclaremos diferentes sopas ni restos de caldo donde se hayan cocido distintos alimentos.

Podemos incluir en sopas:
• **Cereales integrales**
• **Pasta integral**
• **Leguminosas**
• **Pescado**

• **Proteínas vegetales (tofu, tempeh, seitán)**
• **Variedad de verduras**
• **Un tipo de alga**
• **Aceite** para rehogar las verduras (si deseamos la sopa con efecto de calentar), o unas gotas de aceite crudo al final (si deseamos enfriar).
• **Semillas o frutos secos** (como guarnición), o polvo de almendras (como espesante y para dar más cremosidad a la sopa).
• **Especias y hierbas aromáticas** con moderación y sin mezcla.
• **Condimentos.** Usaremos moderadamente un condimento salado para obtener equili-

brio y vitalidad (sal marina, salsa de soja, miso [mugi o blanco], tamari o umeboshi).
• **Polaridad/guarnición.** Usaremos alguna hierba aromática fresca como punto final de frescor al servir la sopa (perejil, cebollino, albahaca...).
• **No utilizaremos** frutas, endulzantes o algas agar-agar.

■ **CEREALES**

Utilizad cereales con/en:
• **Sopas**
• **Otros cereales.** Las combinaciones de dos cereales pueden resultar muy nutritivas. Los cereales que no combinan bien son:

No utilizaremos con los cereales un exceso de endulzantes ni frutas frescas y secas. Esta combinación, aunque pueda resultar agradable al paladar, produce fermentación y problemas digestivos de gases, flatulencias, etcétera.

▦ LEGUMINOSAS

Podemos utilizar una clase de leguminosa con/en:

- **Sopas**
- **Cereales integrales y pasta integral**
- **Tofu,** especialmente el ahumado
- **Algas** de una sola clase

- **Seitán,** si se desea una doble proteína.
- **Pescado**
- **Verduras** de todas clases
- **Aceite,** tanto en cocción como en crudo
- **Semillas y frutos secos**
- **Especias y hierbas aromáticas** con moderación

No utilizaremos con leguminosas otra clase de leguminosa; tampoco tempeh (es como cocer dos leguminosas juntas); algas agar-agar (de naturaleza tan expansiva como las leguminosas); endulzantes, o frutas frescas o secas (¡a nivel digestivo puede ser un desastre!).

el **mijo** y el **trigo sarraceno** (son muy secos); el **arroz dulce** y la **avena** (los dos son muy enganchosos); el **trigo** y el **centeno** (los dos son muy laxativos).

- **Leguminosas** de una sola clase
- **Tofu**
- **Seitán**
- **Tempeh**
- **Pescado**
- **Verduras** de todas clases y cocinadas de todas las formas posibles.
- **Algas**
- **Aceite** en crudo o en llama
- **Semillas y frutos secos**
- **Especias y hierbas aromáticas** con moderación

Tofu

Podemos utilizar tofu con/en:
- Sopas
- Cereales integrales y pasta integral
- Leguminosas, especialmente el ahumado
- Seitán, si se desea una doble proteína
- Tempeh, si se desea una doble proteína
- Pescado
- Verduras de todas clases
- Algas, preferentemente de una sola clase
- Aceite, tanto en cocción como en crudo
- Semillas y frutos secos
- Especias y hierbas aromáticas con moderación

Nunca utilizaremos con tofu: algas agar-agar (de naturaleza tan expansiva como el tofu); endulzantes; frutas frescas o secas (a nivel digestivo puede ocasionar, tanto a corto como a largo plazo, muchos problemas digestivos).

TEMPEH
Podemos utilizar tempeh con/en:
• **Sopas**
• **Cereales integrales** y **pasta integral**
• **Tofu**
• **Seitán,** si se desea una doble proteína
• **Pescado**
• **Verduras** de todas clases
• **Algas** de una sola clase
• **Aceite,** tanto en cocción como en crudo
• **Semillas y frutos secos**
• **Especias y hierbas aromáticas** con moderación
No utilizaremos con tempeh: leguminosas (es como cocer dos leguminosas juntas); algas agar-agar (de naturaleza tan expansiva como las leguminosas); endulzantes, o frutas frescas

o secas (¡a nivel digestivo puede resultar un desastre!)

SEITÁN
Podemos utilizar seitán con/en:
• **Sopas**
• **Cereales integrales** y **pasta integral**
• **Leguminosas**
• **Tofu**
• **Tempeh**, si se desea una doble proteína
• **Pescado**
• **Verduras de todas clases**
• **Algas**
• **Aceite,** sea en cocción o crudo
• **Semillas y frutos secos**
• **Especias y hierbas aromáticas** con moderación
No utilizaremos seitán con frutas frescas o secas, o con un exceso de endulzantes

PESCADO
Podemos utilizar pescado con/en:
• **Sopas**
• **Cereales integrales y pasta integral**
• **Leguminosas**
• **Tofu**
• **Seitán,** si se desea una doble proteína
• **Tempeh,** si se desea una doble proteína
• **Pescado** combinado de diferentes clases para aumentar sus beneficios
• **Verduras de todas clases**
• **Algas**
• **Aceite,** tanto en cocción como en crudo
• **Semillas y frutos secos**
• **Especias y hierbas aromáticas** con moderación

VERDURAS

Podemos utilizar verduras con/en:

- **Sopas**
- **Cereales integrales y pasta integral**
- **Leguminosas**
- **Tofu**
- **Seitán,** si se desea una doble proteína.
- **Tempeh,** si se desea una doble proteína.
- **Pescado**
- **Otras clases de verduras**
- **Algas**
- **Aceite,** tanto en cocción como en crudo
- **Semillas y frutos secos**
- **Especias y hierbas aromáticas** con moderación

ALGAS

Podemos utilizar algas con/en:

- **Sopas**
- **Cereales integrales y pasta integral**
- **Leguminosas**
- **Tofu**
- **Seitán,** si se desea una doble proteína.
- **Pescado**

- **Tempeh,** si se desea una doble proteína
- **Verduras** de todas clases
- **Algas,** con otras variedades
- **Aceite,** tanto en cocción como en crudo
- **Semillas y frutos secos**
- **Especias y plantas aromáticas** con moderación
- **Fruta y endulzantes**

FRUTAS

Podemos emplear las frutas como postre, con endulzantes, otras frutas frescas, especias, semillas y frutos secos.

Es más recomendable no mezclar frutas con las comidas, sino consumirlas entre comidas o al menos un par de horas después. Recordad que la fruta fresca nos activa, mientras que la cocida nos relaja.

HIERBAS AROMÁTICAS Y ESPECIAS

Pueden usarse en cualquier plato, aunque con mucha moderación dado su intenso efecto de expansión, dispersión y enfriamiento.

Semillas y frutos secos

Podemos utilizar semillas y frutos secos con/en:

- Sopas
- Cereales integrales y pasta integral
- Leguminosas
- Tofu
- Seitán, si se desea una doble proteína.
- Tempeh, si se desea una doble proteína.
- Pescado
- Verduras de todas clases
- Algas, con otras variedades
- Aceite, tanto en cocción como en crudo
- Semillas y frutos secos, mezclados de diferentes clases
- Especias y hierbas aromáticas con moderación
- Frutas y endulzantes

capítulo 3
La alquimia en la cocina

En nuestra cocina
¡Creamos **salud**!

Con conocimiento energético en la cocina podremos
escoger libremente lo que nos conviene a cada
momento, sintiéndonos creadores y generadores de
nuestra **energía vital**.
¿Es, pues, este concepto lo suficientemente importante
como para reflexionar con profundidad sobre el
camino a seguir a partir de ahora?

Conectando
con la llama interior

La ventana interior

«La meditación es la brisa que penetra en ti cuando dejas la ventana abierta; pero si la mantienes abierta deliberadamente, si la invitas a entrar deliberadamente, la brisa nunca entrará.»
JIDDU KRISHNAMURTI

Tomamos una hoja de papel y una caja de lápices o tizas de colores.

VIVENCIA INTERIOR
Cerramos los ojos, nos relajamos, hacemos varias respiraciones profundas y conectamos con nuestro interior. A nivel del plexo solar, a la altura del estómago, imaginamos o visualizamos una llama; la llama de nuestra vitalidad y ganas de vivir.

Durante unos minutos observamos el color, la forma, el tamaño y la intensidad de la llama. ¿Podemos sentir su calor o parece distante, como si

> Según cómo escojamos alimentarnos, así será la vitalidad interior que generaremos.

estuviera a punto de apagarse? ¿Qué clase de material está haciendo arder la llama? ¿Está bien abastecida o necesita más suministros?

¿Nos sentimos a gusto con ella o preferiríamos que fuera más grande o más pequeña?

pasamos del uno al otro instantáneamente, sino que existen 24 horas para llegar al otro extremo. Y lo mismo sucede con los colores blanco y negro: en medio existen muchos matices de gris.

Cuando empezamos a descubrir la energía podemos sentirnos confusos, ya que todos tenemos un poco del polo extremo.

Cada uno de estos términos será tratado por separado, con consejos a nivel de alimentación y una visualización o jornada interior para obtener su efecto más rápidamente.

Antes de tratar en profundidad cada uno de los apartados, veremos a grandes rasgos cómo reconocer nuestras necesidades energéticas. Hay que jugar, experimentar y aprender...

Abrimos los ojos poco a poco y dibujamos la llama tal como la hemos percibido. Incluso podemos hablar con ella y preguntarle cómo está.

Acabado el ejercicio, observamos la llama con absoluta objetividad; sin juicios ni emociones, como si de alguien diferente se tratara.

¿Es la llama el reflejo interior de nuestras ganas de vivir? ¿Tiene la llama suficiente poder para seguir ardiendo indefinidamente?

Según cómo escojamos alimentarnos, así será la vitalidad interior que generaremos. Comprender la alquimia en la cocina resulta imprescindible para uno mismo y para la familia. Cocinar con conocimiento energético nos permite escoger libremente lo que nos conviene en cada momento, sintiéndonos en control de nuestra llama y creadores de nuestra propia energía vital. En este capítulo veremos cómo regularnos y equilibrarnos a diario.

Hemos trabajado con el Yin y el Yang, los dos polos energéticos opuestos y a la vez complementarios. Como el día y la noche, no

¡Buena suerte!, como nos diría Hipócrates...

Descubriendo
las necesidades energéticas

Necesidad de reforzar y remineralizar

Se trata de una persona débil físicamente, con poca energía, sin ganas de emprender nuevos proyectos. Necesita muchas horas de descanso y está siempre fría y pálida, con tendencia a coger virus de todas clases. Le falta concentración y su memoria es muy pobre.

También le falta peso. No tiene confianza en sí misma ni alegría por la vida. Su sistema nervioso está débil y está hipersensible. Se siente invadido por el mundo exterior y no tiene recursos para protegerse. Riñones, huesos, cabello y uñas están débiles.

■ **Falta de centro, solidez y raíces en su vida.**

> La persona
> que tiene
> muchos miedos
> necesita
> calor interno.

Necesidad de nutrir y enriquecer

Es una persona con falta de peso, energía y fuerza física. Se ve desnutrida, vacía y frágil. Tiene frío interno y va vestida con mucha ropa para abrigarse y no parecer tan delgada.

Es una persona muy idealista y mental, que se pierde en sus sueños por mejorar el planeta, ya que por no querer comer productos animales se va desnutriendo rápidamente.

Su cuerpo necesita alimento, proteínas con cantidad y calidad y, para compensarlo, come con mucha frecuencia. Se trata de un rasgo muy común en los adolescentes.

■ **Falta de riqueza y calidad alimentaria, de nutrición y amor en su vida.**

Necesidad de activar

Persona apática, apagada, sin energía ni vitalidad, aunque a veces esta circunstancia no es debida a una carencia de energía, sino a su estancamiento.

Falta de motivación en la vida para encontrar su vocación. Tiene muchas ideas y proyectos, pero no los suele hacer realidad, por lo que acaba cayendo en la rutina.

Confusión interior que a veces le hace sentir «acorralada», de lo cual culpa a los demás cuando es ella misma quien se ha provocado esta situación.

Puede necesitar activarse a causa de un exceso de energía estancada y del pasado (que procede de la alimentación, las emociones o el pensamiento); o quizá necesita **activación por deficiencia** (carece de energía, por lo que tendrá frío a menudo, especialmente en las extremidades inferiores). Esta deficiencia puede proceder de muchos niveles: de la alimentación (cocina con falta de energía, fuerza y calor interior) o de emociones y aptitudes mentales estancadas.

■ **Falta de conexión interior para encontrar la «chispa» y la pasión interna.**

Necesidad de calor interior

Nos encontramos ante una persona que siempre está soñando con viajar a países de climas calurosos, lo que compensa tomando alimentos originarios de estas zonas (frutas tropicales, ensaladas, especias, zumos, estimulantes…).

Es una persona a la que afecta mucho la falta de luz y calor, por lo que en los días de lluvia se siente depresiva, sin ganas de hacer nada. Su carácter cambia en otoño e invierno, cuando se vuelve triste e introvertida.

Sufre falta de peso en general y siempre tiene las extremidades frías, así como los riñones y la vejiga débiles, por lo que necesita orinar con mucha frecuencia.

En la vida diaria tiene muchos miedos, por lo que su espíritu de aventura está muy apagado. Su carácter es triste e introvertido, aunque a veces no lo aparente.

■ **Falta de calor en su vida.**

Escuchando tus mensajes

Necesidad de dulzor

Esta persona tiene un estilo de vida caótico sin equilibrio ni horarios. Puede que coma constantemente (falta de glucosa de buena calidad en la sangre) o, si su cuerpo mental es fuerte, que se castigue pasando horas y horas sin comer. Tiene altibajos energéticos muy acusados, especialmente por las tardes (aunque los ignora), y tendencia a compensarlos con un exceso de alimentos Yin extremos (pueden que sean varios o que tenga adicción a uno de ellos en particular), como azúcar refinado, chocolate, alcohol… Alimentos altos en calorías pero vacíos de energía estable y duradera.

Es una persona tensa y con estrés a todos los niveles, de carácter brusco, muy exigente (especialmente con ella misma) y que no dedica tiempo a generar dulzor en su vida, pues da más importancia a las obligaciones que al descanso y la conexión interior.

■ **Falta de dulzor a todos los niveles.**

Necesidad de enfriar

Persona con exceso de grasa corporal. Consume demasiadas proteínas de origen animal y grasas saturadas. Su temperamento es fuerte, irritable, airado, impaciente; como un volcán a punto de estallar, presionado por un fuego interior incontrolable a nivel físico o con un exceso de emociones reprimidas o aptitudes mentales inflexibles que también alimentan su volcán interno.

Tendencia a tomar las bebidas muy frías, aunque energéticamente las temperaturas frías congelan, amalgaman las grasas existentes, y lo que le conviene es deshacerlas, no endurecerlas.

Esta persona tenderá a bloquear sus emociones, a estar apegado al pasado.

■ **Falta de movimiento energético, por lo que estanca sus emociones hasta que estalla incontrolablemente.**

Los ingredientes de la felicidad

«Uno es feliz como resultado de su propio esfuerzo, una vez conoces los ingredientes necesarios para la felicidad: gusto por lo simple, un cierto grado de valor, entregarse hasta cierto punto, amar el trabajo y, sobre todo, una conciencia tranquila.»

GEORGE SAND

Necesidad de relajar

Persona muy tensa y de ideas muy rígidas. Impone a los demás su forma de ver la vida y espera que le sigan. Tiene unos ideales muy fuertes, por lo que se impone a sí misma muchas presiones y deberes.

Carece de tiempo para el placer y el descanso por su obsesión por el deber y el trabajo. Puede padecer insomnio y no aprovechar como debiera las horas de descanso porque su mente está planeando los quehaceres del día siguiente.

Esta persona se siente irritable, tensa, impaciente, controla a los que la rodean, y necesitaría más horas al día para hacer todo lo que se impone.

Puede necesitar **relajación por exceso** de actividades, movimiento, trabajo, alimentación con exceso de grasas saturadas, productos animales, horneados y sal; o quizá necesitar **relajación por deficiencia** (está vacía de energía y su temperatura corporal es baja. Es una persona con exceso de energía en la parte superior del cuerpo y deficiencia en el resto).

Cuerpo débil, delgado, frío y desnutrido. No da al cuerpo físico lo que realmente necesita, sino lo que la mente cree que necesita.

■ **Falta de dulzor y amor propio para valorarse por lo que es, no por lo que hace.**

Necesidad de depurar

Persona con exceso de grasa corporal, con carácter y emociones fuertes. Habla con voz alta y potente, expresando su exceso a todos los niveles. Presión sanguínea alta y complexión roja. Su dieta tiene un exceso de proteínas de origen animal (grasas saturadas, embutidos, carnes, quesos...), así como de alimentos del extremo opuesto (azúcar, alcohol, especias, estimulantes...). Toma gran cantidad de calorías. Es amante de la comida tipo gourmet, con gustos refinados. Come en demasía.

Está muy apegada al pasado y no valora el presente. Tiene exceso de energía y falta de claridad y simplicidad en su vida.

> El necesitado de depurar es amante de lo sensorial a todos los niveles y también le gusta vestir con colores llamativos.

■ **Le falta disfrutar de la sencillez.**

capítulo 4

Reforzando y remineralizando nuestro cuerpo

Falta de centro, dirección, solidez y raíces en su vida

Reforzar y remineralizar
implican un aumento de minerales
(algas y condimentos salados),
integrados con alimentos y cocciones
que generen calor interior
y ligeramente equilibrados con condimentos,
aliños y hierbas aromáticas
que creen movimiento y dinamismo.

Remineralizándonos

E n primer lugar, debemos preguntarnos cómo debilitamos nuestro organismo y de qué forma lo desmineralizamos. Por mucho que incrementemos esto o aquello, si todavía mantenemos unos hábitos de vida opuestos a nuestras necesidades reales, nunca llegaremos al auténtico equilibrio interno.

A nivel de nutrición no es de extrañar que lleguemos a estados de debilidad y desmineralización, teniendo en cuenta cómo nos alimentamos. Hace sólo unos pocos años que nuestras madres y abuelas cocinaban a diario platos llenos de vitalidad, en tanto que hoy día la cocina ha perdido el valor que se merece, considerándose una actividad que hace perder el tiempo.

Ya no se suelen hacer desayunos nutritivos y nos contentamos con la típica pasta cargada de azúcar y el estimulante del café para despertarnos o, mejor dicho, para poner nuestro organismo en un estado de «alerta» innecesario, que además nos hace perder muchos minerales de reserva para poder compensar esta situación extrema (nos desmineralizamos). Y así continuamos un día tras otro, ciegos a los efectos que tarde o temprano aparecerán.

Cuando llega el mediodía, hacemos una comida rápida para poder seguir el ritmo frenético de una sociedad que no respeta ni valora el **cuerpo físico**. Y por la noche, cansados y sin ganas de preparar nada, nos conformamos con un «pica pica» que casi siempre sobrepasa su nombre…

Lo triste de esta odisea diaria es que también nuestra familia entra en esta rueda sin fin. Compramos a nuestros hijos chucherías para el desayuno y dejamos que el resto del día tomen alimentos con un exceso de azúcares refinados, grasas saturadas y calorías vacías, snacks salados y bebidas gaseosas artificiales. Y esta tendencia de los últimos años nos perjudica no sólo a nosotros, sino a la futura humanidad del Planeta.

> Ahora se considera más práctico descongelar un plato precocinado en el microondas.

La comida que nuestras abuelas preparaban a diario con alimentos frescos está olvidada. Ahora se considera más práctico descongelar un plato precocinado en el microondas, con la debilitación que provocan los alimentos cuya estructura molecular ha sido alterada por las ondas de este tipo de hornos. Si hiciéramos una fotografía Kirlian, que muestra la energía, veríamos que el alimento ha perdido su aureola de luz, la energía vital que tenía antes de cocinarse en el horno microondas.

Y, mientras tanto, alimentamos nuestro **cuerpo mental** con más información, con cursos, carreras y diplomas, ignorando las necesidades de nuestro **cuerpo emocional**. Y no le damos la importancia que se merece a la calidad del alimento para nuestro **cuerpo físico**.

No alimentamos nuestro cuerpo físico sólo para eliminar la sensación de hambre. En la cocina diaria **fabricamos nuestra calidad de sangre para nosotros y para nuestra familia**; una sangre ligeramente alcalina, limpia y sana que nutrirá todo nuestro organismo, proporcionándole los nutrientes necesarios para un óptimo funcionamiento.

Cómo nos desmineralizamos

1 • Consumiendo alimentos extremos

Nos referimos, por un lado, a las carnes (que al consumirlas provocan acidez en la sangre) y, por otro, a los estimulantes, el alcohol, el azúcar, las bebidas gaseosas y artificiales . . . que también provocan que el pH de la sangre se vuelva más ácido, lo que tiene que compensar rápidamente el organismo con sus reservas de minerales (lo que afecta a nuestros sistemas nervioso e inmunitario).

2 • Tomando un exceso de crudos

Los crudos, ya sean frutas o verduras, nos aportan muchas vitaminas y fibra, pero como su contenido en líquido es alto, también diluyen nuestros minerales si se consumen en exceso.

3 • Debilitando nuestros riñones

Los riñones juegan un papel primordial, ya que son los encargados de regular el delicado equilibrio entre el sodio y el potasio, así como de regular la densidad y vitalidad de los huesos.

4 • El ritmo de la vida moderna

La forma actual de vida, especialmente en las ciudades, no nos ayuda precisamente a remineralizarnos. Desde el aire que respiramos a los electrodomésticos que utilizamos a diario o la falta de ejercicio y la pérdida de contacto con la naturaleza, tenemos una falta de calidad de vida que nos perjudica a todos los niveles.

5 • Falta de conexión interior

Si nos esforzamos en encontrar nuestra conexión, aceptarnos, respetarnos y amarnos, disfrutaremos de una auténtica calidad de vida a todos los niveles. Cultivaremos nuestras emociones, pensamientos y acciones dirigiendo nuestra energía positiva y altos ideales hacia nosotros y hacia los demás.

Formas de reforzarnos
a nivel nutricional

A nivel nutricional, si damos a nuestro cuerpo lo que necesita para continuar con sus funciones vitales, nos sentiremos fuertes y centrados.

Una alimentación basada en cereales integrales, proteínas de origen vegetal, verduras frescas, frutas de la temporada, semillas, frutos secos, algas y condimentos naturales nos proporcionará una energía vital duradera.

Los alimentos extremos nos provocan, en cambio, altibajos desmesurados que normalmente no sabemos equilibrar, debilitando y desmineralizando nuestro cuerpo a largo plazo. Sin embargo, también podemos ver a muchas personas que, con buena intención, basan su alimentación en alimentos naturales y que aun así están débiles, sin fuerzas ni ganas de vivir.

¿Cómo puede ser que basando nuestra alimentación en productos biológicos, frescos y sin aditivos, nuestra energía no esté al nivel deseado? ¿Quizá deberíamos volver al consumo de carnes rojas, grasas saturadas y azúcares refinados, con efectos extremos?

Si hace tiempo que nos alimentamos de forma natural y nos sentimos débiles, las razones pueden ser varias:

Práctica discontinua

Puede que pensemos que comiendo una vez por semana algo integral y unos garbanzos ya tenemos una alimentación sana, pero el camino va más allá. Debemos practicar cada día, en cada comida, haciendo de estos hábitos una forma de vida.

Calidad de intestinos

Puede que sigamos a diario una buena alimentación pero que la salud de nuestros intestinos y la absorción de lo que comemos no sean óptimas. En este caso, debemos regenerar nuestra flora intestinal sustituyendo los alimentos que la dañan (carnes, grasas saturadas, alcohol, estimulantes, azúcares refinados, especias y vinagres fuertes, alimentos pobres en fibra . . .) por alimentos sanos sin consistencia enganchosa, con fibra y con una buena calidad de fermentación (salsa de soja, miso, vinagre de umeboshi, verduras fermentadas caseras . . .).

Algunos hábitos que no conducen a un buen estado de la flora intestinal son los siguientes:

• Empezar el día comiendo alimentos dulces.

• Añadir fruta seca y/o fresca en las cremas de cereales.

• Utilizar un exceso de endulzantes naturales, mantequillas y cremas de frutos secos (sésamo, almendras, cacahuetes...) en las cremas de cereales del desayuno. Podemos utilizar estas combinaciones en pequeñas cantidades, pero en exceso tienen una consistencia pegajosa que no conduce a un estado intestinal saludable.

• Cambiar de una alimentación sin fibra a otra con gran cantidad de ella, ya que todo lo integral la contiene. Los cambios deben ser progresivos, ya que de lo contrario padeceremos gases, dolores e hinchazón en la zona intestinal, e incluso diarreas fuertes... Si éste es el caso, lo aconsejable es integrar los alimentos integrales poco a poco en nuestra dieta y no tomar cereales integrales con mucha fibra, como el trigo, el centeno o la avena, que es laxativa. Por otro lado, debemos tomar más verduras de raíz y redondas (cebollas, zanahorias, calabaza, chirivía, nabos, col blanca o repollo, coliflor..) que de hoja verde, ya que estas últimas tienen un contenido en fibra mayor.

• Comer con nerviosismo y masticar poco los alimentos afecta la absorción de lo que comemos, incluso si los alimentos son de buena calidad.

• Comer un exceso de harinas y horneados.

• Basar nuestra alimentación en grandes cantidades de frutas y crudos.

• No saber preparar la proteína vegetal, especialmente las leguminosas (hay que cocinarlas largo tiempo y con una pequeña cantidad de minerales en forma de algas, para hacerlas más blandas y fáciles de digerir) o el tofu (no es aconsejable comerlo crudo, como si fuera queso, ni mezclado con frutas y endulzantes).

• Comer diariamente grandes cantidades de frutos secos. Mi frase favorita al respecto es: «La cantidad cambia la calidad». Puede que al principio, al disminuir o evitar las concentradas proteínas animales deseemos más frutos secos, pero si al cabo de unos meses seguimos igual, debemos reflexionar sobre qué está faltando en nuestra alimentación. Puede que sea la cantidad de proteína, aceite de buena calidad, el efecto de calentar...

• Tomar grandes cantidades de alimentos y/o condimentos picantes o vinagres.

Cambio drástico del tipo de proteína

Es muy habitual en los hombres que cuando pasan de una alimentación basada en carnes rojas, lácteos, huevos, embutidos, etc., a otra basada exclusivamente en proteína vegetal, sufran pérdidas de peso importantes, debilidad y falta de concentración. Por descontado que reduciremos las carnes rojas, los embutidos y las grasas saturadas hasta evitarlas por completo, pero mantendremos el consumo de pescado fresco de buena calidad varias veces por semana. ¡Nuestro cuerpo no puede hacer de la noche a la mañana un cambio tan drástico!

Proporciones desequilibradas

Necesitamos azúcar para pensar, hablar, estudiar, andar . . . pero azúcar de buena calidad, en forma de cereales integrales. Sin embargo, no debemos abusar de los cereales, como de ningún otro alimento. Un aporte equilibrado en cada comida de azúcares naturales, proteínas, grasas vegetales, fibra, vitaminas y minerales nos proporcionará la energía vital constante que necesitamos.

Formas de preparación

Podemos utilizar alimentos puros, pero hay que saberlos combinar adecuadamente, de acuerdo a nuestras necesidades diarias. Muchas tendencias naturistas basan la alimentación en alimentos crudos o en muy pocos estilos de cocción, cuando hay mil formas de cocinar y cada una de ellas nos proporciona una energía diferente. Puede que un día necesitemos activarnos y otro día relajarnos. Muchas de las personas que se sienten débiles e intentan comer de forma natural, se pueden diagnosticar con falta de peso, sin vitalidad, y al mismo tiempo tensos, vacíos y con cuerpos rígidos.

Conociendo la alquimia en la cocina podemos cambiar esta condición.

Falta de minerales

No significa que debamos ingerir a diario suplementos de minerales para remineralizar y alcalinizar nuestra sangre. Con un buen aporte de minerales de calidad (algas) en cada una de nuestras comidas, nuestro organismo obtendrá todo lo que necesita.

La gran abundancia de minerales que contienen las algas provoca un efecto alcalinizante en la sangre que ayuda a depurar el organismo de los efectos ácidos propios de la dieta y la vida moderna.

Necesitamos minerales no sólo para regular el pH de nuestra sangre, sino también para el sistema nervioso, los músculos, los huesos, los dientes… Si sufrimos su carencia, nuestro sistema inmunitario también estará más débil y susceptible a «invasiones exteriores».

Podemos aportar minerales diariamente a nuestras comidas, en forma de:

- **Algas.** Deberían consumirse a diario en pequeñas cantidades.
- **Sal marina** al cocinar los alimentos.
- **Condimentos naturales salados** en pequeñas cantidades, como salsa de soja o miso de buena calidad, por ejemplo.
- **Verduras biológicas,** es decir, cultivadas sin productos químicos o fertilizantes artificiales.
- **La forma de preparar los alimentos** también tiene una gran importancia para poderlos remineralizar e incrementar su energía vital.

Recetas para remineralizar y reforzar

Estas recetas tan sólo son una muestra del estilo, forma, ingredientes, tipos de cocción, aderezos y dirección energética que se necesita para obtener los resultados de remineralizar y reforzar en nuestros platos.

Como veréis a lo largo del libro, son recetas muy simples, que no requieren mucho tiempo de preparación y que todo el mundo puede confeccionar en su laboratorio energético que es la COCINA.

También sugiero, al final de estas recetas, otras ya publicadas en mis libros anteriores con efecto parecido. Os invito a explorar y a descubrir el mundo de la energía, una aventura sin fin que os ofrecerá una visión totalmente nueva de la Cocina, sintiéndonos libres para poder elegir a cada momento lo que nos conviene, generar nuestra propia **calidad** y **cantidad** energéticas, ¡y así poder disfrutar de la vida al máximo!

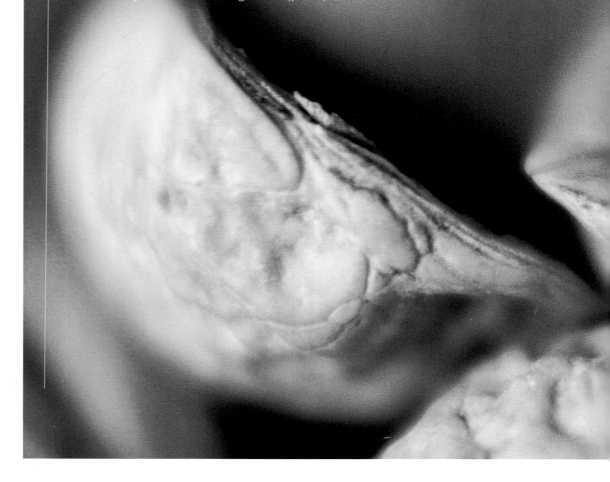

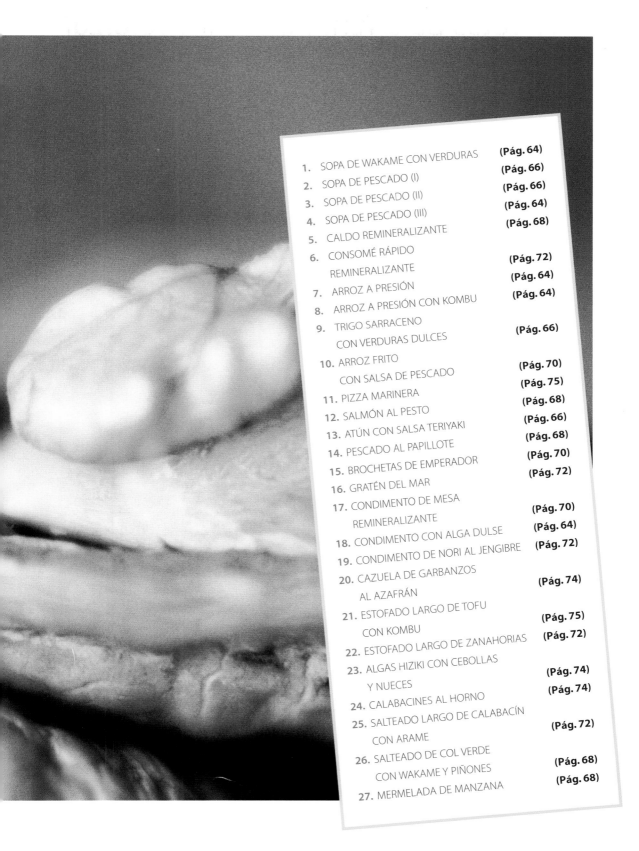

Sopa de wakame con verduras

Ingredientes para 2 ó 3 personas

1 puerro cortado fino | 2 zanahorias cortadas a rodajas finas | 2-3 tiras de alga wakame remojadas durante 3 minutos y troceadas | 2 vasos de agua | 1 1/2 cucharada de mugi miso | 1 cucharadita de jugo fresco de jengibre (rallado y escurrido) | perejil fresco

1. Hervir el agua, añadir el puerro y cocer sin tapa durante 2 minutos. Añadir las zanahorias y el alga wakame, tapar y cocer a fuego medio-bajo durante 10 minutos.

2. Diluir el miso con un poco del jugo de la sopa, reducir el fuego al mínimo, añadir el miso de nuevo y el jengibre. Apagar y servir. Decorar con el perejil.

Arroz a presión

• Ver tabla págs. 42-43

Ingredientes para 2 personas

1 taza de arroz integral de grano corto | una pizca de sal marina | 2 tazas de agua fría

1. Lavar el arroz debajo del grifo con agua fría. Escurrir y colocarlo en la olla a presión.

2. Añadir 2 tazas de agua y una pizca de sal marina. Tapar.

3. Llevar a presión alta, reducir el fuego al mínimo y cocinar durante 35-40 minutos. Si la llama es muy alta, reducirla con una placa difusora.

4. Sacar la olla del fuego y dejar que la presión baje naturalmente.

5. Abrir la olla y colocar el arroz en una fuente de cerámica o vidrio. Servir.

Arroz a presión con kombu • Ver tabla págs. 42-43

Ingredientes para 2 personas

1 taza de arroz integral de grano corto | una pizca de sal marina | 2 tazas de agua fría | 1 tira de alga kombu

1. Lavar el arroz debajo del grifo con agua fría. Escurrir y colocarlo en la olla a presión.

2. Añadir 2 tazas de agua, el alga kombu y una pizca de sal marina. Tapar.

3. Llevar a presión alta, reducir el fuego al mínimo y cocinar durante 35-40 minutos. Si la llama es muy alta, reducirla con una placa difusora.

4. Sacar la olla del fuego y dejar que la presión baje naturalmente.

5. Abrir la olla y colocar el arroz en una fuente de cerámica o vidrio. Cortar la tira de alga kombu cocida a trozos pequeños con unas tijeras. Servir.

Condimento con alga dulse

Ingredientes para 2 personas

1 taza de alga dulse seca | 1 cucharadita de ralladura de limón | 1 cucharadita de salsa de soja | 1 cucharada de jugo concentrado de manzana | varias gotas de aceite de sésamo tostado

1. Remojar durante 3 minutos el alga dulse con agua fría que cubra su volumen.

2. Escurrir bien y cortarla con tijeras a trozos pequeños.

3. Añadir los demás ingredientes, mezclar bien y servir junto con el cereal.

Sopa de pescado (III)

Ingredientes para 2 ó 3 personas

2 cebollas cortadas a dados | 1 ajo picado fino | 2 zanahorias cortadas a dados | 1 taza de guisantes frescos | pescado fresco variado (cortado a trozos y macerado 1/2 hora con jugo de limón) | 1 tira de alga kombu, leche de avena | 1 hoja de laurel | 2-3 cucharadas de almendra en polvo | 2-3 cucharadas de miso blanco | aceite de oliva | sal marina | nuez moscada | perejil cortado fino

1. Saltear las cebollas y el ajo con aceite de oliva, el laurel y una pizca de sal marina, sin tapa, durante 10-12 minutos a fuego muy lento.

2. Añadir el alga kombu, las zanahorias, los guisantes, 1/2 taza de agua y otra pizca de sal. Tapar y cocer a fuego muy lento durante 15 minutos.

3. Añadir el pescado troceado (sin el jugo de limón) y leche de avena que cubra el pescado. Tapar y cocer a fuego lento durante 5 minutos.

4. Diluir el miso blanco con un poco del jugo de la sopa y añadirlo a la sopa junto con la almendra en polvo y nuez moscada al gusto. Servir con perejil fresco.

El alga kombu puede guardarse para utilizarlo en otra receta de cocción larga.

Sopa de pescado (III)

Sopa de pescado (I)

Ingredientes para 2 ó 3 personas
3 cebollas medianas cortadas finas | 1 ajo picado fino | 2 tomates maduros (escaldados, pelados y troceados) | 1 tira de alga kombu | pescado fresco variado (cortado a trozos y macerado $^1/_2$ hora con jugo de limón) | sal marina | aceite de oliva | 1 cucharada de mugi miso | perejil fresco cortado fino | 2 hojas de laurel

Picada en el mortero: 5-6 almendras tostadas | 1 cucharada de piñones

1. Saltear las cebollas y el ajo con aceite de oliva, el laurel y una pizca de sal marina, sin tapa, durante 10-12 minutos a fuego muy lento.

2. Añadir los tomates, el alga kombu y otra pizca de sal. Tapar y cocer a fuego muy lento durante 15 minutos.

3. Añadir el pescado troceado (sin el jugo de limón), agua que cubra el pescado y la picada. Tapar y cocer a fuego lento durante 5 minutos.

4. Diluir el mugi miso con un poco del jugo de la sopa y añadirlo a la sopa. Activar el miso durante 2 minutos a fuego lento. Servir con perejil fresco.

El alga kombu puede guardarse para utilizar y comerse en otra receta de cocción larga.

Sopa de pescado (II)

Ingredientes para 2 ó 3 personas
2 puerros cortados finos | 2 tiras de alga wakame (remojadas 2-3 minutos y cortadas a trozos finos) | pescado fresco variado (cortado a trozos y macerado 1/2 hora con jugo de limón) | 1 penca de apio cortada fina | leche de arroz o de avena | 2-3 cucharadas de almendra en polvo | aceite de oliva | 2-3 cucharadas de miso blanco | albahaca seca y fresca | sal marina | pimienta negra

1. Saltear los puerros con el aceite de oliva y una pizca de sal marina, sin tapa, durante 5-6 minutos a fuego lento.

2. Añadir una pizca de albahaca seca, el apio, el alga wakame y 1/2 taza de agua. Tapar y cocer durante 5-6 minutos.

3. Añadir el pescado (sin el jugo de limón) y leche de arroz que cubra el volumen del pescado. Tapar y cocer 5 minutos.

4. Diluir el miso blanco con un poco del jugo de la sopa y añadirlo a la sopa junto con la almendra en polvo. Condimentar con pimienta negra al gusto y servir con albahaca fresca.

Atún con salsa Teriyaki

Ingredientes para 2 personas
2 porciones de atún fresco (macerado 30 minutos con jugo de limón) | aceite de oliva | una pizca de sal marina | cebollino cortado fresco

Salsa: 1 cucharada de mugi miso | 3 cucharadas de jugo concentrado de manzana | 1 cucharadita de aceite de sésamo tostado | 2 cucharadas de jugo de jengibre fresco (rallado y escurrido) | 2 cucharadas de endulzante natural (miel de arroz o melaza de cebada y maíz) | espesante (arruruz o maicena)

1. Calentar de 3/4 a 1 taza de agua, añadir el resto de los ingredientes para la salsa, a excepción del espesante, y mezclar bien. Diluir una o dos cucharadas de espesante con un toque de agua fría. Verterlo en la salsa y mezclar bien, hasta que haya cogido la consistencia deseada.

2. Hacer a la plancha el atún fresco, con un poco de aceite de oliva y una pizca de sal.

3. Servir el atún con la salsa y decorar con cebollino cortado fresco.

Trigo sarraceno con verduras dulces

Ingredientes para 2 ó 3 personas
1 taza de trigo sarraceno crudo | 2 cebollas cortadas a medias lunas finas | 2 zanahorias cortadas a medias rodajas gruesas | 1 tazas de calabaza cortada a dados medianos | 2-3 cucharadas de maíz | aceite de oliva | sal marina | 1 hoja de laurel | 1 cucharada de alcaparras | perejil cortado fino

1. Lavar muy rápidamente el trigo sarraceno, e inmediatamente tostarlo en una sartén sin aceite durante unos minutos, hasta que los granos estén secos y separados.

2. Saltear las cebollas con aceite de oliva y una pizca de sal marina, sin tapa, durante 10 minutos a fuego medio-bajo.

3. Añadir las verduras, el trigo sarraceno tostado, el maíz, una pizca de sal marina y 3 1/2 tazas de agua. Tapar y llevar a ebullición.

4. Bajar el fuego al mínimo, colocar una placa difusora y cocer durante 25 minutos o hasta que todo el líquido se haya evaporado.

5. Mezclar las alcaparras. Decorar con perejil y servir.

Trigo sarraceno
con verduras dulces

Salmón al pesto

Ingredientes para 2 personas
2 rodajas de salmón (macerado durante 30 minutos con jugo de limón)

Salsa pesto: albahaca fresca y perejil fresco cortado fino ǀ 1 diente de ajo picado ǀ 1 cucharada de aceite de oliva ǀ 1/2 cucharada de pasta de umeboshi ǀ 2 cucharadas de miso blanco ǀ 4 cucharadas de almendra en polvo ǀ agua

1. Hacer puré todos los ingredientes del pesto, hasta conseguir una consistencia espesa. Si se necesita más agua, podemos utilizar más.

2. Hacer el salmón al vapor durante 7-10 minutos. Colocar en el agua un par de hojas de laurel si se desea. Servir caliente con el pesto.

Salteado de col verde con wakame y piñones

Ingredientes para 2 personas
1/2 col verde cortada muy fina ǀ 1 taza de alga wakame (remojada con agua fría durante 3 minutos) ǀ 1 cucharada de jugo de jengibre fresco (rallado y escurrido) ǀ 2 cucharadas de vinagre de umeboshi o salsa de soja ǀ aceite de oliva ǀ unas gotas de aceite de sésamo tostado ǀ 2 cucharadas de piñones

1. Calentar una sartén grande y añadir el aceite de oliva, la col y una pizca de sal marina. Saltear continuamente con fuego medio-alto hasta que su volumen se reduzca (5-6 minutos).

2. Añadir el alga wakame, el vinagre de umeboshi o la salsa de soja, el jugo de jengibre y el aceite de sésamo tostado. Mezclar bien y evaporar todo el líquido que pudiera quedar de la col (2-3 minutos).

3. Añadir los piñones y servir.

Caldo remineralizante

Ingredientes para 2 personas
2 tiras de alga kombu ǀ 1 cebolla cortada a rodajas ǀ 1 zanahoria y 1 chirivía cortadas a rodajas finas ǀ un trozo de col blanca cortada fina ǀ 1 hoja de laurel

Aderezos: 2 cucharadas de salsa de soja ǀ 1 ciruela umeboshi desmenuzada ǀ 1 cucharadita de jugo de jengibre fresco (rallado y escurrido) ǀ 1 cucharada de jugo concentrado de manzana

Guarnición: cebollinos crudos cortados finos

1. Hervir 4 tazas de agua y añadir los seis primeros ingredientes. Tapar y cocer a fuego medio durante 20-30 minutos.

2. Filtrar los ingredientes.

3. Añadir al caldo los aderezos. Cocer a fuego lento durante 1 minuto. Servir con el cebollino cortado fino.

Mermelada de manzana · Ver tabla págs. 42-43

Ingredientes para 2 personas
4-5 manzanas peladas y troceadas (añadir unas gotas de jugo de limón para que no se ennegrezcan) ǀ 2 cucharadas de pasas ǀ sal marina ǀ 1 rama de canela ǀ aceite de oliva ǀ 1-2 cucharadas de espesante natural kuzu

1. Saltear las manzanas con un poco de aceite de oliva y una buena pizca de sal marina durante 1 ó 2 minutos.

2. Añadir un fondo de agua, la rama de canela y las pasas. Tapar y cocer a fuego muy lento con una placa difusora durante 45 minutos.

3. Diluir el espesante kuzu con un poco de agua fría y añadirlo a las manzanas. Mezclar bien durante 1-2 minutos, hasta que se espese y quede de color transparente. Servir.

Pescado al papillote

Ingredientes para 2 personas
Varios trozos de pescado fresco variado (macerados con jugo de limón durante 30 minutos) ǀ 1 hinojo cortado a rodajas ǀ 2 cebollas cortadas a rodajas

Marinada: 2 cucharadas de aceite de oliva ǀ 1 cucharada de aceite de sésamo tostado ǀ 3 cucharadas de salsa de soja ǀ 3 cucharadas de jugo concentrado de manzana ǀ varias rodajas finas de jengibre fresco ǀ ramitas de tomillo ǀ pimienta negra

1. Mezclar todos los ingredientes en una fuente grande junto con el líquido de la marinada.

2. Cortar 4 hojas de papel de estraza (30 cm x 30 cm) y colocar dos de ellas superpuestas (una sola podría filtrar los jugos de las verduras al cocerse) en la bandeja del horno. Colocar la mitad de los ingredientes mezclados con un poco del líquido del marinado.

3. Cerrar con cuidado el paquete, que debe quedar holgado pero cerrado herméticamente para que el vapor circule sin salir al exterior. Proceder igual con el resto de los ingredientes para el segundo paquete.

4. Colocar los dos paquetes con cuidado sobre una bandeja del horno. Pincelar el exterior del papel con un poco de aceite para que no se reseque y cocinar en un horno precalentado a 180 °C durante 15 minutos. Servir enseguida.

Pescado
al papillote

Arroz frito con salsa de pescado

Ingredientes para 2 ó 3 personas

1 taza de arroz de grano medio | sal marina | aceite de oliva | 2 puerros cortados finos | 1/2 taza de maíz | salsa de soja

Salsa: 2 cebollas cortadas a dados | aceite de oliva | sal marina | 1/4 de coliflor cortada pequeña | nuez moscada | leche de arroz | varias clases de pescados cortados a trozos pequeños y macerados con jugo de limón durante 30 minutos | miso blanco | pimienta negra

1. Lavar el arroz y colocarlo en una cazuela, junto con 2 tazas de agua, el maíz y una pizca de sal marina. Tapar y llevar a ebullición, reducir el fuego al mínimo y cocer durante 35-40 minutos.

2. Saltear los puerros con un poco de aceite de oliva y una pizca de sal, durante 5-7 minutos, sin tapa y a fuego medio. Añadir el cereal cocido, mezclar bien y condimentar con unas gotas de salsa de soja.

3. Salsa: Sofreír las cebollas con el aceite y una pizca de sal marina durante 10-12 minutos, sin tapa y con llama media.
Seguidamente, añadir la coliflor y agua que cubra la mitad del volumen de las verduras.

4. Tapar y cocer a fuego medio-bajo durante 15-20 minutos. Hacer puré.

5. A continuación, añadir el pescado a la salsa y dejarlo cocer a fuego lento durante 5-6 minutos.

6. Equilibrar su espesor y sabor, añadiendo leche de arroz, nuez moscada, una pizca de miso blanco y pimienta negra al gusto.
Servir caliente, encima del arroz.

Condimento de mesa remineralizante

Ingredientes

1/2 taza de alga dulse | 1/2 taza de alga wakame | 2 cucharadas de semillas de sésamo | 2 cucharadas de semillas de calabaza

1. Tostar las algas en el horno o en una sartén (sin lavar, directamente del paquete) durante 5-7 minutos o hasta que estén completamente crujientes y secas, y se puedan pulverizar. Vigilar que no se quemen.

2. Desmenuzar las algas con las manos y hacerlas polvo en un mortero o molinillo.

3. Lavar las semillas, escurrirlas y tostarlas por separado en la sartén sin aceite, hasta que empiecen a hincharse. Hacerlas polvo.

4. Mezclar el polvo de algas con las semillas. Para un efecto remineralizarte, convendría tener una proporción de 1 parte de polvo de algas por 4 partes de polvo de semillas.

Salsa para las brochetas

Precalentar el horno durante 25 minutos y escalibar en él los tomates y los ajos. Escaldar la ñora durante 1 minuto en agua hirviendo y retirarle la piel. A continuación, triturar todos los ingredientes de la salsa en la batidora. Colocarlos en un pequeño recipiente junto con 1/2 taza de agua y cocerlos a fuego lento, hasta que su líquido se reduzca un tercio (unos 10 minutos).

Brochetas de emperador

Ingredientes para 2 personas

Varios filetes de emperador cortados a trozos y macerados con jugo de limón durante 30 minutos | 2 calabacines cortados a rodajas gruesas | 1 cebolla roja cortada a gajos gruesos | 1 zanahoria cortada a rodajas finas | varios champiñones pequeños | brochetas de madera | hojas de laurel

Salsa: 2 dientes de ajo | 2 tomates maduros, media ñora | 2 cucharadas de almendras tostadas | 2 cucharadas de avellanas tostadas | 2 cucharadas de vinagre de arroz | 2 cucharadas de aceite de oliva

1. Alternar el pescado y las verduras crudas en las brochetas.

2. Cortar 4 hojas de papel de estraza (30 cm x 30 cm) y colocar dos de ellas superpuestas (una sola podría filtrar los jugos de las verduras al cocerse) en la bandeja del horno. Poner encima la mitad de las brochetas con un poco de la salsa y las hojas de laurel.

3. Cerrar con cuidado el paquete, que debe de quedar holgado pero cerrado herméticamente para que el vapor circule sin salir al exterior.

4. Colocar los dos paquetes sobre una bandeja del horno. Pincelar el exterior del papel con un poco de aceite para que no se reseque y cocinar en un horno precalentado a 180 °C durante 15-20 minutos.

5. Servir inmediatamente los papillotes cerrados.

Brochetas
de emperador

Estofado largo de zanahorias · Ver tabla págs. 42-43

Ingredientes para 2 personas
6-8 zanahorias medianas cortadas a método rodado o trozos grandes ￨ 2 tiras de alga kombu (remojadas 2-3 horas con agua fría que las cubra) ￨ sal marina ￨ 1 cucharada de jugo concentrado de manzana (opcional) ￨ 1 ramita de tomillo

1. Colocar en una olla de hierro fundido las tiras de alga kombu remojadas, y el líquido del remojo.

2. A continuación incorporar el tomillo, las zanahorias y una pizca de sal marina. El agua debe cubrir la mitad del volumen de las zanahorias.

3. Tapar y llevar a ebullición. Reducir el fuego al mínimo y cocer durante 45 minutos o una hora con una placa difusora.

4. Trocear el alga kombu cocida e integrarla de nuevo al estofado. Cocer sin tapa hasta que casi todo el líquido se haya evaporado. Añadir un poco de jugo concentrado de manzana. Servir caliente.

Consomé rápido remineralizante

Ingredientes para 1 persona
2 hojas de alga nori troceadas pequeñas ￨ 1/2 ciruela umeboshi ￨ 1 cucharada de salsa de soja ￨ 1 cucharadita pequeña de jugo fresco de jengibre (rallado y escurrido) ￨ 1 cucharadita pequeña de jugo concentrado de manzana (opcional)

1. Hervir dos tazas de agua y añadir el alga nori y la ciruela. Cocer a fuego lento durante 5-7 minutos.

2. Añadir el resto de los aderezos, mezclar bien y consumir inmediatamente.

Salteado largo de calabacín con arame
· Ver tabla págs. 42-43

Ingredientes para 2 personas
5-6 calabacines medianos cortados a rodajas gruesas ￨ 1 taza de alga arame (remojada durante 10 minutos con agua fría) ￨ 1 cucharada de aceite de sésamo tostado ￨ sal marina ￨ 2 cucharadas de salsa de soja ￨ 1 cucharadita de ralladura de limón ￨ 2 cucharadas de semillas de calabaza ligeramente tostadas

1. Calentar una cazuela de hierro fundido o con doble fondo, añadir el aceite, los calabacines y una pizca de sal marina. Tapar y cocer a fuego lento durante 10 minutos.

2. Añadir el alga arame bien escurrida y continuar con la cocción durante 20 minutos más.

3. Condimentar con la salsa de soja y la ralladura de limón, y dejar evaporar sin tapa todo el líquido restante. Mezclar las semillas y servir caliente.

Condimento de nori al jengibre

Ingredientes para 2 personas
3-4 hojas de alga nori ￨ 1 cucharada de salsa de soja ￨ 1 cucharada de jugo concentrado de manzana ￨ 1 cucharadita de jugo fresco de jengibre (rallado y escurrido)

1. Partir con las manos las hojas de alga nori y colocarlas en una cazuela pequeña. Añadir un fondo de agua y remojar durante 10 minutos.

2. Cocer sin tapa varios minutos hasta que todo el líquido se evapore, añadiendo hacia el final los demás ingredientes. Remover bien hasta obtener una consistencia tipo paté.

3. Servir con el cereal.

Gratén del mar

Ingredientes para 2 personas
2 filetes de lenguado ￨ 2 filetes de merluza ￨ 1 taza de gambas peladas (todo macerado con jugo de limón durante 30 minutos) ￨ 1 taza de champiñones ￨ 1 puerro cortado fino ￨ aceite de oliva ￨ sal marina ￨ albahaca seca ￨ salsa de soja

Salsa: 2 cebollas cortadas a dados ￨ aceite de oliva ￨ sal marina ￨ 1/4 de coliflor cortada pequeña ￨ nuez moscada ￨ leche de arroz ￨ miso blanco ￨ pimienta negra

1. Colocar en una fuente para el horno el pescado blanco escurrido, espolvorear encima albahaca seca y unas gotas de salsa de soja.

2. Saltear los puerros con un poco de aceite de oliva y una pizca de sal, durante 5-7 minutos. Añadir los champiñones y las gambas, unas gotas de salsa de soja y cocer sin tapa hasta que el líquido se haya reducido totalmente.

3. Verter sobre el pescado, el salteado y la bechamel. Espolvorear con almendra en polvo. Hornear a temperatura media unos 20-30 minutos. Servir.

4. Bechamel: Sofreír las cebollas con el aceite y una pizca de sal marina durante 10-12 minutos. Añadir la coliflor y agua que cubra la mitad del volumen de las verduras. Tapar y cocer durante 15-20 minutos. Hacer puré y equilibrar su espesor y sabor añadiendo leche de arroz, nuez moscada y una pizca de miso blanco y pimienta negra.

Gratén del mar

Cazuela de garbanzos al azafrán · Ver tabla págs. 42-43

Ingredientes para 2 ó 3 personas
1 taza de garbanzos (remojados toda la noche con 4 tazas de agua) | 2 tiras de alga kombu | 2 zanahorias y 2 chirivías cortadas a método roda- do o trozos grandes | 2 cebollas cortadas a medias lunas | 1 ramillete de plantas aromáticas al gusto | 2 cucharadas de mugi miso | azafrán | perejil | aceite de oliva

1. Lavar los garbanzos y colocarlos en la olla a presión junto con el alga kombu. Cubrirlos totalmente de agua fresca y llevarlos a ebullición sin tapa. Retirar todas las pieles que pue- dan estar sueltas en la superficie. Tapar y cocer a presión durante 1 hora y media. Si al cabo de este tiempo todavía estuvieran duros, cocinar de nuevo a presión.

2. En una cazuela de fondo grueso o hierro fundido, sofreír las cebollas con un poco de aceite de oliva y una pizca de sal marina, a fuego lento durante 10 minutos.

3. Añadir las zanahorias, las chirivías, las plantas aromáticas, azafrán al gusto y los garbanzos ya cocidos, junto con su líquido y el alga kombu cocida y troceada. Tapar y cocer a fuego lento durante 30 minutos.

4. Diluir el miso con un poco del líqui- do de la cocción, incorporarlo y dejar activar el miso durante 1-2 minutos a fuego lento, sin hervir. Servir con perejil crudo.

Calabacines al horno
· Ver tabla págs. 42-43

Ingredientes para 2 personas
4 calabacines partidos por la mitad

Crema: 1 1/2 cucharadas de mugi miso | 3 cucharadas de mantequilla de cacahuete | 1/2 cucharadita de orégano seco | 1 cucharada de jugo concentrado de manzana | 1 cucharadita de ralladura de limón

1. Se colocan los calabacines partidos por la mitad dentro de una cazuela con agua hirviendo y con una pizca de sal marina. Se hierven durante 2-3 minutos, se escurren y se dejan enfriar.

2. Retiramos un poco la pulpa del cala- bacín (sólo la parte de las semillas).

3. Se mezclan los ingredientes de la crema con un poco del agua hirvien- do, hasta obtener una consistencia cremosa.

4. Calentar el horno a temperatura media

5. Se esparce un poco de la crema den- tro de cada calabacín, se colocan en una bandeja de horno (previamente pincelada con un poco de aceite de oliva) y se hornean a temperatura media durante 20-30 minutos. Servir inmediatamente con una ensalada multicolor.

Algas hiziki con cebollas y nueces

Ingredientes para 2 personas
1 taza de alga hijiki (lavada y remojada durante 20-30 minutos con agua fría) | 4 cebollas corta- das a láminas finas | 3 cucharadas de nueces ligeramente tostadas y troceadas | perejil corta- do crudo | 3 cucharadas de aceite de oliva | sal marina | 1 cucharada de salsa de soja | 2 cucha- radas de jugo concentrado de manzana

1. Escurrir el alga remojada y colocarla en una cazuela. Añadir un fondo de agua fresca. Hervir durante 2-3 minu- tos. Tirar el agua y escurrir.

2. En una olla a presión, saltear las cebo- llas con el aceite de oliva y una pizca de sal, sin tapa y a fuego lento duran- te 10-12 minutos.

3. Añadir las algas hiziki y agua que cubra un tercio de su volumen. Tapar y llevar a presión. Reducir el fuego al mínimo y cocer a presión durante 10 minutos.

4. Reducir la presión de la olla con un chorro de agua fría o dejar que se reduzca naturalmente. Abrir.

5. Cocer de nuevo dejando evaporar el resto del líquido. Añadir casi al final la salsa de soja y el concentrado de manzana al gusto. Remover bien y añadir las nueces y el perejil. Servir.

Estofado largo de tofu con kombu · Ver tabla págs. 42-43

Ingredientes para 2 personas

1 bloque de tofu ahumado cortado a dados | 8-10 cebollitas peladas enteras | 4 zanahorias cortadas a trozos grandes (método rodado) | 1/4 de col blanca cortada a trozos grandes | 1 mazorca de maíz | 3 tiras de alga kombu | aceite de oliva | sal marina | tomillo fresco | 2 cucharadas de salsa de soja | 2 cucharadas de jugo concentrado de manzana | 4-5 rodajas finas de jengibre fresco, arroruz o maicena | perejil fresco

1. Rebozar el tofu ahumado con un poco de arroruz o maicena y freírlo en una sartén hasta que quede crujiente y dorado.

2. Saltear las cebollitas con un poco de aceite de oliva y una pizca de sal marina, sin tapa y durante 5 minutos.

3. Añadir el tofu y el resto de las verduras, el tomillo, el jengibre, el alga, la salsa de soja, el jugo concentrado de manzana y agua que cubra la mitad del volumen de las verduras. Tapar y cocer a fuego medio-bajo durante 45 minutos o 1 hora.

4. Cortar el alga kombu cocida a trozos e integrar de nuevo en el estofado.

5. Servir con perejil fresco.

Pizza marinera

Ingredientes para 2 personas

2 bases integrales de pizza (compradas ya hechas) | salsa de tomate natural de buena calidad | 3 cebollas cortadas finas | 1 taza de champiñones cortados a láminas finas | 1/2 taza de maíz | trocitos de pescado fresco variado (macerado durante 30 minutos con jugo de limón) | 2 cucharadas de olivas negras | aceite de oliva | sal marina | salsa de soja | albahaca seca y fresca | pimienta negra

1. Saltear las cebollas con aceite de oliva y una pizca de sal, a fuego medio-bajo durante 10 minutos sin tapa. Añadir los champiñones y unas gotas de salsa de soja, y cocerlos sin tapa, hasta que el jugo de los champiñones se haya evaporado totalmente.

Añadirle una pizca de albahaca seca.

2. Calentar el horno a temperatura media.

3. Esparcir encima de las bases integrales una capa fina de salsa de tomate. Seguidamente, repartir la mitad del salteado en cada pizza. Añadir encima los trocitos de pescado fresco (bien escurrido) y el maíz. Espolvorear un poco más de albahaca seca.

4. Hornear unos 15-20 minutos, hasta que las bases estén crujientes y el pescado cocido.

5. Sacar las pizzas del horno y decorarlas con las olivas negras, la pimienta negra y la albahaca fresca. Servir.

Otras recetas simples para remineralizar y reforzar

EL LIBRO DE LAS PROTEÍNAS VEGETALES

· **Lasaña de seitán y piñones**
· Pastel de seitán y mijo
· Lentejas con tofu frito
· Estofado de azukis con romero
· Estofado de alubias con seitán

ALGAS, LAS VERDURAS DEL MAR

· Consomé de kombu
· Escudella vegetariana
· Condimento de mesa con kombu
· Rollitos de zanahoria y kombu
· Sopa estofado con kombu
· Kombu dulce
· Potaje casero
· Verduras al papillote
· Paella de wakame y seitán
· Escalopas de mijo
· Estofado de seitán con verduras
· Condimento de alga wakame
· Dulse chips
· Ensalada de remolacha y dulse
· Hiziki con almendras
· Salteado largo con hiziki
· Salteado de verduras con kiziki
· Nori tostada
· Condimento de nori
· Udon con caldo de jengibre
· Arroz frito con nori
· Bolas de arroz

LA NUEVA COCINA ENERGÉTICA

· **Pastel de mijo al gratén**
· Bocaditos de queso de tofu
· Cocido de lentejas
· Azukis con calabaza
· Hiziki con ajo y perejil
· Empanadillas de hiziki
· Salteado rápido de arame
· Frito de kombu

Ejemplo de menú semanal

LUNES

Desayuno:
Bocadillo de paté de lentejas
(EL LIBRO DE LAS PROTEÍNAS VEGETALES)
Nori tostada
Café de cereales

Almuerzo:
Crema de calabaza
(LA NUEVA COCINA ENERGÉTICA)
Pescado al papillote
Salteado de col verde con wakame
y piñones
Arroz a presión
Ensalada verde

Cena:
Caldo remineralizante
Estofado largo de tofu con kombu
Arroz a presión con almendras
Brécol hervido

MARTES

Desayuno:
Puré de mijo con canela
Nori tostada
Semillas de calabaza tostadas
Consomé rápido remineralizante

Almuerzo:
Consomé con espaguetis de trigo
sarraceno
Salteado largo de zanahorias
con seitán
Condimento de alga dulse
Verdura escaldada

Cena:
Pastel de mijo con salsa de remolacha
Calabacines al horno
Algas hiziki con cebollas y nueces
Ensalada de col china al sésamo
Queso de tofu
(EL LIBRO LAS PROTEÍNAS VEGETALES)

MIÉRCOLES

Desayuno:
Crema de arroz
Semillas de girasol tostadas
Sopa de wakame con verduras

Almuerzo:
Atún con salsa teriyaki
Ensalada de quinoa crujiente
Verduras a la plancha
Verdura verde hervida
Condimento de nori al jengibre

Cena:
Sopa de col
(LA NUEVA COCINA ENERGÉTICA)
Quinoa
Escalopes de seitan y tofu
(EL LIBRO DE LAS PROTEÍNAS VEGETALES)
Salteado largo de calabacín con arame
Brécol hervido

JUEVES

Desayuno:
Bocadillo de seitán a la plancha
(EL LIBRO DE LAS PROTEÍNAS VEGETALES)
Infusión de regaliz

Almuerzo:
Potaje de garbanzos
Trigo sarraceno con verduras dulces
Verduras hervidas crujientes
Ensalada de wakame con tofu
ahumado
(ALGAS, LAS VERDURAS DEL MAR)

Cena:
Sopa de pescado
Arroz con almendras
Mermelada de zanahorias
Ensalada de berros y endibias

* Las recetas que aparecen en este libro están indicadas en color.

para remineralizar y reforzar

VIERNES

Desayuno:
Sopa de trigo sarraceno al jengibre

Almuerzo:
Paella de seitán y tofu ahumado
Salteado corto al curry
Kombu dulce
(ALGAS, LAS VERDURAS DEL MAR)
Verdura verde hervida

Cena:
Crema de coliflor
(LA NUEVA COCINA ENERGÉTICA)
Quinoa con zanahorias
Estofado largo de zanahorias
Ensalada de remolacha
y alga dulce
(ALGAS, LAS VERDURAS DEL MAR)
Puerros hervidos

SÁBADO

Desayuno:
Crema de quinoa
Nori tostada
Almendras tostadas
Consomé de kombu
(ALGAS, LAS VERDURAS DEL MAR)

Almuerzo:
Escudella vegetariana
(ALGAS, LAS VERDURAS DEL MAR)
Hamburguesas de mijo con pasas
y alcaparras
Salmón al pesto
Ensalada con diente de león
a la mostaza

Cena:
Pizza marinera
Ensalada de apio, nabos y manzana
Ensalada de arame y judías verdes
a la vinagreta
Manzanas al horno

DOMINGO

Desayuno:
Pan integral con mermelada de
zanahoria y boniato
Semillas tostadas
Café de cereales con canela

Almuerzo:
Crema fina de brécol
Canelones de seitán
Verduras a la plancha
Ensalada variada
Dulse chips
(ALGAS, LAS VERDURAS DEL MAR)

Cena:
Azukis con calabaza
(LA NUEVA COCINA ENERGÉTICA)
Arroz a presión
Salteado de judías verdes con
arame
(ALGAS, LAS VERDURAS DEL MAR)
Verdura escaldada

Menú opcional
para tres comidas

E n este apartado proponemos unos menús para toda la semana que incluyen desayuno, almuerzo y cena, y en los que se incluyen las recetas de éste y de mis anteriores libros: *La nueva cocina energética; Algas, las verduras del mar* y *El libro de las proteínas vegetales*. De este modo podremos ver cómo alimentarnos cada día con variedad.

Algunas aclaraciones con referencia al menú semanal:

■ Las recetas son sencillas porque necesitamos variedad pero sin complicaciones.

■ Se combinan recetas de los libros citados junto con algunos platos sencillos para equilibrar, tales como verdura verde hervida, rodajas de pepino o germinados de alfalfa, etc.

■ Cada comida es equilibrada, tanto a nivel energético (crudo, cocido, denso, ligero, crujiente, seco, enfría, calienta...) como a nivel de nutrientes (hidratos de carbono, proteínas, minerales...) o de texturas (blando, crujiente, seco, húmedo).

■ Muchos se asombrarán de la variedad de platos que presenta el menú. En cuanto a la cantidad, depende de lo que cada persona quiera comer.

■ Generalmente se suele comer un primer plato seguido de un segundo. Aquí sugerimos el «plato combinado», en el que se integran todos los ingredientes y energías que el cuerpo necesita.

■ Es muy importante recordar que si a las horas de las comidas nos saboteamos (con la mente o las emociones) comiendo poco porque tenemos prisa o porque hemos decidido perder peso, por ejemplo, acabaremos picando entre comidas o cenando en exceso, ya que el cuerpo físico tiende a compensar sus carencias.

▨ Es más saludable hacer tres comidas completas al día (con las cuales nos encontraremos totalmente satisfechos) que picar entre comidas o sobrealimentarnos antes de ir a dormir. Se trata de un concepto sencillo, pero muy difícil de poner en práctica para muchas personas.

▨ La cena debería hacerse lo antes posible, adaptando nuestros horarios para poder hacer una merienda / cena antes de empezar otra actividad o bien terminándolas antes. Todos podemos hacer una cena temprana; es cuestión de ser flexibles y probar algo nuevo. En muy pocos días veremos las increíbles ventajas de este nuevo hábito.

▨ Si hacemos una cena temprana, también la haremos más completa y nos sentiremos satisfechos sin necesidad de picar nada. Podremos digerir con tiempo y utilizar las horas de descanso para algo más que digerir.

▨ Los desayunos propuestos son los que más gusta tomar a media mañana: bocadillos, los cuales resultan ideales para personas con mucha actividad física, niños y adolescentes, o personas que almuerzan muy tarde. Un bocadillo a media mañana puede ayudarnos a continuar con nuestras actividades.

▨ Recomiendo que, poco a poco, nos habituemos a desayunar cremas de cereales con semillas y frutos secos, ya que es lo que nuestro cuerpo necesita para concentrarse, nutrir el cerebro y generar una energía estable y duradera.

▨ En este menú semanal propongo cocinar leguminosas dos veces por semana, ya que son las que requieren más tiempo de cocción. Podemos cocinar una clase de ellas durante el fin de semana y otra clase bien entrada la semana.

▨ Al cocinar una clase de leguminosa, podemos reservar una parte en la nevera para utilizarla hasta dos días después en otra receta; así comeremos de forma variada y aprovecharemos el tiempo.

▨ Si tomamos proteína vegetal (seitán, tofu, tempeh) a la hora de la cena, podemos reservar una parte para el bocadillo del día siguiente.

▨ En esta muestra semanal hemos propuesto pescado, pero si por cuestiones personales no se quiere consumir, puede sustituirse por algún tipo de proteína vegetal, preparada en estilos de cocción que calienten y refuercen.

▨ Si deseamos comer fruta, lo haremos entre comidas o una hora después de haber terminado nuestra comida con proteína vegetal. Recordemos que la fruta inhibe la absorción de la proteína vegetal y que la fruta fresca nos activa y enfría a corto plazo, en tanto que la fruta cocida nos relaja y enfría a largo plazo. Dependiendo del momento en que nos encontremos, podremos escoger un tipo u otro de energía.

> La fruta, la comeremos entre comidas o al cabo de una hora después de haber ingerido proteína vegetal.

▨ Si tomamos una cantidad generosa de verduras en diferentes preparaciones, no desearemos comer fruta.

▨ Como punto final, recordar que no podemos hacer este mismo menú durante semanas, ya que aunque al principio sintamos sus beneficios, pronto nos estancaremos. Hay que variar y sentir día a día lo que nuestro «templo» necesita.

Errores
a tener en cuenta

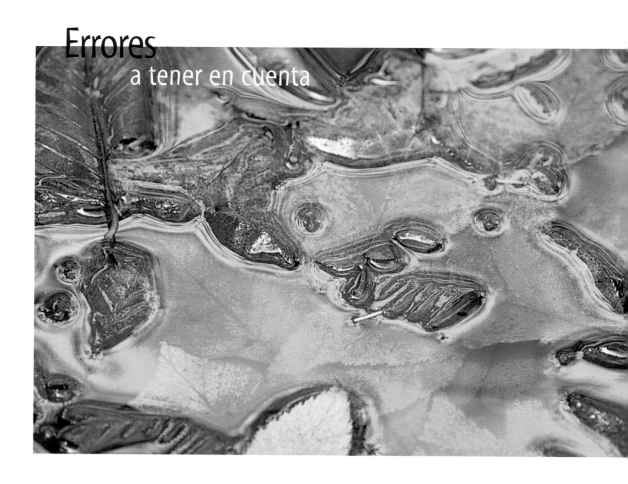

Tenemos que trabajar profundamente en escuchar nuestra voz interior, nuestra vibración energética, y saber hasta qué punto necesitamos ir en el proceso de remineralizarnos y reforzarnos porque ya hemos conseguido el equilibrio.

Podemos seguir estas sugerencias durante varias semanas, e ir observando los cambios que se producen a todos los niveles de nuestro ser. Poco a poco nos sentiremos con más confianza en nosotros mismos, con más control en nuestra vida y con más vitalidad y energía para levantarnos y realizar todas las actividades del día.

Es estupendo podernos sentir de esta forma, pero tenemos que ir con cuidado de no pasar por el centro del equilibrio energético y continuar hacia el lado opuesto: antes, sintiéndonos débiles y víctimas de la vida, y ahora abusando de los demás y con un temperamento fuerte, irritable, impaciente y muy tenso, como un volcán a punto de estallar.

Tenemos que trabajar profundamente en escuchar nuestra voz interior, nuestra vibración energética, y saber hasta cuándo necesitamos seguir con el proceso de remineralizarnos y reforzarnos porque ya hemos conseguido el equilibrio.

Es importante entender que la energía no es estática; que cambia a cada momento, pues somos seres vivos y vibramos constantemente. Si tenemos frío y empezamos a abrigarnos, llegará un momento que sentiremos calor y

En todo proceso de cambio también debemos ser compasivos con nosotros mismos e ir poco a poco; jugar con el baile energético.

«Observa cómo todas las cosas nacen constantemente del cambio... Todo lo que existe es también, en algún sentido, lo que emergerá a partir de sí mismo.»

MARCO AURELIO

empezaremos a quitarnos ropa. No es tan fácil cuando hablamos de energía, ya que no se puede tocar, pero sí se puede sentir y percibir. Tan sólo tenemos que parar un momento nuestra actividad y escucharnos.

En todo proceso de cambio también debemos ser compasivos con nosotros mismos e ir poco a poco; jugar con el baile energético. Muchas personas, especialmente con mentes fuertes, intentan imponer al cuerpo físico y al emocional cambios demasiado dramáticos que no podrán seguir a largo plazo.

Si una persona está demasiado débil (Yin), por descontado que iremos poco a poco para reforzarla y remineralizarla (Yang), pero si vamos demasiado deprisa puede que este Yin (que necesitaba transformarse) se bloquee y no pueda fluir. Entonces hablaremos de una persona con unas características externas Yang (tenso, irritable, impaciente...), pero todavía débil y vacía energéticamente. A esto se le denomina «Yang vacío». Vemos especialmente hombres con estas características, que además son muy delgados, débiles y tensos.

Un error recurrente es que **muchas personas piensan que reforzarse y remineralizarse** **implica comer más proteína animal y aceites**. Y empiezan a incrementar de forma desmesurada el consumo de pescado, huevos, fritos, cereales, semillas, frutos secos, mantequillas de frutos secos, etc. Poco a poco, todos sus sistemas (y especialmente el hígado) se van saturando más y más; su energía disminuye (especialmente por las mañanas) y se sienten **estancados a todos los niveles**.

Remineralizar y reforzar implica un aumento de minerales y una reducción drástica de todo lo que nos debilita y desmineraliza, ya que es lo más importante para el cambio.

Vivencia interior
para reforzar y remineralizar

V amos a relajarnos y a hacer varias respiraciones profundas; a sentirnos cómodos y pesados, con el cuerpo físico en contacto con nuestra Madre Tierra.

Vamos a visualizar o imaginar un paisaje; un lugar de la naturaleza

Reflexiones para remineralizarnos y reforzarnos

✻ ¿De qué forma me debilito?

✻ ¿Cómo me desmineralizo?

✻ ¿De qué forma me saboteo a mí mismo y pierdo mi energía vital?

✻ ¿Cómo puedo reforzar mis cuerpos físico, emocional y mental?

✻ ¿De qué forma abuso de ellos?

✻ ¿Son mis raíces lo suficientemente profundas y sólidas para seguir con mi vida?

✻ ¿Vivo en el presente y lo disfruto plenamente?

Vamos hacia el árbol y lo observamos:

• ¿Qué aspecto tiene? ¿Posee una figura imponente o es un árbol pequeño o muy viejo? ¿Se le percibe con vitalidad o es tan viejo que casi no vive?

• ¿Cómo son sus raíces? ¿Crecen fuertes y profundas hacia la Madre Tierra o quizá están débiles?

• ¿Cómo son su tronco y sus ramas? ¿Están fuertes y llenos de vida? ¿Viven animales en sus ramas?

• ¿Es un árbol *feliz*?

que nos atrae enormemente por su belleza y su fuerza.

Observamos el paisaje y nos sentimos parte de él. El calor del Sol, el olor de la hierba, el perfume de las flores, el cantar de los pájaros, el murmullo de un distante riachuelo… Todo es paz, belleza y sosiego.

Nos dirigimos, como siempre, a un lugar muy conocido por nosotros. Un lugar que ya hemos visitado otras veces y donde, como siempre, está nuestro árbol esperándonos.

Mientras lo observamos con detenimiento, se acerca a nosotros un personaje. Es un anciano, el jardinero, que se ocupa a diario de este árbol y de muchos más. El jardinero sabe con certeza todo lo

concerniente a este árbol: su historia, lo que necesita para continuar creciendo y viviendo con fuerza… Podemos preguntarle todo lo que deseemos, ya que nos aconsejará con sabiduría y objetividad.

Damos las gracias al jardinero por sus sabias sugerencias y, poco a poco, esta figura se desvanece de nuestra imaginación

Ahora sabemos con certeza qué necesita el árbol y podemos continuar con la experiencia. Nos abrazamos al árbol y nos fundimos en él. Somos el árbol.

Poco a poco, por medio de la respiración y de nuestra imaginación, creamos el árbol que deseamos; un árbol totalmente vivo.

Podemos sentir nuestras raíces profundas en la tierra; fuertes y sólidas. Con ellas podemos nutrirnos y absorber los minerales de la tierra; beber de sus aguas subterráneas y sentirnos remineralizados y reforzados.

Podemos sentir el tronco robusto y grueso; en él nuestra fuerza vital fluye con dinamismo, de arriba hacia abajo y de abajo hacia arriba; nutrido por las fuerzas de la Tierra y del universo.

También nuestras ramas están rebosantes de vida: tienen hojas, flores y frutos. Además, en ellas se albergan numerosos animales e insectos, los cuales forman una sociedad armoniosa y de respeto mutuo.

Todo el árbol se nutre de los elementos de la naturaleza: Sol, aire, agua y tierra, y nos sentimos remineralizados, reforzados, sólidos y enraizados.

Sugerencias
para reforzar y remineralizarnos

- Trabajar o tener hobbies al aire libre.

- Nutrirse de los elementos de la naturaleza.

- Pasear a diario.

- Tomar baños con sal marina, barro, minerales y algas.

- Trabajar con arcilla o cerámica.

- Trabajar con la tierra (cultivar, cuidar un jardín…).

- Ponerse compresas de sal caliente en la planta de los pies.

- Beber agua de buena calidad.

- Practicar artes marciales.

- Recibir sesiones de masaje.

«Nadie es débil si emplea adecuadamente los medios que la Madre Naturaleza ha puesto a su disposición. La batalla no se reserva sólo a los fuertes; también la libran los vigilantes, los activos, los valientes.»

PATRICK HENRY

capítulo 5

Nutriendo nuestro cuerpo

Falta de riqueza y calidad alimentaria, nutrición y amor en su vida

Nutrir se genera escogiendo alimentos
con calidad nutritiva (pescado, proteínas vegetales
y leguminosas, semillas y frutos secos)
preparados en cocciones lentas,
con aceite en cocción, tiempo, atención y **amor**.

Nutriéndonos

Durante estos años de dedicación constante al estudio y la experimentación energética, he conocido a mucha gente desnutrida; personas que practican formas de alimentación alternativas pensando que son más sanas y naturales pero que, poco a poco, han ido perdiendo su vitalidad y alegría por la vida.

Algunas de estas personas, aferradas a disciplinas rígidas, continúan su «calvario alternativo», en tanto que otras deciden terminarlo porque «no funciona». ¿Es esto cierto o puede que no hayan sido asesoradas por personas con experiencia?

Seguir una práctica alternativa con pocos conocimientos es tan peligroso como intentar conducir un coche con sólo un manual de instrucciones.

Si deseamos alimentarnos de forma más natural, sustituyendo alimentos extremos, debemos aprender formas de cocinar que nos nutran y nos aporten la energía suficiente. Para conseguirlo debemos seguir varias fases; entender todas las piezas del puzzle energético para luego ver la imagen final y así obtener mejores resultados.

Alimentos que nos nutren:

- **Cereales integrales.** Mucha gente piensa que tomando pasta, harinas, copos o pan integral corriente, ya están comiendo todo lo que necesitan. Estos alimentos, por naturales e integrales que sean, ya han sido procesados, y no nos aportan la energía que necesitamos a largo plazo.
  Recomiendo tomar a diario cereales completos, tales como: cebada, mijo, quinoa, arroz, avena...Y cocinados de forma nutritiva: salteados con verduras (incluyendo alguna proteína vegetal o pescado), guisos tipo paella, estofados, risottos, etc...

- **Proteínas vegetales.** Toda clase de leguminosas, tofu, tempeh, seitán, frutos secos y semillas.
  La cantidad también es importante: si utilizamos proteínas vegetales, deberemos comer más cantidad, ya que no son tan concentradas como las de origen animal.
  Debemos utilizar a diario semillas y frutos secos ligeramente tostados, que nos aportarán aceites, grasas y proteínas de buen

calidad, aunque hay que masticarlos muy bien.

Para nutrirnos y obtener vitalidad, también es importante consumir regularmente pescado fresco y algún huevo de buena calidad.

- **Verduras del mar.** Nos aportan minerales y son un elemento indispensable en toda buena alimentación.
- **Verduras de la tierra.** Aunque es importante consumir verduras variadas, lo principal es saberlas cocinar. Una buena ensalada nos aporta vitaminas, pero no los efectos energéticos que deseamos obtener. Hay que variar los estilos de cocción, ya que cada uno nos aporta un efecto distinto. Las verduras que más nos nutrirán y aportarán calor interno son las de raíz (cebollas, zanahorias, chirivías, boniatos...) y las redondas (calabaza, col, coliflor...).

Estilos de cocción

Para obtener las energías y los efectos descritos, debemos utilizar estilos de cocción que necesiten más tiempo y, por lo tanto, más llama, sal y aceite.

La llama será media-baja, aportando a los alimentos que se cocinan energía de calor interior, relax, dulzor natural y riqueza nutricional. La cantidad de agua para la cocción será mínima. **Los estilos de cocción más apropiados son: estofados, sopas, cremas, salteados cortos de verduras con proteínas (seitán, tofu o tempeh), salteados largos de verduras de raíz, horneados, fritos, rebozados y presión.**

Por supuesto que seguiremos tomando ensaladas y verduras crujientes que nos refresquen, como un componente de equilibrio en la mesa, pero teniendo en cuenta que éstas no aportan la energía interior a la que nos estamos refiriendo.

Por lo que podemos ver, no todo se resuelve cocinando nuestras verduras al vapor. Tenemos que variar para nutrirnos de las energías que nos aportan los diferentes estilos de cocción. Si deseamos nutrirnos a un nivel profundo y que este efecto sea acumulativo, también podemos usar dos tipos de cocción diferentes en una misma receta:

- Podemos rehogar las cebollas o los puerros, y luego añadir el resto de las verduras para hacerlas estofadas.
- Hacemos las verduras al vapor y luego las salteamos con un poco de aceite, salsa de soja y hierbas aromáticas.

- Escaldamos las verduras y luego las salteamos en plan rápido, incluyendo alguna proteína vegetal, semillas o frutos secos tostados.
- Hacemos las verduras al vapor y luego añadimos alguna salsa y polvo de almendras, y las gratinamos en el horno durante unos minutos.
- O añadimos al estofado alguna proteína vegetal previamente frita.

Puede que veamos el proceso complicado, pero si recordamos cómo es nuestra cocina tradicional, nos daremos cuenta de que siempre se efectúan varios procesos para obtener el resultado final: paellas, macarrones, guisos, estofados de leguminosas, caldos... Aunque esto comporta pasar más tiempo en la cocina y olvidarnos del horno microondas...

Con organización y conocimientos aún podemos aplicar el refrán: «Comer para vivir y no vivir para comer». Al fin y al cabo, ¿qué valor le damos a nuestra salud? ¿Y a la de nuestra familia? ¿Vamos a comprometerlas?

Condimentos y aliños

Podemos utilizar aceite de sésamo o aceite de oliva de primera presión en frío en rehogados, salteados, etc... El aceite de la cocción nos aporta calor interno, por lo que nos nutre y enriquece, en tanto que el aceite crudo de las ensaladas nos aporta una energía más superficial y nos enfría.

Muchas veces se da por sentado que el aceite de cocción es cancerígeno y que, por tanto, no debe utilizarse. Por supuesto que un aceite calentado a altas temperaturas, que empieza a humear, no es recomendable para nadie; sin embargo, aquí nos referimos a calentar ligeramente el aceite y añadir inmediatamente las verduras y un aliño salado que hará que éstas extraigan su líquido y que el aceite no se queme.

Para obtener energía de nutrir y enriquecer, también podemos emplear unas gotas de aceite de sésamo tostado al final de la cocción, que aportará un toque aromático y de calor interno profundo.

Podemos aumentar —con moderación— el uso de algunos condimentos salados, tales como el miso, la salsa de soja, la sal marina... pero siempre pensando en el equilibrio final y complementándolo con pequeñas cantidades de especias, hierbas aromáticas (secas y frescas), ralladura de cítricos, etc.

Recetas para nutrir

Como ya os he comentado en la presentación del recetario (págs. 62-63),
estas recetas sólo son una muestra del estilo, forma, ingredientes,
tipos de cocción, aderezos y dirección energética que se necesita
para –en el caso de este capítulo– obtener los resultados de «**nutrir**»
en nuestros platos. Son recetas muy simples, que no requieren mucho tiempo
de preparación y que todos podéis realizar en vuestro laboratorio energético
que es la cocina. Al final de estas recetas aparece una relación de otras tantas,
ya publicadas en mis libros anteriores y que poseen un efecto parecido.

Os invito, pues, a explorar y descubrir el mundo de la energía, una aventura
sin fin que os ofrecerá una visión totalmente nueva de la Cocina,
sintiéndonos libres para poder elegir a cada momento lo que nos conviene,
generar nuestra propia **calidad** y **cantidad** energéticas, y disfrutar más y
mejor de la vida.

Lasaña de pescado

Ingredientes para 4 personas

Pescado variado cortado a trozos pequeños y macerado con jugo de limón durante 30 minutos | 3 cebollas picadas finas | 2 dientes de ajo picados finos | 2 hojas de laurel | 1 taza de champiñones cortados a láminas | 3 cucharadas de piñones ligeramente tostados | perejil picado fino | aceite de oliva | salsa de soja | 1 cucharada de albahaca seca (opcional)

Bechamel: 2 cebollas, 1/2 coliflor, aceite de oliva, sal marina, nuez moscada, miso blanco, leche de arroz, polvo de almendras.

1. Sofreír la cebolla y los ajos con aceite de oliva, una pizca de sal y el laurel durante 10 minutos, sin tapa y a fuego lento.

2. Añadir los champiñones saltearlos durante 5-7 minutos. Añadir el pescado (escurrido), los piñones y el perejil, mezclar bien y apagar el fuego.

3. Cocer las tiras de lasaña con abundante agua hirviendo y una pizca de sal marina, sin tapa (mirar el tiempo de cocción en el paquete). Retirar, lavar con agua fría y escurrir con cuidado de que no se rompan.

4. Elaborar una salsa de bechamel bien espesa.

5. Pincelar una bandeja de horno con un poco de aceite de oliva y añadir una capa de lasaña, luego el relleno y un poco de bechamel. Hacer varias capas hasta acabar con lasaña y bechamel.
Espolvorear con almendra rallada y hornear durante 20 minutos, hasta que la superficie esté gratinada y dorada.
Servir caliente.

Sopa de pan

Ingredientes para 2 ó 3 personas
6 cebollas cortadas finas a medias lunas | varias rebanadas de pan integral tostado | 2 cucharadas de aceite de oliva | 2 tiras de alga kombu | 2 hojas de laurel | 2 cucharadas de salsa de soja | 2 cucharadas de jugo concentrado de manzana

Guarnición: choucroute (pickles de col blanca) y berros frescos.

1. Saltear las cebollas con el aceite de oliva y una pizca de sal marina, a fuego lento, sin tapa y durante 10-12 minutos.

2. Añadir el laurel, el alga kombu y 3 tazas de agua. Tapar y cocer a fuego lento durante 20-30 minutos.

3. Condimentar con la salsa de soja y el concentrado de manzana. Cocer 1 ó 2 minutos más.

4. Colocar una o dos rebanadas de pan en el fondo de cada plato y añadir la sopa. Decorar con una cucharada sopera de choucroute y los berros crudos. Servir

Albaricoques rellenos de mazapán

Ingredientes para 2 personas
6-8 albaricoques secos / orejones (sin sulfato) abiertos por la mitad

Mazapán: 1/2 taza de almendra en polvo | 1 cucharada de mermelada de melocotón | 1-2 gotas de esencia de almendra

1. Mezclar los ingredientes del mazapán hasta obtener una masa compacta y dulce.

2. Rellenar cada orejón abierto por la mitad. Servir.

Tagliatelle con gambas, tofu frito y aguacates

Ingredientes para 2 ó 3 personas
1/2 - 3/4 paquete de tagliatelle integrales | 2 tazas de gambas peladas | 1 paquete de tofu ahumado cortado en dados | 2 aguacates pelados, cortados a rodajas y rociados con jugo de limón para que no se ennegrezcan | 1 taza de tomates cherry cortados por la mitad | sal marina | aceite | 1 ajo picado fino | albahaca fresca | salsa de soja

1. Freír los dados de tofu ahumado con aceite de oliva hasta que queden crujientes y de color dorado. Secar sobre papel absorbente el exceso de aceite.

2. Cocer los tagliatelle con abundante agua hirviendo y una pizca de sal marina. Lavarlos con agua fría y escurrir bien.

3. Dorar el ajo durante unos segundos y añadir los tomates, las gambas y unas gotas de salsa de soja, saltear bien durante 3-4 minutos. Añadir los tagliatelle y el tofu frito. Mezclar bien y añadir unas gotas más de salsa de soja.

4. Repartir el salteado en dos o tres platos, decorar con albahaca fresca y las rodajas de aguacates. Servir.

Tagliatelle con gambas,
tofu frito y aguacates

Compota de manzanas y avellanas

• Ver tabla págs. 42-43

Ingredientes para 2 personas

4-5 manzanas peladas y troceadas (añadir unas gotas de jugo de limón para evitar que se ennegrezcan) | 1/2 taza de orejones (sin sulfato) cortados por la mitad | sal marina | una vaina de vainilla cortada por la mitad a lo largo | 1/3 taza de avellanas tostadas troceadas | 1 cucharadita de ralladura de naranja

1. Colocar las manzanas, la pizca de sal, los orejones y la vaina de vainilla en una cazuela de fondo grueso, junto con una taza de agua. Llevar a ebullición, reducir el fuego al mínimo y cocer durante 30 minutos.

2. Con la punta de un cuchillo, raspar el polvo de la vainilla y añadirlo a la compota. Mezclar bien junto con la ralladura de naranja.

3. Añadir las avellanas tostadas y servir.

Mousse de algarroba y avellanas

Ingredientes para 2 personas

3 tazas de leche de arroz | 3 cucharadas de crema de algarroba y avellanas | 1-2 cucharadas de espesante kuzu

1. Calentar la leche de arroz con la crema de algarroba y mezclar bien.

2. Diluir el kuzu con un poco de agua fría y añadirlo a la mezcla de arroz y algarroba.

3. Remover constantemente hasta que la mezcla se espese (unos 2-3 minutos).

4. Servir frío o caliente.

Seitán con castañas

Ingredientes para 2 ó 3 personas

1 paquete de seitán cortado a lonchas finas | 1 taza de castañas pilongas remojadas toda la noche con 3 tazas de agua | 1 tira de alga kombu | 3 cebollas cortadas a láminas finas | aceite de oliva | sal marina | salsa de soja | perejil

1. Calentar una sartén con unas gotas de aceite de oliva. Añadir las lonchas de seitán y cocinarlas por los dos lados unos minutos. Retirar y colocar en una fuente para servir.

2. Colocar las castañas en una cazuela o en la olla a presión, junto con el alga kombu y agua fresca que las cubra. Llevar a ebullición, retirar las pieles que pudieran aparecer en la superficie durante 5 minutos. Tapar y cocer hasta que las castañas estén completamente blandas (unos 45 minutos a presión o 1 hora en olla de fondo grueso), condimentarlas con una pizca de sal marina y cocinarlas 10 minutos más. Si todavía quedara un exceso de líquido, cocer sin tapa hasta evaporarlo.

3. Sofreír las cebollas con aceite de oliva y una pizca de sal marina durante 10 minutos. Añadir las castañas cocidas y unas gotas de salsa de soja. Mezclar bien.

Guiso de verduras con seitán

Ingredientes para 4 personas

2 puerros | 1/2 calabaza dulce | coles de Bruselas | 4 zanahorias | 1 hinojo (todas las verduras lavadas y troceadas grandes) | 1 paquete de seitán cortado a trozos grandes | 1 cucharada de jugo de jengibre fresco (rallado y escurrido) | 1 cucharada de salsa de soja | 2 cucharadas de jugo concentrado de manzana | laurel | aceite de oliva | albahaca o perejil fresco para servir

1. Freír el seitán con un poco de aceite de oliva durante varios minutos.

2. Colocar todas las verduras y el seitán en una cazuela de barro, junto con el laurel u otra planta aromática seca y agua que cubra la mitad del volumen de las verduras. Sazonar con una pizca de sal marina. Tapar y cocer a fuego bajo durante 40 minutos.

3. Sazonar al gusto con salsa de soja, jengibre fresco y el jugo de manzana. Servir caliente con plantas aromáticas frescas.

Guiso de verduras
con seitán

Canelones de seitán

Ingredientes para 4 personas

1 paquete de seitán | 2 cebollas picadas finas | 3 zanahorias ralladas finas | 2 dientes de ajo picados finos | 2 hojas de laurel | 1 taza de champiñones cortados finos | 2 cucharadas de piñones ligeramente tostados | perejil picado fino | aceite de oliva | salsa de soja | sal marina | pasta para canelones

Salsa bechamel: 4 cebollas picadas finas | comino en polvo | aceite de oliva | sal marina | almendra en polvo para el gratinado

1. Triturar el seitán con un cuchillo o pasarlo por un molinillo para que se desmenuce bien.

2. Saltear las cebollas y los ajos con aceite de oliva, laurel y una pizca de sal marina, sin tapa, durante 10 minutos. Añadir los champiñones y unas gotas de salsa de soja, saltear sin tapa hasta que todo su jugo se haya evaporado.

3. Añadir las zanahorias ralladas, el seitán desmenuzado, el perejil y la salsa de soja. Saltear bien durante 2-3 minutos, hasta obtener una masa bastante espesa. Añadir los piñones y el perejil.

4. Llevar a ebullición abundante agua con una pizca de sal marina y, cuando empiece a hervir, se van incorporando las láminas de los canelones una a una. Cocerlas durante 7-10 minutos o el tiempo indicado en el paquete.

5. Pasarlas a un recipiente con agua fría y al cabo de un rato extenderlas sobre un trapo de cocina previamente humedecido. Añadir el relleno en cada canelón. Enrollarlos y colocarlos en una bandeja de horno previamente pincelada con unas gotas de aceite.

6. Bechamel: Saltear las cebollas con un poco de aceite de oliva y una pizca de sal marina durante 10 minutos. Añadir un fondo de leche de arroz y comino. Tapar y cocer a fuego medio durante 10 minutos más. Hacer puré.

7. Verter la bechamel encima de los canelones y espolvorear un poco de almendra en polvo. Gratinar hasta obtener un color dorado. Servir caliente.

Tempura de calabacín
• Ver tabla págs. 42-43

Ingredientes para 2 ó 3 personas

2 calabacines medianos (cortados a tiras finas a lo largo y luego por la mitad) | sal marina.

Tempura: 1/4 taza de harina semi-integral tamizada | una pizca de sal marina | agua con gas | hierbas aromáticas secas al gusto | 1/2 cucharadita de cúrcuma | 1 cucharada de maicena | aceite para freír

1. Espolvorear el calabacín con unos granitos de sal marina y dejarlo macerar 30 minutos. Lavarlo, escurrirlo y secarlo bien.

2. Mezclar los ingredientes de la pasta para la tempura. Ir añadiendo agua con gas hasta obtener una consistencia espesa pero ligera. Enfriar en la nevera durante media hora.

3. Calentar el aceite en una sartén. Sumergir cada trozo de calabacín en la pasta del rebozado e inmediatamente en el aceite caliente. Freír unos minutos, hasta que la masa de harina quede crujiente y dura.

4. Escurrir en un papel absorbente el exceso de aceite y servir inmediatamente con nabo o rabanito rallado para ayudar a digerir el frito.

Bacalao con pimientos

Ingredientes para 2 personas

2 lomos de bacalao desalado | harina semi-integral tamizada | pan rallado | 2 cebollas picadas finas | 1 ajo picado fino | 2 tomates maduros cortados por la mitad y rallados | aceite de oliva | sal marina | una ramita de tomillo | 2 pimientos verdes (escalibados, lavados y cortados finos) | 1/2 taza de pan rallado | cebollino crudo cortado fino

1. Rebozar el bacalao con la harina y freírlo. Secarlo en papel absorbente y colocarlo en una fuente de horno.

2. Saltear las cebollas y el ajo, con aceite de oliva y una pizca de sal marina, sin tapa y a fuego medio-bajo durante 10-12 minutos.

3. Añadir los tomates rallados, el tomillo, los pimientos verdes, 1/2 taza de agua y otra pizca de sal marina. Tapar y cocer a fuego lento durante 20 minutos.

4. Retirar el tomillo y hacer puré. Verter la salsa sobre el bacalao frito y junto con el pan rallado. Hornear en un horno precalentado a temperatura media-alta durante 5-7 minutos. Servir caliente con el cebollino.

Bacalao
con pimientos

Salteado largo de zanahorias con seitán

• Ver tabla págs. 42-43

Ingredientes para 2 ó 3 personas
2 cebollas cortadas finas ǀ 6 zanahorias cortadas a método rodado o trozos gruesos ǀ 1 paquete de seitán cortado a dados medianos ǀ 4-5 rodajas finas de jengibre fresco rallado ǀ 2 hojas de laurel ǀ aceite de oliva ǀ sal marina ǀ cebollino cortado crudo

1. Calentar una cazuela de hierro fundido o con doble fondo, añadir un poco de aceite de oliva, las cebollas y una pizca de sal marina. Saltear durante 10 minutos, sin tapa, a fuego lento.

2. Añadir las zanahorias, el seitán, el jengibre, el laurel y otra pizca de sal marina. Mezclar bien. Tapar y cocer a fuego lento con una placa difusora durante 45 minutos. El secreto de este plato es cocinarlo a fuego muy lento, removiendo de tanto en tanto, pero sin agua.

3. Decorar con el cebollino fresco y servir.

Estofado de seitán al vino dulce

Ingredientes para 2 ó 3 personas
2 paquetes de seitán cortado a lonchas medianas ǀ 2 cebollas picadas finas ǀ 1 ajo picado fino ǀ aceite de oliva ǀ sal marina ǀ 3 cucharadas de almendras tostadas y peladas ǀ 3 cucharadas de piñones ligeramente tostados ǀ una ramita de tomillo ǀ 2 cucharadas de vino dulce ǀ 1 cucharada de salsa de soja ǀ perejil

1. Calentar una cazuela mediana, añadir un poco de aceite, el ajo, la cebolla y una pizca de sal marina. Sofreír a fuego medio y sin tapa durante 5-6 minutos. Añadir el tomate troceado, tapar y cocer 15-20 minutos más.

2. Picar o triturar finamente las almendras y los piñones, y añadir al sofrito, juntamente con el seitán, el vino dulce, el tomillo, la salsa de soja y un fondo de agua.

3. Tapar y cocer a fuego lento durante 10-15 minutos. Servir con perejil.

Brochetas de verduras fritas con salsa de barbacoa

Ingredientes para 2 ó 3 personas
2 calabacines cortados a rodajas gruesas ǀ 1 cebolla cortada a gajos gruesos ǀ 1 chirivía cortada a rodajas ǀ 1 boniato cortado a rodajas ǀ varios champiñones pequeños ǀ brochetas de madera

Rebozado: 1/4 taza de harina semi-integral tamizada ǀ una pizca de sal marina ǀ agua con gas ǀ plantas aromáticas secas al gusto ǀ 1/2 cucharadita de cúrcuma ǀ 1 cucharada de semillas de sésamo ligeramente tostadas ǀ 1 cucharada de maicena ǀ aceite para freír

Salsa: 2 cucharadas de salsa de soja ǀ 1 cucharada de jugo de jengibre fresco (rallado y escurrido) ǀ 1 cucharadita de aceite de sésamo tostado ǀ 3 cucharadas de jugo concentrado de manzana ǀ 1 cucharada de vinagre de arroz

1. Alternar las verduras crudas en las brochetas.

2. Mezclar los ingredientes de la pasta para la tempura. Ir añadiendo agua con gas hasta obtener una consistencia espesa pero ligera. Enfriar en la nevera durante media hora.

3. Calentar el aceite en una sartén ancha, para que las brochetas se puedan sumergir. Sumergir cada brocheta en la pasta del rebozado e inmediatamente en el aceite caliente. Freír unos minutos, hasta que la masa de harina quede crujiente y dura.

4. Escurrir en un papel absorbente el exceso de aceite y servir inmediatamente la salsa.

Pastel de mijo con salsa de remolacha

Ingredientes para 2 ó 3 personas
1 taza de mijo lavado ǀ 2 cebollas medianas cortadas finas ǀ 1 zanahoria ǀ 1/2 bloque de tofu ahumado (todo cortado a dados pequeños) ǀ 1/2 taza de guisantes verdes cocidos ǀ 3 tazas de agua fría ǀ una pizca de sal marina ǀ aceite de oliva ǀ laurel ǀ 2 cucharadas de alcaparras

1. Saltear la cebolla con un poco de aceite de oliva y una pizca de sal marina durante 10 minutos.

2. Añadir el laurel, la zanahoria, el agua, el mijo y otra pizca de sal. Tapar y cocer 25 minutos.

3. Añadir los guisantes cocidos y el tofu ahumado. Retirar el laurel. Colocar la masa en un molde de cerámica o vidrio. Dejar enfriar. Cortar y servir junto con la salsa.

Salsa de remolacha: 2 cebollas cortadas finas, 4-5 zanahorias, remolacha cocida (todo cortado a rodajas finas), 2 cucharadas de aceite de oliva, 1 cucharadita de orégano seco, sal marina. **Aliños:** 1 cucharada de vinagre de umeboshi, 3 cucharadas de jugo concentrado de manzana, 1 cucharadita de vinagre de arroz.

1. Saltear 10 minutos las cebollas con un poco de aceite de oliva y una pizca de sal.

2. Añadir las zanahorias, orégano y un fondo de agua. Tapar y cocer a fuego lento durante 15 minutos.

3. Hacer puré las verduras y añadir remolacha hasta obtener el color deseado. Aliñar. Servir con el mijo.

Pastel de mijo
con salsa de remolacha

Turrón de piñones y frutos secos

Ingredientes para 3 ó 4 personas
1 taza de piñones ligeramente tostados | 1/2 taza de avellanas troceadas y tostadas | 1/2 taza de almendras tostadas y troceadas | melaza de cebada y maíz o miel de arroz

1. Colocar 1/3 jarra de melaza en una cazuela y calentarla (sin añadir agua) removiendo constantemente.

2. Añadir todos los frutos secos y mezclar bien durante varios minutos.

3. Pincelar una fuente de vidrio con unas gotas de aceite.

4. Verter la mezcla y dejar enfriar. Servir.

Bolas de semillas

Ingredientes
1/2 taza de semillas de calabaza | 1/2 taza de semillas de girasol | 1/2 taza de semillas de sésamo (todo ligeramente tostado) | 2-3 cucharadas de miel de arroz o melaza de cebada y maíz | una pizca de canela en polvo

1. Lavar y tostar las semillas por separado en la sartén sin aceite, removiendo constantemente para que no se quemen.

2. Añadir a la sartén el resto de ingredientes, a fuego medio-lento y mezclarlos bien hasta obtener una masa compacta y amalgamada por la melaza caliente.

3. No utilizar agua en absoluto. Dejar enfriar unos 5 minutos.

4. Con las manos humedecidas, coger un poco de la masa y presionarla muy bien, hasta obtener una bola compacta. Dejarla enfriar en una bandeja y seguir con el resto.

Paella de verduras con seitán y tofu ahumado

• Ver tabla págs. 42-43

Ingredientes para 2 ó 3 personas
1 taza de arroz integral basmati | 2 cebollas cortadas a dados pequeños | 2 zanahorias cortadas a rodajas finas | 1/4 de coliflor cortada a flores medianas | 1 paquete de seitán cortado a dados medianos | 1 paquete de tofu ahumado cortado a dados medianos | 1 manojo de judías verdes cortadas pequeñas | aceite de oliva | sal marina | azafrán | ramitas de romero fresco | sal marina | salsa de soja | perejil crudo

1. Lavar el arroz y colocarlo en una cazuela, junto con 2 tazas de agua, azafrán al gusto y una pizca de sal marina. Tapar y llevar a ebullición, reducir el fuego al mínimo y cocer durante 35 minutos.

2. Sofreír en una cazuela grande y ancha las cebollas con el aceite de oliva, el romero y una pizca de sal marina, sin tapa y durante 10 minutos a fuego lento. Añadir las zanahorias, la coliflor, las judías y 1 taza de agua. Tapar y cocer durante 10 minutos.

3. Añadir el seitán, el tofu ahumado y unas gotas de salsa de soja, y mezclar bien. Añadir el arroz cocido y mezclar con cuidado para no romper las verduras.

4. Servir con perejil crudo.

Tarta de coliflor

Ingredientes para 2 ó 3 personas
1 bloque de tofu fresco | 1 bloque de tofu ahumado | 3 cebollas | 2 hojas de laurel | 1/2 coliflor cortada a flores pequeñas | 1 taza de olivas sin hueso | 3 cucharadas de miso blanco | aceite de oliva | perejil fresco cortado

1. Saltear las cebollas con un poco de aceite, laurel y una pizca de sal marina durante 10 minutos. Añadir la coliflor, saltear 5-6 minutos más.

2. Desmenuzar los bloques de tofu con un tenedor y luego pasar por la batidora con un poco de agua, el miso blanco y 2 cucharadas de aceite de oliva, hasta obtener una consistencia espesa tipo paté.

3. Mezclar en una fuente para hornear la crema de tofu con las verduras y las olivas. Procurar que todo quede bien mezclado.

4. Hornear a temperatura media durante 45 minutos. Dejar enfriar y servir con un poco perejil.

Tarta de coliflor___

Salteado largo de calabacín y gambas

• Ver tabla págs. 42-43

Ingredientes para 2 personas

4-5 calabacines medianos cortados a rodajas gruesas | 2 tazas de gambas peladas | 1 mazorca de maíz cortada a rodajas | aceite de oliva | sal marina | salsa de soja | un ajo picado fino | 2 cucharadas de aceitunas sin hueso | albahaca seca y fresca

1. Calentar una cazuela de hierro fundido o con doble fondo, añadir un poco de aceite de oliva y el ajo picado. Saltear 1-2 minutos.

2. Añadir los calabacines, el maíz y una pizca de sal marina. Tapar y cocer a fuego lento durante 30 minutos.

3. Añadir las gambas peladas, unas gotas de salsa de soja y una pizca de albahaca seca. Cocer hasta que todo el líquido de las gambas se haya evaporado.

4. Añadir las aceitunas y la albahaca fresca. Servir caliente.

Alcachofas rebozadas

Ingredientes para 2 ó 3 personas

2 alcachofas peladas y troceadas a gajos medianos (rociar con unas gotas de limón para que no se ennegrezcan)

Rebozado: 1/4 taza de harina semi-integral tamizada | una pizca de sal marina | agua con gas | hierbas aromáticas secas al gusto | 1/2 cucharadita de cúrcuma | 1 cucharada de semillas de sésamo ligeramente tostadas | 1 cucharada de maicena | aceite para freír

1. Mezclar los ingredientes de la pasta para la tempura. Ir añadiendo agua con gas hasta obtener una consistencia espesa pero ligera. Enfriar en la nevera media hora.

2. Calentar el aceite en una sartén. Sumergir cada trozo de alcachofa en la pasta del rebozado e inmediatamente en el aceite caliente. Freír unos minutos, hasta que la masa de harina quede crujiente y dura.

3. Escurrir en un papel absorbente el exceso de aceite y servir inmediatamente con nabo o rabanito rallado para ayudar a digerir el frito.

Otras recetas simples para nutrir

LA NUEVA COCINA ENERGÉTICA

· Sopa de col
· Crema de calabaza
· Sopa de cebolla
· Consomé con albóndigas de tofu
· Potaje de arroz
· Ensaladilla de arroz
· Fideos a la cazuela
· Espaguetis con nueces y aguacates
· Macarrones con seitán
· Canelones de acelgas
· Bocaditos de tofu rebozados
· Albóndigas de tofu
· Tofu braseado
· Tofu al horno
· Rustido de seitán con pasas y piñones
· Libritos de seitán y tofu ahumado
· Seitán con sanfaina
· Cocido de lentejas
· Queso de tempeh
· Brochetas de tempeh frito con verduras
· Pastel de cuscús
· Charlota de pan de molde y frutas
· Dulce de piñones y coco

ALGAS, LAS VERDURAS DEL MAR

· Quiche de pimientos y olivas
· Tarta de tofu y gambas
· Paté de tofu y atún
· Empanada de tofu y piñones
· Lasaña de tofu a la jardinera
· Lasaña de seitán y piñones
· Guiso de seitán a la canela
· Ensalada de arroz salvaje con seitán
· Fideuá rápida con seitán
· Alcachofas con seitán al horno
· Escalopes de seitán y tofu
· Salteado largo con tempeh
· Paella de tempeh con verduras
· Medallones de tempeh a la jardinera
· Papillote de tempeh
· Lentejas con tofu frito
· Crema de judías blancas con tropezones de pan
· Estofado de alubias con seitán
· Estofado de calabaza con castañas
· Arroz con especias y frutos secos
· Leche de almendras
· Crujiente de arroz
· Paté de nueces y tofu
· Panellets caseros
· Hamburguesas de arroz y semillas

EL LIBRO DE LAS PROTEÍNAS VEGETALES

· Ensalada campesina
· Puré de guisantes secos a la menta
· Pastel de lentejas y girasol
· Tempeh al agridulce
· Bolas de castañas y almendras
· Croquetas de tempeh
· Estofado de tofu con verduras
· Tempeh con verduras y choucroute
· Quiche de hiziki con puerros
· Seitán braseado con setas

Paella rápida de pescado y verduras

• Ver tabla págs. 42-43

Ingredientes para 2 ó 3 personas

1 taza de arroz integral basmati | 2 cebollas cortadas a dados pequeños | 1 ajo picado fino | 2 zanahorias cortadas a dados pequeños | 2 calabacines cortados a medias rodajas gruesas | 1/2 taza de guisantes verdes | 1 pimiento rojo escalibado (lavado y cortado fino) | pescado fresco variado cortado a trozos y macerado con jugo de limón durante 30 minutos | aceite de oliva | sal marina | azafrán | 2 hojas de laurel

1. Lavar el arroz y colocarlo en una cazuela, junto con 2 tazas de agua, azafrán al gusto y una pizca de sal marina. Tapar y llevar a ebullición, reducir el fuego al mínimo y cocer durante 35 minutos o hasta que el agua se haya absorbido.

2. Sofreír en una cazuela grande y ancha el ajo y las cebollas con aceite de oliva, el laurel y una pizca de sal marina, sin tapa y durante 10 minutos a fuego lento. Añadir las zanahorias, los calabacines y 1/2 taza de agua. Tapar y cocer 10 minutos.

3. Hervir los guisantes verdes durante 5-6 minutos. Lavar con agua fría y escurrir.

4. Añadir el pescado a las verduras salteadas, tapar y cocer durante 5 minutos.

5. Pasar el arroz cocido a una fuente para servir o a una cazuela de barro ancha. Añadir el salteado de verduras y pescado, y mezclar bien pero con cuidado.

6. Decorar con los guisantes verdes y el pimiento rojo. Servir.

Hacer una paella es algo muy personal que también depende de los gustos familiares y de la región de origen. Esta receta es una forma fácil de elaborarla. Otra versión consistiría en precocer el arroz basmati durante 15 minutos y luego añadirlo al salteado de verduras con pescado y un poco de jugo durante los 10 minutos finales.

La textura de la paella también es muy personal; puede ser más caldosa o más seca dependiendo de los gustos personales.

Tempura de tofu

• Ver tabla págs. 42-43

Ingredientes para 2 ó 3 personas

1 bloque de tofu fresco cortado a dados medianos | 1 tira de alga kombu | 1 cucharada de salsa de soja | maicena o arroruz | aceite para freír | cebollino cortado fino crudo

Salsa: 1 cucharada de salsa de soja | 1 cucharada de jugo de jenjibre fresco (rallado y escurrido) | 1 cucharada de agua

1. Hervir el tofu con agua que lo cubra, el alga kombu y la salsa de soja durante 10 minutos.

2. Secarlo y rebozarlo completamente con arruruz o maicena.

3. Calentar el aceite en una sartén. Sumergir cada trozo de tofu en el aceite caliente. Freír unos minutos, hasta que cada trozo de tofu esté crujiente y dorado.

4. Escurrir en un papel absorbente el exceso de aceite y servir inmediatamente con cebollino crudo y la salsa para ayudar a digerir el frito.

Estofado de garbanzos con seitán y alcaparras

• Ver tabla págs. 42-43

Ingredientes para 2 ó 3 personas

1 taza de garbanzos (remojados toda la noche con 4 tazas de agua) | 2 cebollas cortadas a medias lunas finas | 2 zanahorias cortadas a método rodado | 3 boniatos pelados y cortados a trozos grandes | 1 diente de ajo picado fino | 2 tomates maduros escaldados y pelados | 1 tira del alga kombu, tomillo al gusto | 1/2 paquete de seitán cortado a lonchas finas | 2 cebollinos cortados finos | 2 cucharadas de alcaparras.

Condimentos: sal marina | 1 cucharada de mugi miso | aceite de oliva | salsa de soja

1. Lavar los garbanzos y colocarlos en la olla a presión junto con el alga kombu. Cubrirlos totalmente con agua fría y llevarlos a ebullición sin tapa. Retirar las pieles que pueda haber sueltas en la superficie. Tapar y cocer a presión durante 1 hora y media.

2. Calentar una cazuela mediana, añadir un poco de aceite, el ajo, la cebolla y una pizca de sal marina. Sofreír con a fuego medio y sin tapa durante 5-6 minutos. Añadir el tomate troceado, tapar y cocer 10 minutos más.

3. Añadir las verduras, los garbanzos ya cocidos con su jugo y el tomillo.

4. Tapar y cocinar a fuego lento durante 30 minutos con una placa difusora.

5. Diluir el miso con un poco del jugo del estofado y añadirlo de nuevo. Dejar activar el fermento durante 1-2 minutos a fuego lento. Servir caliente con las lonchas de seitán crujientes, las alcaparras y el cebollino cortado crudo.

6. Hacer las lonchas finas de seitán a la plancha con un poco de aceite de oliva y unas gotas de salsa de soja, hasta que esté crujiente.

Ejemplo de menú semanal

LUNES	MARTES	MIÉRCOLES	JUEVES

LUNES

Desayuno:
Bocadillo de queso de tofu
(EL LIBRO DE LAS PROTEÍNAS VEGETALES)
Licuado de zanahoria

Almuerzo:
Crema de zanahorias a la naranja
Tagliatelle con gambas, tofu frito
y aguacates
Alcachofas rebozadas
Ensalada de alga dulse a la menta
(ALGAS, LAS VERDURAS DEL MAR)

Cena:
Estofado de arroz
Revoltillo de garbanzos con ajos tiernos
Mermelada de calabaza y cebolla
Verdura verde hervida
Bolas de semillas

MARTES

Desayuno:
Crema de arroz con avellanas tostadas
Nori tostada
Café de cereales

Almuerzo:
Guisado de alcachofas con tempeh
(EL LIBRO DE LAS PROTEÍNAS VEGETALES)
Mijo con cebollas
Tempura de calabacín
Ensalada de berros y endibias

Cena:
Puré de guisantes frescos
Mijo con cebollas
Libritos de seitán y tofu
(LA NUEVA COCINA ENERGÉTICA)
Zanahorias al vapor
Brécol hervido

MIÉRCOLES

Desayuno:
Licuado de zanahorias
Puré de mijo con canela
Semillas de girasol tostadas
Bocadillo rápido con tempeh a la plancha
(EL LIBRO DE LAS PROTEÍNAS VEGETALES)

Almuerzo:
Salteado rápido de arroz
Seitán braseado con setas
(EL LIBRO DE LAS PROTEÍNAS VEGETALES)
Ensalada con salsa picante de alcaparras
(ALGAS, LAS VERDURAS DEL MAR)

Cena:
Crema de hinojo con maíz
Arroz
Tarta de coliflor
Paté de garbanzos
(LA NUEVA COCINA ENERGÉTICA)
Endibias a la plancha con pesto

JUEVES

Desayuno:
Estofado de avena con calabaza
Nori tostada
Almendras tostadas
Infusión

Almuerzo:
Sopa de pan
Pasta
Brochetas de emperador
Col blanca al laurel
Ensalada de pepino a la menta
Turrón de piñones y frutos secos

Cena:
Quinoa con maíz
Estofado de tofu relajante
Hiziki con ajo y perejil
(LA NUEVA COCINA ENERGÉTICA)
Brécol hervido

* Las recetas que aparecen en este libro están indicadas en color.

para nutrir

VIERNES

Desayuno:
Paté de lentejas con pan integral
(LA NUEVA COCINA ENERGÉTICA)
Café de cereales

Almuerzo:
Sopa de pescado
Quinoa con maíz
Tempura de tofu
Ensalada de arame
(ALGAS, LAS VERDURAS DEL MAR)

Cena:
Arroz caldoso a la albahaca
Seitán a la plancha
Puré de boniato
Ensalada de verduras hervidas
(LA NUEVA COCINA ENERGÉTICA)

SÁBADO

Desayuno:
Bocadillo con tofu ahumado
(EL LIBRO DE LAS PROTEÍNAS VEGETALES)
Licuado de zanahorias
Nori tostada
Bolas de semillas

Almuerzo:
Fideos a la cazuela
(LA NUEVA COCINA ENERGÉTICA)
Ensalada de hinojo con garbanzos
(EL LIBRO DE LAS PROTEÍNAS VEGETALES)
Zanahorias al papillote
Salteado de col verde con wakame
y piñones

Cena:
Crema de calabacín y almendras
(ALGAS, LAS VERDURAS DEL MAR)
Trigo sarraceno con cebollas
y guisantes
Estofado de seitán al vino dulce
Ensalada de verano con hiziki
(ALGAS, LAS VERDURAS DEL MAR)

DOMINGO

Desayuno:
Crema de arroz a la canela
Nori tostada
Mermelada de zanahorias
Semillas de sésamo tostadas
Infusión

Almuerzo:
Bacalao con pimientos
Salteado de brécol y
espárragos
Paella rápida de verduras
(LA NUEVA COCINA ENERGÉTICA)
Calabaza al vapor
Compota de manzanas
con avellanas

Cena:
Crema fina de brécol
Revoltillo de tofu con calabacín
y maíz
Crêpes de hiziki con verduras
(ALGAS, LAS VERDURAS DEL MAR)
Ensalada verde

Vivencia interior
para nutrir

V amos a disponer de unos momentos de paz y tranquilidad para nosotros.

Nos relajamos, estirados en el suelo o sentados, y con la espalda bien recta.

Imaginamos que estamos delante de un espejo muy grande en el que nos vemos reflejados.

Observamos cómo vamos vestidos, los colores de nuestra ropa, e peinado… Podemos imagina cuanto queramos, la imaginación no tiene limites…

A continuación, nos fijamos er lo que se refleja con nosotros en e espejo. Detrás y alrededor de nosotros existen objetos, formas y colores que también nos representan… Podemos visualizar o imaginar todo lo que deseemos.

Con la ayuda de lápiz y papel escribimos o dibujamos todo lo que se nos ocurra, y cuando ya no veamos nada más, continuaremos con el paso siguiente.

Lo que se refleja en el espejo son partes de nosotros que tenemos a nivel energético pero que no están integradas en nuestra vida real. Cada parte representa

Reflexiones para nutrirnos

❋ ¿Qué cualidades tengo que todavía desconozco o no acepto?

❋ ¿En qué situaciones me siento desnutrido?

❋ ¿Qué necesitan mis cuerpos físico, mental y emocional para sentirse nutridos?

❋ ¿Me regalo a diario momentos «especiales» para conectarme con mi esencia?

❋ ¿Doy prioridad a la calidad en vez de a la cantidad?

❋ ¿Me valoro por lo que soy en lugar de por lo que hago?

una cualidad que poseemos pero que todavía no hemos reconocido.

Cada cualidad nos ayuda a sentirnos más enteros y ricos si tenemos el valor de aceptarlas y hacerlas reales.

Podemos coger una por una y reflexionar sobre ellas; hacerlas amigas nuestras, aceptarlas y guardarlas en nuestro corazón para cuando tengamos la oportunidad de utilizarlas

Poco a poco aceptaremos esta riqueza interior que desconocíamos y sentiremos cómo se expande nuestra energía vital.

Nos sentimos más nutridos y enriquecidos por la experiencia.

Sugerencias
para nutrirnos

- Comer a horas fijas.
- Masticar bien los alimentos y relajarse después de comer.
- Valorar todo lo que recibimos a diario de la vida.
- Hacerse regalos con asiduidad.
- Tener aficiones que nos satisfagan.
- Para aceptar de la vida, primero tenemos que estar abiertos a recibir. Y para estar abiertos a recibir, tenemos que relajarnos y ser menos exigentes con nosotros mismos.
- Nutrir los sentidos: vista (color, paisajes...), oído (música agradable..), olfato (perfumes, flores...), gusto (comidas de sabor agradable...) y tacto (recibir masajes...).

Errores a tener en cuenta

Podemos seguir estas sugerencias durante varias semanas y observar los cambios que vamos experimentando a todos los niveles. Poco a poco nos sentiremos con más energía para levantarnos y realizar las actividades que el día nos depara, sin necesidad de picar constantemente. Además, nos sentiremos saciados después de las comidas, aumentaremos de peso y nuestro frío interno desaparecerá.

Sin embargo, aunque es muy positivo sentirnos así, debemos vigilar de no pasar por el centro del equilibrio energético y continuar hacia el otro lado. Es decir, debemos intentar no pasar de sentirnos débiles y desnutridos, a estar pesados, impacientes, saturados por exceso de proteína y aceites, y con el hígado enfermo. Tenemos que esforzarnos por escuchar nuestra voz interior, nuestra vibración energética, y saber hasta dónde debemos llegar en el proceso de nutrirnos.

En este caso, «nutrir» significa comer más alimentos que nutran (especialmente proteínas) o preparados de forma nutritiva y equilibrada, aunque intentando no saturarnos de ellos en una sola comida. Tenemos que **elaborar comidas con polaridad y equilibrio:** un pescado a la plancha, con ensalada y verdura verde hervida con algo de cereal, por ejemplo.

Es importante entender que la energía no es estática, que no se moldea como deseamos y queda así para siempre. La energía que hay en nosotros cambia a cada momento, puesto que somos seres vivos y vibramos constantemente. Además, en todo proceso de cambio debemos ser pacientes con nosotros mismos, puesto que si nos imponemos cambios muy drásticos no podremos mantenerlos a largo plazo.

«El ser humano no está hecho para resolver los problemas del Universo, sino para decidir lo que debe hacer dentro de los límites de su comprensión.»

J.W. GOETHE

capítulo 6

Generando calor interior

Falta de calor en su vida

El **calor interior** se crea comiendo alimentos
que calienten y generando calor con sus
preparaciones (por ejemplo, cocciones largas).
Pero lo esencial es evitar por completo
lo que nos **enfría** y **congela** a todos los niveles.

El calor interior y su dinámica

El primer paso a la hora de generar calor interior consiste en conocer qué alimentos enfrían y cuáles calientan. Aquí no hablamos de temperatura; éste sería el segundo paso en nuestra alquimia diaria: cómo cocinarlos para que nos generen calor.

El concepto de que cada alimento genera una temperatura diferente es nuevo para muchas personas, ya que nunca se ha enseñado en las escuelas. Conocerlo nos aportaría múltiples beneficios, ya que podríamos **regularnos con más autoconciencia y decidir qué nos conviene a cada momento**.

Aunque a lo largo de la Historia se han estudiado las plantas a nivel medicinal, **no conocemos las cualidades de los alimentos que comemos a diario**. Podría decirse al respecto que quizá lo que comemos ya no tiene nada de natural (un envoltorio de plástico con algo dentro que ha sido manipulado no es precisamente el paradigma de lo sano), o –de forma más intuitiva– que conocemos de forma inconsciente el efecto de los alimentos naturales aunque no nos demos cuenta de ello, enfrascados en el ritmo frenético de una sociedad materialista.

Durante los meses de calor intenso deseamos con intensidad tomar ensaladas crudas y variedad de frutas; quizá porque intuimos que **estos alimentos nos enfrían**. Y en otoño e invierno, a todos nos apetecen un puñado de frutos secos o unas castañas asadas… Aunque también es cierto que en invierno vemos por la calle a gente comiendo helados, o deleitándose en plena canícula estival con barbacoas de carne asada… ¿Cómo podemos explicar esta disparidad a nivel energético?

En el ámbito energético tendemos a equilibrar los efectos, aunque puede que estos equilibrios sean realmente extremos: en una barbacoa playera siempre habrá una buena mayonesa picante, sangría y, por supuesto, helados y cafés.

Puede que muchas personas coman helados en invierno, pero también carnes, huevos, quesos y embutidos; los cuales generan un calor interior muy intenso que les harán desear alcohol, frutas y otros alimentos extremos que enfrían al máximo. Las acciones extremas dan lugar a reacciones extremas.

Alimentos extremos que enfrían

- **Alcohol y vinagre**. Aunque al principio sintamos calor, el alcohol dispersa el calor interno hacia la superficie, por lo que más tarde tendremos frío.
- **Estimulantes** (cafés, tés, bebidas gaseosas…).
- **Especias** como la pimienta, el ajo, el curry, la mostaza… Por esta razón su uso se incrementa a medida que viajamos a países calurosos.
- **Azúcares rápidos**. Puede que deseemos un buen chocolate caliente con churros cuando tenemos

Clasificación de alimentos desde los que más calientan a los que más enfrían:

Pescado
Cereales integrales
Seitán
Leguminosas
Algas
Tempeh
Semillas y frutos secos
Verduras
Tofu
Frutas locales de la estación
Verduras solanáceas
Endulzantes naturales
Frutas tropicales
Hierbas aromáticas secas
Hierbas aromáticas frescas
Especias

frío, pero a la larga nos hará perder una cantidad importante de minerales y, con ello, nuestro calor interior.

- **Exceso de frutas tropicales** ¿Por qué crecen si no en climas calurosos?
- **Leche, yogures, kéfir y lácteos blandos.**
- **Alimentos congelados.** Aunque los calentemos, su energía primaria perdura.

Alimentos extremos que calientan

- **Exceso de snacks salados con sal cruda.** La sal calienta; de ahí que se utilice en las calles cuando nieva.
- **Condimentos salados naturales,** como el miso, la salsa de soja, la sal marina. De ellos no podemos comer un plato, ya que su efecto es muy poderoso.
- **Toda clase de grasas saturadas,** huevos, carnes, embutidos, quesos salados... No es muy frecuente ver a personas consumiendo estos alimentos y bebiendo sólo agua… Normalmente lo acompañarán de bebidas que enfrían y dispersan los efectos de estos alimentos extremos tan concentrados.
- **Exceso de horneados,** pan, bollería... También aquí aparecen alimentos o bebidas del grupo anterior, como el alcohol o el café.

Clasificación de los estilos de cocción desde los que más calientan a los que más enfrían:

Barbacoas
Brasas
Ahumados
Horneados
Presión
Fritos
Salteados largos
Estofados
Vapor

Salteados cortos con aceite
Plancha
Salteados cortos con agua
Hervidos
Escaldados
Fermentados
Prensados
Macerados
Germinados
Licuados
Crudos

Otros factores

- **Aceite.** El aceite crudo enfría, en tanto que el aceite de cocción provoca un efecto más profundo de calor interior. Así pues, si deseamos generar este efecto podemos rehogar las verduras con un poco de aceite y una pizca de sal. Se trata de un hábito que se hace habitualmente sin pensar en el efecto que producirá, y que no siempre es necesario.
- **Equilibrio entre sal y aceite.** Es un factor muy importante para conseguir calor interno. Si se incrementa el uso del aceite, también se debe incrementar el de condimentos salados durante la cocción.
- **Polaridad / equilibrio.** Si utilizamos ingredientes que calienten junto con estilos de cocción que también calienten y los aliñamos con aceite de cocción y condimentos salados, por descontado que obtendremos un efecto profundo, pero a la vez estático, sin vida, puesto que son demasiados ingredientes con el mismo efecto.

Tenemos que buscar siempre el equilibrio: puede que el toque de alguna especia (especialmente las que más calientan, como jengibre, nuez moscada, clavo o canela), hierba aromática, cítrico o aliño de efecto expansivo nos aporte dinamismo, vitalidad y calor interior. Es fácil cuando se pueden ver los resultados de forma práctica.

Recetas para generar calor interior

Como hemos visto en la presentación del recetario (págs. 62-63), estas recetas
son una muestra del estilo, forma, ingredientes, tipos de cocción, aderezos
y dirección energética que se necesita para –en el caso de este capítulo–
obtener los resultados de **generar calor interior** en nuestros platos.
Con ellas os invito a explorar y a descubrir el mundo de la energía,
una apasionante aventura que ofrece una visión totalmente nueva de la Cocina,
con la que podemos elegir y generar nuestra propia **calidad** y **cantidad**
energéticas y disfrutar de un mayor bienestar vital.

Calabacín al papillote

• Ver tabla págs. 42-43

Ingredientes para 2 personas

4 calabacines cortados a método rodado o trozos grandes | 2 tiras de alga wakame (remojadas durante 2-3 minutos, escurridas y troceadas) | 1 cebolla cortada a rodajas | varias ramitas de tomillo

Marinada: 2 cucharadas de aceite de oliva | cucharadita de aceite de sésamo tostado | 2 cucharadas de semillas de sésamo tostadas | 2 cucharadas de mugi miso | 3 cucharadas de jugo concentrado de manzana | una pizca de ajo en polvo

1. Mezclar todos los ingredientes en una fuente grande junto con el líquido de la marinada y dejar reposar durante una hora, mezclando de tanto en tanto.

2. Cortar 4 hojas de papel de estraza (30 cm x 30 cm) y colocar dos de ellas superpuestas (una sola podría filtrar los jugos de las verduras al cocerse) en la bandeja del horno y seguidamente la mitad de los ingredientes marinados y un poco del líquido del marinado.

3. Cerrar con cuidado el paquete, que debe quedar holgado pero cerrado herméticamente para que el vapor circule sin salir al exterior. Proceder igual con el resto de los ingredientes para el segundo paquete.

4. Colocar los dos paquetes con cuidado sobre una bandeja del horno. Pincelar el exterior del papel con un poco de aceite para que no se reseque y cocinar en el horno precalentado a 180 °C durante 20-25 minutos.

5. Servir inmediatamente los papillotes cerrados.

Consomé con espaguetis de trigo sarraceno

Ingredientes para 2 ó 3 personas

1 paquete de fideos de trigo sarraceno «Soba» | 2 tiras de alga kombu (remojadas en 2 tazas de agua fría durante 1 hora) | 2 cebollas cortadas a cuartos | 1 zanahoria y 1 chirivía troceadas | hierbas aromáticas al gusto | 1-2 cucharadas de jengibre fresco rallado y escurrido | 4 cucharadas de salsa de soja | cebollinos frescos cortados finos | 2-3 cucharadas de semillas de sésamo tostado (opcional)

1. Hervir 4 tazas de agua con el alga kombu, las verduras y las plantas aromáticas. Tapar y cocer a fuego medio-bajo durante 30 minutos.

2. Filtrar los ingredientes (se pueden utilizar para confeccionar una crema) y sazonar el consomé con el jengibre fresco y la salsa de soja al gusto.

3. Hervir la mitad de una cazuela de agua y añadir los espaguetis «Soba» removiendo unos instantes para que no se peguen. Cocinar sin tapa a fuego medio.

4. Tener preparada una buena jarra de agua fría y cuando la espuma de cocer los espaguetis empiece a sobresalir de la cazuela, cortar la ebullición con un poco del agua fría. Repetir la misma operación una segunda vez.

5. A la tercera vez que la espuma empiece a sobresalir, los espaguetis ya pueden ser lavados cuidadosamente con agua fría. Dejar escurrir.

6. Se sirven los espaguetis en tres boles individuales y se vierte encima de ellos el consomé muy caliente. Se sirve con cebollinos cortados finos y las semillas de sésamo.

Caldo con seitán frito y choucroute

Ingredientes para 2 ó 3 personas

2 cebollas cortadas finas | 1 zanahoria y 1 chirivía troceadas grandes | 2 tiras de apio troceado grande | 1/4 de col blanca o repollo troceados grandes | 2 tiras de alga kombu | 1 taza de pasta grande | plantas aromáticas al gusto | 1/2 paquete de seitán cortado fino | 3-4 cucharadas de choucroute (pickles de col blanca) | sal marina | aceite de oliva | salsa de soja | cebollino cortado fino

1. En una cazuela grande se saltean las cebollas con 2 cucharadas de aceite y una pizca de sal marina durante 10 minutos.

2. Se añaden el resto de las verduras, el alga kombu, las hierbas aromáticas y agua que cubra un poco más el volumen de las verduras. Tapar, llevar a ebullición y cocer a fuego medio-bajo durante 30 minutos.

3. Retirar los trozos grandes de las verduras. Añadir la pasta y una pizca de sal. Cocer durante 10 minutos.

4. En una sartén freír el seitán con aceite de oliva hasta que quede crujiente. Secar con papel absorbente.

5. Rectificar el caldo con salsa de soja si fuera necesario (unas 2 cucharadas).

6. Servir el caldo con la pasta en boles individuales y añadir el seitán frito, una cucharada de choucroute y cebollino crudo cortado fino. Servir inmediatamente.

Caldo con seitán frito
y choucroute

Sopa de arroz con rape

Ingredientes para 3 ó 4 personas
2 cebollas troceadas finas | 1 taza de arroz integral cocido | 2 zanahorias cortadas a dados pequeños | 1/2 taza de guisantes verdes | 250 g de rape limpio | un ramillete de hierbas aromáticas | 2 cucharadas de almendras tostadas y picadas finas | 1 tira de alga kombu | sal marina | 3 cucharadas de miso blanco | pimienta negra

1. Saltear las cebollas con aceite de oliva y una pizca de sal marina, durante 12 minutos.

2. Añadir el arroz cocido, el rape cortado a trocitos, las hierbas aromáticas, el alga kombu, la picada de almendras y agua que cubra completamente los ingredientes. Tapar y cocer a fuego lento durante 20-30 minutos.

3. Retirar las hierbas aromáticas y el alga kombu (si está tierna se puede cortar e incorporar en la sopa, y si no, se puede utilizar para otra receta).

4. Rectificar de líquido si fuera necesario. Condimentar con miso blanco y pimienta negra al gusto. Servir caliente.

Almejas al horno

Ingredientes para 2 personas
20 almejas | 4-5 rodajas de limón

Relleno: 1/2 taza de pan rallado | 1/2 taza de perejil cortado fino | 1 cucharadita de albahaca seca | una pizca de sal marina | 1 ajo picado fino | 2 cucharada de aceite de oliva | 2 cucharada de concentrado de manzana

1. Mezclar bien todos los ingredientes del relleno.

2. Hervir medio cazo de agua y añadir las rodajas de limón y las almejas. Hervir varios minutos hasta que se abran. Reservar el líquido o reducirlo si fuera mucho.

3. Colocarlas en una fuente del horno y verter por encima un poco del relleno.

4. Gratinar de 3 a 5 minutos en el horno a temperatura media.

5. Al sacarlas verter un poco del caldo de cocer las almejas por encima y servir caliente.

Pudding de arroz y dátiles

Ingredientes para 2 ó 3 personas
1/2 taza de arroz integral de grano largo o basmati | una pizca de sal marina | una vaina de vainilla | 2 cucharadas de ralladura de naranja | 1/2 taza de dátiles deshuesados | leche de arroz | 1 cucharada de nueces ligeramente tostadas y troceadas | 2 clavos

1. Lavar el arroz y colocarlo en una cazuela de fondo grueso con 2 1/2 tazas de agua, junto con la vainilla (la cortamos por la mitad a lo largo y con la ayuda de la punta de un cuchillo raspamos su contenido y lo añadimos al agua), una pizca de sal marina, los clavos y los dátiles.

2. Tapar y cocer a fuego medio-bajo durante 1 hora, con la ayuda de un difusor.

3. Añadir la leche de arroz según la consistencia deseada y la ralladura de naranja. Cocer varios minutos más.

4. Servir caliente decorado con nueces.

Arroz a presión con almendras (en cocción)

• Ver tabla págs. 42-43

Ingredientes para 2 personas
1 taza de arroz integral de grano corto | una pizca de sal marina | 1/2 taza de almendras peladas crudas enteras | 2 1/4 tazas de agua fría

1. Lavar el arroz debajo del grifo con agua fría. Escurrir y colocarlo en la olla a presión.

2. Añadir el agua, las almendras y una pizca de sal marina. Tapar.

3. Llevar a presión alta, reducir el fuego al mínimo y cocinar durante 35-40 minutos. Si la llama es muy alta, reducirla con una placa difusora para evitar que se pegue.

4. Sacar la olla del fuego y dejar que la presión baje naturalmente.

5. Abrir la olla y colocar el arroz en una fuente de cerámica o vidrio. Servir.

Cebollas asadas con especias

Ingredientes para 2 personas
6 cebollas | peladas enteras | 1 hoja de laurel | perejil

Aliño: 2 cucharadas de aceite de oliva | 2 cucharadas de salsa de soja | 2 cucharadas de jugo concentrado de manzana | 1 diente de ajo picado fino | 1 cucharadita de semillas de hinojo | 1 cucharadita de pimentón

1. Se precalienta el horno a temperatura media.

2. Se distribuyen las cebollas en una bandeja de horno previamente pincelada con aceite.

3. Se mezclan los ingredientes del aliño y se vierten encima de las cebollas. Se tapa la bandeja y se cuece en el horno durante 45 minutos.

4. Se remueven las cebollas para que el aliño se impregne bien. Si ya están blandas, se puede destapar la bandeja y dejar dorar unos minutos. Servir con perejil.

Estofado de avena con calabaza

Ingredientes para 2 ó 3 personas
1 taza de avena integral en grano (remojada en 2 tazas de agua fría durante 1-2 horas) | 2 cebollas cortadas a dados pequeños | 2-3 tazas de calabaza cortada a dados medianos | aceite de oliva | sal marina | 2 hojas de laurel | 1 tira de canela | perejil crudo

1. Saltear las cebollas con aceite de oliva y una pizca de sal marina, sin tapa y durante 10 minutos a fuego medio-bajo.

2. Añadir la calabaza, la avena lavada y escurrida, una pizca de sal marina, el laurel, la canela y 3 tazas de agua. Llevar a ebullición.

3. Bajar el fuego al mínimo, colocar una placa difusora (para evitar que se pegue) y cocer durante 40-50 minutos o hasta que todo el líquido se haya evaporado.

4. Decorar con perejil y servir.

Tofu al horno con crema de cebollas

Ingredientes para 3 ó 4 personas
1 kg de cebollas peladas y cortadas finamente a medias lunas | aceite de oliva | una pizca de sal marina | laurel | 1 cucharada de miso blanco | 2 bloques de tofu ahumado cortado a tiras | 2-3 cucharadas de almendra en polvo

1. Saltear las cebollas con dos cucharadas de aceite de oliva, una pizca de sal marina y el laurel, sin tapa y durante 10 minutos.

2. Tapar y cocer a fuego muy lento (con una placa difusora) durante 30 minutos. Añadir casi al final de la cocción la cucharada de miso blanco y mezclar bien.
Recordad que conviene remover de tanto en tanto para que no se pegue. Si el fuego es muy lento, no debería necesitarse agua.

3. Hacer a la plancha el tofu ahumado con un poco de aceite de oliva y colocarlo en una fuente para hornear.

4. Colocar encima del tofu a la plancha la crema de cebollas.

5. Espolvorear con un poco de almendra rallada y gratinar durante 5-10 minutos. Servir caliente.

Lentejas caseras al tomillo

Ingredientes para 2 ó 3 personas
1 taza de lentejas lavadas y escurridas | 1 tira de alga kombu | 2 cebollas cortadas a dados pequeños | 3 zanahorias y 2 chirivías cortadas a método rodado | 1 ramita de tomillo | 2 cucharadas de aceite de oliva | sal marina | 1 cucharada de mugi miso | cebollino cortado fino

1. Saltear las cebollas con el aceite y una pizca de sal marina sin tapa, durante 10 minutos y a fuego medio.

2. Añadir las lentejas, el alga kombu, las verduras, el tomillo y agua fresca que cubra todos los ingredientes.

3. Llevar a ebullición, retirar con una espumadera las pieles de las lentejas que pudieran aparecer en la superficie del líquido.

4. Tapar y cocer a fuego medio-lento hasta que las lentejas estén completamente blandas (1 hora como mínimo). Se puede utilizar una placa difusora.

5. Añadir el miso a las lentejas y cocer a fuego mínimo durante 5 minutos. Servir con el cebollino crudo.

Trigo sarraceno con cebollas y guisantes

Ingredientes para 2 ó 3 personas
1 taza de trigo sarraceno crudo | 4 cebollas cortadas a medias lunas finas | 1/2 taza de guisantes verdes | aceite de oliva | sal marina | 1 hoja de laurel | perejil cortado fino | 2-3 cucharadas de semillas de girasol ligeramente tostadas

1. Lavar muy rápidamente el trigo sarraceno y tostarlo inmediatamente en una sartén sin aceite durante unos minutos, hasta que los granos estén secos y separados.

2. Saltear las cebollas con aceite de oliva y una pizca de sal marina, sin tapa, durante 15 minutos a fuego medio-bajo.

3. Añadir el trigo sarraceno tostado, una pizca de sal marina y 2 1/2 tazas de agua. Tapar y llevar a ebullición.

4. Bajar el fuego al mínimo, colocar una placa difusora y cocer durante 25 minutos o hasta que todo el líquido se haya evaporado.

5. Hervir los guisantes verdes durante 5-6 minutos con una pizca de sal marina. Lavar con agua fría y escurrir.

6. Mezclar el trigo sarraceno cocido con los guisantes, las semillas y el perejil. Servir.

Potaje de garbanzos

• Ver tabla págs. 42-43

Ingredientes para 2 ó 3 personas
1 taza de garbanzos (remojados toda la noche con 4 tazas de agua) | 1 puerro cortado fino | 1 zanahoria y 1 nabo cortados a rodajas | 1 diente de ajo picado fino | 2 tomates maduros escaldados y pelados | 2 tiras del alga kombu | albahaca seca

Condimentos: 1 cucharada de mugi miso | aceite de oliva | perejil crudo | sal marina

1. Calentar una olla a presión, añadir un poco de aceite, el ajo, el puerro y una pizca de sal marina. Saltear con llama media y sin tapa durante 5-6 minutos. Añadir el tomate troceado, tapar y cocer 10 minutos más.

2. Lavar los garbanzos y añadirlos a la olla a presión, junto con el alga kombu, la albahaca y las verduras. Cubrimos totalmente con agua fresca y llevamos a ebullición sin tapa. Retirar todas las pieles que puedan estar en la superficie sueltas, tapar y cocer a presión durante 1 hora y media. Si al cabo de este tiempo todavía estuvieran duros, cocinar de nuevo a presión.

3. Ajustar el líquido de acuerdo a la consistencia deseada. Diluir el miso con un poco del jugo del potaje y añadirlo de nuevo. Dejar activar el fermento durante 1-2 minutos a fuego lento. Servir con perejil crudo.

Si se deseara una consistencia más espesa, hacer puré una parte del potaje y añadirlo de nuevo al potaje.

Zanahorias al papillote

Ingredientes para 2 personas
8 zanahorias cortadas a método rodado o en trozos grandes | 2 hojas de laurel

Marinada: 1 cucharada de aceite de oliva | 1 cucharadita de aceite de sésamo tostado | 2 cucharadas de salsa de soja | 2 cucharadas de jugo concentrado de manzana | 1 cucharadita de jugo de jengibre (rallado y escurrido)

1. Mezclar las zanahorias en una fuente grande junto con el líquido de la marinada. Dejar marinar durante una hora, mezclando de tanto en tanto.

2. Cortar 4 hojas de papel de estraza (30 cm x 30 cm) y colocar dos de ellas superpuestas (una sola podría filtrar los jugos de las verduras al cocerse) en la bandeja del horno y seguidamente la mitad de las zanahorias y un poco del líquido del marinado.

3. Cerrar con cuidado el paquete, que debe quedar holgado, pero cerrado herméticamente, para que el vapor circule sin salir al exterior. Proceder con el resto de las zanahorias para el segundo paquete.

4. Colocar los dos paquetes con cuidado sobre una bandeja del horno. Pincelar el exterior del papel con un poco de aceite para que no se reseque y cocinar en un horno precalentado a 180 °C durante 30 minutos.

5. Servir inmediatamente los papillotes cerrados.

Sopa de trigo sarraceno al jengibre

Ingredientes para 2 ó 3 personas
2 puerros cortados finos | 1/2 calabaza pequeña cortada a dados medianos | 1 tira de alga kombu (remojada en 1 taza de agua fría durante 1 hora) | 1 tira de apio cortado muy fino | 1/2 taza de trigo sarraceno sin tostar | 3 cucharadas de aceite de oliva | sal marina | 2-3 rodajas finas de jengibre fresco | perejil cortado fino | 2 hojas de laurel | 1 cucharadita de mugi miso

1. Lavar muy rápidamente el trigo sarraceno y tostarlo inmediatamente en una sartén sin aceite durante unos minutos, hasta que los granos estén secos y separados.

2. Saltear los puerros en una cazuela con el aceite de oliva y una pizca de sal marina durante 5-7 minutos, sin tapa y a fuego medio-bajo.

3. Añadir a los puerros 2 1/2 tazas de agua y llevar a ebullición. Añadir el trigo sarraceno, el laurel, el resto de las verduras, una pizca de sal marina, las rodajas de jengibre y el alga kombu junto con su agua de remojo. Tapar y cocer a fuego medio-bajo durante 40 minutos.

4. Rectificar de agua si fuera necesario, diluir el mugi miso con un poco del jugo de la sopa y añadirlo a la sopa. Antes de servir retirar las rodajas de jengibre y el laurel, y cortar a trozos finos el alga kombu.

5. Servir caliente con el perejil.

Salteado largo de verduras al jengibre con almendras fritas

Ingredientes para 2 ó 3 personas
4 zanahorias ∣ 3 chirivías ∣ 4 nabos (todo cortado a método rodado) ∣ 2 cucharadas de aceite de oliva ∣ una pizca de sal marina ∣ 1 cucharada de salsa de soja ∣ 3 cucharadas de jugo concentrado de manzana ∣ 1 1/2 cucharadas de jugo fresco de jengibre (rallado y escurrido) ∣ 3 cucharadas de almendras peladas crudas ∣ perejil fresco

1. Calentar un poco de aceite y freír las almendras hasta que se doren. Retirarlas y secarlas con papel absorbente.

2. Calentar una cazuela de fondo grueso, añadir el aceite de oliva, las verduras y una pizca de sal marina. Rehogar 1-2 minutos a fuego vivo. Reducir, tapar y cocer con un difusor durante 35-40 minutos. Remover de vez en cuando para que no se peguen.

3. Añadir el jugo concentrado de manzana a las verduras, junto con el jengibre y salsa de soja al gusto. Mezclar las almendras fritas y servir.

Manzanas al horno
• Ver tabla págs. 42-43

Ingredientes para 2 personas
2 manzanas ∣ 2 cucharadas de pasas de Corinto ∣ 2 cucharadas de mantequilla de almendras o de cacahuete ∣ 1 cucharada de mugi miso ∣ 1 cucharada de ralladura de naranja ∣ una pizca de canela en polvo

1. Lavar las manzanas y extraer su centro.

2. En un recipiente mezclar el resto de los ingredientes añadiendo unas gotas de agua hirviendo si fuera necesario, hasta conseguir una masa espesa.

3. Rellenar cada manzana con la mezcla y colocarlas en una bandeja de horno previamente pincelada con aceite de oliva. Cubrir las manzanas con papel de aluminio.

4. Precalentar el horno a temperatura media.

5. Cocerlas entre 20 y 30 minutos, dependiendo de la clase de manzana.

6. Servirlas calientes, espolvoreadas con canela.

Arroz a presión con almendras tostadas
• Ver tabla págs. 42-43

Ingredientes para 2 personas
1 taza de arroz integral de grano corto ∣ una pizca de sal marina ∣ 1/2 taza de almendras tostadas y troceadas ∣ 2 tazas de agua fría

1. Lavar el arroz debajo del grifo con agua fría. Escurrir y colocarlo en la olla a presión.

2. Añadir el agua y una pizca de sal marina. Tapar.

3. Llevar a presión alta, reducir el fuego al mínimo y cocinar durante 35-40 minutos. Si la llama es muy alta, reducirla con una placa difusora.

4. Sacar la olla del fuego y dejar que la presión baje naturalmente.

5. Abrir la olla y colocar el arroz en una fuente de cerámica o vidrio, mezclando las almendras tostadas. Servir.

También se pueden utilizar otros frutos secos tostados y troceados.

Otras recetas simples que generan calor interior

LA NUEVA COCINA ENERGÉTICA

· Sopa de cebolla
· Caldo vegetal
· Potaje de arroz
· Pastel de mijo al gratén
· Seitán rebozado
· Rustido de seitán con pasas y piñones
· Libritos de seitán y tofu ahumado
· Calabaza rellena de castañas
· Quiche de hiziki con nueces
· Fritos de nori
· Cocido de lentejas
· Paella rápida de verduras
· Consomé con albóndigas de tofu
· Pan de arroz con avellanas
· Macarrones al horno
· Hamburguesas
· Estofado otoñal de verduras
· Ponche caliente
· Crujiente de arroz
· Turrón de semillas
· Arroz con leche y canela

EL LIBRO DE LAS PROTEÍNAS VEGETALES

· Lasaña de seitán y piñones
· Redondo de seitán relleno
· Guiso de seitán a la canela
· Ensalada de arroz salvaje con seitán
· Seitán con salsa de avellanas
· Papillote de seitán y verduras
· Lentejas con tofu frito
· Potaje de judías rojas con fideos
· Crema de judías blancas con tropezones
  de pan
· Sopa de arroz con garbanzos
· Estofado de alubias con seitán
· Estofado de calabaza con castañas
· Parrillada de verduras con castañas
· Empanadillas de lentejas al curry
· Paté de azukis
· Postre de frutos secos y semillas
· Panellets caseros
· Barritas de semillas y piñones
· Arroz con especias y frutos secos
· Pan de maíz y almendras

ALGAS, LAS VERDURAS DEL MAR

· Potaje con fideos al curry
· Estofado de calabaza y kombu
· Potaje de azukis
· Mantequilla de cebolla
· Escudella
· Puré de mijo y cebolla
· Bolas de castañas con almendras
· Potaje de avena
· Hiziki con almendras
· Salteado largo con hiziki
· Strudel de hiziki al curry
· Canelones con alga arame
· Seitán braseado con setas
· Postre de músico con nori
· Condimento de nori
· Udon con caldo de jengibre
· Arroz frito con nori
· Sopa de nori

Ejemplo de menú semanal

LUNES	MARTES	MIÉRCOLES	JUEVES

LUNES

Desayuno:
Mantequilla de zanahorias y boniato
con pan integral
Infusión de regaliz

Almuerzo:
Salteado de verduras al jengibre
con almendras
Lentejas caseras al tomillo
Trigo sarraceno con cebollas y guisantes
Verdura verde hervida

Cena:
Caldo vegetal
(LA NUEVA COCINA ENERGÉTICA)
Arroz
Salteado largo de zanahorias con seitán
Ensalada de germinados con arame
(ALGAS, LAS VERDURAS DEL MAR)
Leche de almendras casera
(EL LIBRO DE LAS PROTEÍNAS VEGETALES)

MARTES

Desayuno:
Estofado de avena con calabaza
Nori tostada
Café de cereales con canela

Almuerzo:
Sopa de arroz con rape
Salteado de pasta
Cebollas asadas con especias
Ensalada de espárragos y brécol
(ALGAS, LAS VERDURAS DEL MAR)
Manzana al horno

Cena:
Arroz con maíz
Tofu al horno con crema de cebollas
Salteado de col verde con wakame
y piñones
Germinados de alfalfa

MIÉRCOLES

Desayuno:
Caldo remineralizante
Crema de mijo con canela
Nori tostada
Semillas de calabaza tostadas

Almuerzo:
Cazuela de garbanzos al azafrán
Brochetas fritas con salsa de barbacoa
Arroz con maíz
Ensalada de verduras escaldadas
(LA NUEVA COCINA ENERGÉTICA)

Cena:
Crema de calabaza
Espaguetis a la oriental
(LA NUEVA COCINA ENERGÉTICA)
Seitán a la plancha
Zanahorias al papillote
Postre de músico con nori
(ALGAS, LAS VERDURAS DEL MAR)

JUEVES

Desayuno:
Paté de nueces y tofu con pan integral
(EL LIBRO DE LAS PROTEÍNAS VEGETALES)
Leche de almendras casera

Almuerzo:
Almejas al horno
Quiche de pimientos y olivas
Ensalada de quinoa crujiente
Ensalada multicolor
(LA NUEVA COCINA ENERGÉTICA)
Turrón de semillas
(LA NUEVA COCINA ENERGÉTICA)

Cena:
Crema de zanahorias a la naranja
Hamburguesas de mijo con pasas
y alcaparras
Calabacín al vapor
Ensalada de verduras de mar y de tierra
(LA NUEVA COCINA ENERGÉTICA)

* Las recetas que aparecen en este libro están indicadas en color.

para generar calor interior

VIERNES	SÁBADO	DOMINGO

Desayuno:
Sopa de wakame con verduras
Crema de quinoa
Nori tostada
Semillas de sésamo tostadas

Almuerzo:
Paella de tempeh con verduras
(EL LIBRO DE LAS PROTEÍNAS VEGETALES)
Algas hiziki con cebollas y nueces
Verduras a la plancha
Ensalada verde

Cena:
Pan de maíz y almendras
(EL LIBRO DE LAS PROTEÍNAS VEGETALES)
Mermelada de remolacha
y cebollas
Hinojo a la plancha
Azukis con romero
(EL LIBRO DE LAS PROTEÍNAS VEGETALES)
Leche de almendras

Desayuno:
Crema de mijo a la canela
Infusión
Semillas de calabaza tostadas

Almuerzo:
Arroz frito con salsa de pescado
Verduras al papillote
(ALGAS, LAS VERDURAS DEL MAR)
Ensalada de maíz fresco
(ALGAS, LAS VERDURAS DEL MAR)
Verdura verde hervida
Bolas de semillas

Cena:
Crema de hinojo con maíz
Potaje de avena
(ALGAS, LAS VERDURAS DEL MAR)
Tofu braseado
(LA NUEVA COCINA ENERGÉTICA)
Salteado corto de calabacín
Condimento de alga dulse

Desayuno:
Bocadillo de tempeh
(EL LIBRO DE LAS PROTEÍNAS VEGETALES)
Licuado de zanahorias

Almuerzo:
Salmón al pesto
Macarrones al horno
(LA NUEVA COCINA ENERGÉTICA)
Salteado corto al curry
Ensalada de escarola
con escalibada de pimientos
Donuts de manzana al caramelo

Cena:
Crema de puerros y patata
(LA NUEVA COCINA ENERGÉTICA)
Revoltillo de tofu con calabacín
y maíz
Arroz con semillas de sésamo
Verdura al vapor

Errores
a tener en cuenta

Tened en cuenta que se pueden seguir todas estas sugerencias durante varias semanas, e ir observando el cambio que se va realizando a todos los niveles de nuestro ser. Poco a poco nos iremos sintiendo con más vitalidad, calor y energía para poder realizar todas las actividades que nuestro día nos depara, nuestro frío interno se irá disipando, especialmente notaremos el cambio en nuestras extremidades (manos y pies) antes siempre heladas.

Es estupendo podernos sentir así, pero tenemos que ir con cuidado de no pasar por el centro, el equilibrio energético y continuar hacia el otro lado. Antes sintiéndonos débiles, con frío y sin energía, ni dinamismo, ahora poco a poco, pesados, impacientes, intolerantes, rígidos y tensos, saturados por exceso de proteína y aceites.

Generar más
calor interior
no implica
comer más proteína
animal y aceites.

Muchas personas piensan que generar calor interior implica comer más proteína animal y más aceite. Y empiezan a incrementar el pescado y los huevos de forma desmesurada, a tomar fritos cada día... O toman un exceso de cereales, semillas y frutos secos, «mantequillas» de frutos secos, etc...

Poco a poco, todos sus sistemas, y especialmente el hígado, se van saturando más y más, su energía va decreciendo, especialmente por las mañanas, y **se sienten estancados y apáticos a todos los niveles.** Tenemos que trabajar profundamente y procurar escu-

Las cuatro «ces»

«Creo que el secreto especial de una persona creativa se puede resumir en las cuatro 'Ces': curiosidad, confianza, coraje y constancia.»

WALT DISNEY

¿Puede que no sean para nuestro cuerpo físico? ¿Que los deseemos para apaciguar y enfriar emociones estancadas del pasado, formas de pensar y actuar que nos generan presión, tensión y estrés interior?

char nuestra Voz Interior, nuestra vibración energética y saber hasta qué punto nos conviene parar o ir más despacio en el proceso de generar calor interior porque ya hemos conseguido un equilibrio.

El proceso de **generar calor interior**, significa comer más alimentos que calienten y preparados de forma que calienten. Pero lo más importante es evitar por completo lo que nos **enfría** y **congela a todos los niveles**.

También es útil el **comprender y ser conscientes de por qué deseamos ingerir esos alimentos «fríos»…**

¡La energía no cesa de fluir!

Conviene comprender que la energía no es estática, y que de cualquier acción que realicemos hoy, más tarde o más temprano, recogeremos sus efectos. Recordad que no se moldea de la forma que deseamos ni queda tal cual para siempre. La energía en nosotros cambia a cada momento, somos seres vivos y vibramos constantemente.

Vivencia interior
para generar calor

maginamos el Sol en su potencia máxima; esa esfera poderosa que proporciona luz, calor y vida a nuestro Planeta.

Nos relajamos, respiramos lent[...] mente e inspiramos la luz del S[...] su energía, su vibración y su p[...] tencia.

Imaginamos que nuestra espir[...] dorsal es un tubo hueco y que c[...] cada inspiración vamos llenan[...] este tubo con la luz del Sol.

Poco a poco se va formando u[...] columna de luz y energía que [...] esparce a través de todo el cuerp[...] formando una aureola de luz.

Continuamos inspirando y e[...] viando rayos de luz solar a nuest[...] ADN, en el centro de cada una [...] las células de nuestro cuerp[...]

Reflexiones para generar calor interior

❈ ¿Qué y quién me hace perder calor?

❈ ¿Arde con fuerza mi llama interior?

❈ ¿Qué emociones frías hay todavía en mí? ¿Qué situaciones del pasado las provocaron? ¿Cómo las puedo derretir y purificar?

❈ ¿Qué quiero esconder bajo mi comportamiento frío?

❈ ¿Mi autoestima me genera calor?

❈ ¿Estoy abierto al calor humano de los demás?

Sugerencias
de forma de vida

- Utilizar colores cálidos para vestir y decorar la casa.

- Poner en casa pósters y cuadros con colores, paisajes y formas que generen luz y calor.

- Visualizar con frecuencia nuestra llama interior para imaginar su estado (y avivarla rápidamente si es necesario).

- Utilizar ropa de casa de colores cálidos.

- Reducir o evitar todo lo que nos enfría en la vida (¡y, por descontado, lo que nos congela!).

- Escuchar y bailar música animada.

- Tener hobbies que nos proporcionen movimiento.

- Regalarse baños de Sol.

- Aplicarse moxas o compresas de sal marina en el hara.

maginamos cada espiral de códigos genéticos brillando con luz adiante y potente… Inspiramos uz y al expirar la enviamos a todas as células.

Mientras vamos inspirando luz también la vamos enviando al **cuerpo emocional**. Todas nuestras preocupaciones se van envolviendo de la luz del Sol y van desapareciendo.

Vamos a observar nuestros pensamientos, hábitos y formas de ver a vida y a enviar luz, calor y energía nuestro **cuerpo mental**. Si existen pensamientos que queremos dejar ir, lo haremos con cada espiración. Inspiramos luz y expiramos pensamientos que nos limitan y no deseamos.

Nos sentimos ligeros y llenos de luz, calor y energía.

Todas nuestras preocupaciones se van envolviendo de la luz del Sol y van desapareciendo.

«La alegría de los hombres es una llama de leños de tristeza. Brota la llama, pero los leños están allí, y cuando se apaga la llama, quedan los leños, o el carbón o la ceniza, que es resto de los leños y no de la llama.»

F. R. Chateaubriand

capítulo 7

El dulzor en la cocina

Falta de dulzor en su vida a todos los niveles

El **dulzor** en la cocina se genera principalmente aplicando **tiempo** y atención a nuestras preparaciones. Algo muy común en la cocina casera tradicional y totalmente desvalorado en la vida moderna.

¿No es así también que en la vida, cuando le dedicamos tiempo y atención a «algo» o a «alguien» también recogemos su dulzor?

Necesitamos dulzor
en todos los aspectos de nuestro ser

En Medicina Tradicional China, al sabor dulce se le relaciona con el final del verano y el inicio del otoño, así como con el estómago, el bazo y el páncreas; órganos que se corresponden con el plexo solar y que tienen relación directa con nuestra parte emocional.

Cuando se sienten emocionalmente desequilibradas, muchas personas optan por una «cura milagrosa» a muy corto plazo: tomar un dulce intenso, de vibración rápida (efecto rápido) y, por lo tanto, que produce una euforia casi instantánea. Probablemente sea chocolate o algún pastel... pero, ¿y a largo plazo? ¿Tendremos los efectos duraderos y estables que deseamos? ¿Nos sentiremos mejor emocionalmente?

> Todas nuestras funciones vitales necesitan glucosa para desarrollarse correctamente.

Es importante hacernos las siguientes preguntas:

- ¿De qué forma generamos dulzor en nuestra vida?
- ¿Nos sentimos totalmente satisfechos del dulzor natural de lo que cocinamos a diario?
- ¿Nutrimos nuestro cuerpo emocional con dulce de buena calidad?
- ¿Creamos el dulce que necesitamos con nuestro estilo de vida, hábitos y actitudes mentales?

Si conectamos energéticamente con la palabra «dulce», ¿qué clase de efecto nos genera? ¿Es posible que sea un efecto de apertura, de sentirnos más relajados, abiertos a más opciones de la vida, quizá de aceptación, relajación y saborear de cada momento?

> Si necesitamos dulzor a nivel emocional, por mucho chocolate que comamos nunca nos saciará... La solución hay que buscarla a nivel emocional. Lo mismo sucede si nos sentimos sin confianza y falta de dirección en la vida. **Hay que buscar el coraje y el propósito en nuestro corazón, conectar con nuestro propio DULZOR**, ¡que es la fuerza interior que todos poseemos!

¿Puede que sintamos calor interno, confianza, equilibrio, estabilidad y conexión interior?

Es evidente que necesitamos dulzor en todos los aspectos de nuestro ser, y como todos ellos están relacionados entre sí, su carencia se traducirá muy frecuentemente en querer satisfacerla con comida de efectos extremos.

Vamos a explorar en profundidad la carencia de dulzor a nivel físico: su escasez en la cocina diaria y las razones de que el cuerpo físico lo desee.

■ **Sabor dulce no significa «postre».** Hay que generarlo en todos los platos, del primero al último. Es muy significativo observar a la gente cuando elige lo que va a comer en un restaurante: ¿qué miran primero del menú: los entrantes o los postres?

■ **Las cremas dulces de verduras** nos aportan el sosiego que necesitamos después de un día estresante y, además, preparan nuestro sistema digestivo para digerir mejor los demás alimentos.

■ **Debemos tomar cereales integrales de buena calidad,** especialmente cereales integrales completos, cocinados a fuego lento. Los cereales integrales son carbohidratos, que al ser masticados y mezclados con la tialina de la saliva se convierten en glucosa de calidad. Y todas nuestras funciones vitales necesitan glucosa para desarrollarse correctamente. Una pregunta muy habitual es: ¿cuántas veces a la semana necesito comer cereales integrales? Mi respuesta es siempre la misma: ¿cuántas veces a la semana deseas tener vitalidad y poder estudiar, andar, trabajar, reír, estar activo?

■ **Hay que comer leguminosas con verduras dulces** (de raíz y redondas). Tanto los cereales integrales como las leguminosas nos aportarán los carbohidratos y las proteínas necesarias para el óptimo funcionamiento de nuestro organismo.

■ Si tomamos **carbohidratos vacíos y pobres** como el pan blanco, la pasta blanca, las patatas, etc., el organismo querrá equilibrarlo energéticamente con proteína más densa, de origen animal, lo que repercutirá inmediatamente en un deseo de azúcar refinado. Es un pez que se muerde la cola: hay que buscar el inicio del proceso y entender, bajo un prisma energético, qué intenta decirnos nuestro cuerpo.

■ Podemos preparar suculentas **sopas** con cereales o leguminosas, estofados, ensaladas, paellas, «risottos», cremas para desayunos con cereales integrales... las variaciones son innumerables y con ellas está garantizado el sabor dulce de calidad que nuestro cuerpo físico necesita.

Si conviene más dulzor, ¿se necesitan más proteínas?

Una nutrición pobre en proteínas hará que nuestro cuerpo desee más dulzor. Mucha gente que opta por una forma de vida más natural reduce el aporte de proteínas o cambia drásticamente de una alimentación de origen animal a otra vegetal. Este cambio brusco y sin amor a uno mismo hará que el cuerpo físico desee más dulce; un dulce, además, especialmente refinado y extremo, y que no llega nunca a satisfacernos, ya que el punto de partida y la solución están en otra dirección.

■ **La falta de aceite provoca ansias de sabor dulce.** En la dieta mediterránea no existe este problema (aunque a veces se utiliza demasiado aceite), pero en aquellas personas que cambian drásticamente a una dieta de origen vegetal y reducen la cantidad de aceite, puede aparecer este síntoma.

■ **En la dieta mediterránea el resultado final de cada plato no es dulce.** Las comidas se enmascaran con gran cantidad de aceite, especias fuertes, vinagre y sal. Es interesante entender este hecho energéticamente: al usar en exceso productos animales y sus grasas saturadas, necesitamos los efectos opuestos de los vinagres y las especias, aunque para nuestro cuerpo físico no resulte ideal, ya que además de cargarnos con cantidades innecesarias de grasas saturadas, nuestro estómago se resiente.

■ **Las verduras son fundamentales para aportar dulzor al organismo,** así como frescura, ligereza, apertura y relajación. Debemos familiarizarnos con la personalidad de las verduras y sacarles el máximo partido para que nos den todo su dulzor.

Cuando se habla de una cocina sana y natural, la única forma de cocinar las verduras no es al vapor, lo cual tiene una base lógica y de peso. Es indudable que hay que conservar las propiedades de los alimentos al máximo, pero hay que ir más allá: debemos aventurarnos a experimentar nuevas energías.

Cada forma de cocinar las verduras (ya sea al vapor, hervidas, salteadas, fritas, en cremas, a presión, al horno, en crudo, maceradas...) tendrá un efecto diferente, y hay que nutrirse tanto de variedad de alimentos como de variedad de efectos energéticos.

Si nuestra forma de cocinar es poco variada, tendremos la necesidad de compensarlo con el consumo de alimentos extremos.

Para que las verduras nos ofrezcan su máximo dulzor hay un factor fundamental a considerar: el tiempo.

> *Un puñado de pasas o una crema de orejones y almendras son dulces que no crean adicción.*

Si cocinamos muy lentamente las ve duras de raíz o redondas obtendremo la calidad energética de centro, equi brio y relajación que tanto necesita mos en nuestras vidas. **¿Y no ocurr igual en la vida, que al dedica tiempo y atención a las personas las cosas acabamos por recoger s dulzor?**

■ Las frutas naturales y de tempora da también nos ofrecen sus regalo Hay que honrar las estaciones y agra decer lo que la Madre Tierra nos ofrec con tanta abundancia. La fruta fresc y madurada en el árbol nos aligera aporta frescor, nos depura y aunque s sabor puede que sea dulce, no es ta intenso como cuando la cocinamos. dulzor de la fruta cocida, aparte de no enfriar tanto también nos aporta un dulzor intenso y penetrant que nos nutre y relaja.

La fruta seca también juega un papel fundamental e una alimentación sana y natural. Un puñado d pasas o una crema de orejones y almendras so dulces que nos satisfacen totalmente y que a la ve no crean adicción, hábitos repetitivos ni sentimier to de culpabilidad.

> Adquiriendo un conocimiento energético podemos entender y aceptar con más claridad lo que nuestro cuerpo físico intenta comunicarnos. Debemos observarnos con objetividad, sin juicios, y poco a poco entenderemos qué necesitamos. También a otros niveles de nuestro Ser: mental, emocional... Cada uno vibra y se nutre de forma diferente. Y hay que usar **el mismo nivel de vibración al que corresponde la carencia.**

Recetas con dulzor

En la presentación del recetario de este libro (págs. 62-63), se explica con detalle: estas recetas son sólo una pequeña muestra del estilo, forma, ingredientes, tipos de cocción, aderezos y dirección energética que se necesitan para –en el caso de este capítulo– obtener **dulzor natural** en nuestros platos.

Estofado de calabacín y calabaza

Ingredientes para 2 ó 3 personas
4 calabacines cortados a rodajas gruesas |
1/2 calabaza pequeña cortada a dados (sin pelar)
| 1 tira de alga wakame (remojada 2-3 minutos
y troceada) | sal marina | 1 hoja de laurel

1. Colocar en el fondo de una cazuela
el alga wakame troceada, junto con
su agua de remojo (tan sólo un
fondo).

2. Añadir las verduras, el laurel y una
pizca de sal marina. Tapar y llevar a
ebullición. Reducir el fuego al mínimo y estofar durante 20-25 minutos.
Servir.

Crema de puerros y calabacín con pan frito

Ingredientes para 2 personas
2 puerros cortados finos | 4 calabacines cortados
a rodajas finas | aceite de oliva | sal marina |
albahaca seca | leche de arroz (opcional) |
1-2 cucharadas de miso blanco | 1-2 cucharadas
de almendra en polvo | dados de pan frito o
tostado | albahaca fresca

1. Saltear los puerros con el aceite y
una pizca de sal marina durante 7
minutos, sin tapa y a fuego medio.

2. Añadir los calabacines, la albahaca
seca al gusto y agua que cubra 1/4
del volumen de las verduras. Tapar y
cocer a fuego medio-bajo durante
20-25 minutos.

3. Pasar por la batidora hasta conseguir
una consistencia cremosa. Rectificar
de líquido con más agua o leche de
arroz. Añadir el miso blanco y la
almendra en polvo.

4. Servir con pan frito o tostado y albahaca fresca.

Crema de chirivías a la nuez moscada

Ingredientes para 2 personas
4 cebollas cortadas a medias lunas finas | 3 chi-
rivías peladas y cortadas a rodajas finas | aceite
de oliva | sal marina | 2 hojas de laurel | leche
de arroz | 1-2 cucharadas de miso blanco | nuez
moscada rallada fresca | perejil crudo

1. Escaldar unos segundos las chirivías
con agua hirviendo. Escurrir y luego
saltear las cebollas con el aceite y

Pinchitos de frutas
con salsa de algarroba

Ingredientes
Variedad de frutas dulces locales y de
la estación con colorido | pinchitos de
madera | jugo de limón

Salsa: 3-4 cucharadas crema de alga-
rroba y avellanas | 1 cucharadita de
ralladura de naranja

1. Cortar las frutas a trozos
medianos y rociarlas con
jugo de limón para evitar
que ennegrezcan.

2. Colocarlas alternadamen-
te en los pinchitos de madera y servirlas en una fuente o
pinchadas en medio melón.

3. Colocar varias cucharadas
soperas de la crema de algarroba en una cazuela pequeña, añadir un poco de agua
y cocer a fuego lento, hasta
que tenga consistencia de
salsa espesa. Añadir la ralladura de naranja y mezclar
bien.

4. Servir los pinchitos con la
salsa caliente.

una pizca de sal marina durante 10
minutos, sin tapa y a fuego lento.

2. Añadir las chirivías escaldadas, el
laurel y agua que cubra 1/4 del
volumen de las verduras. Tapar y
cocer a fuego medio unos 20-25
minutos.

3. Pasar por la batidora hasta conseguir
una consistencia cremosa. Rectificar
de líquido con más agua o leche de
arroz. Añadir el miso blanco y nuez
moscada al gusto, mezclar y servir
con el perejil.

Pinchitos de fruta
con salsa de algarroba

Verduras a la plancha

Ingredientes para 4 personas
8 zanahorias lavadas y partidas por la mitad a lo largo │ 1 paquete de remolacha cocida y cortada a rodajas │ 2 mazorcas de maíz │ 1 manojo de espárragos frescos, lavados y sin su parte leñosa

Salsa: 1/2 taza de leche de arroz │ 1 cucharadita de mostaza │ 2 cucharadita de miso blanco │ 1 cucharadita de aceite de oliva │ 2 cucharadita de perejil picado fino

1. Hervir las mazorcas de maíz con una pizca de sal, durante 20 minutos (frescas). Retirar y cortar a trozos.
2. Hacer al vapor las zanahorias durante 10 minutos.
3. Calentar una sartén grande o plancha, añadir aceite de oliva y hacer a la plancha las verduras: zanahorias, mazorcas, remolacha y espárragos.
4. Colocar las verduras atractivamente en una fuente para servir. Decorar con perejil picado crudo y servir con la salsa.

Salteado de coliflor y pimientos rojos

Ingredientes para 2 ó 3 personas
4 cebollas cortadas finas a medias lunas │ 1/2 coliflor cortada a flores medianas │ 1 pimiento rojo (escalibado, lavado y cortado a tiras finas) │ aceite de oliva │ sal marina │ canela en rama │ perejil cortado fino crudo

1. Saltear las cebollas con un poco de aceite de oliva y una pizca de sal marina, durante 10 minutos, sin tapa y a fuego medio-bajo.
2. Añadir la coliflor, la canela y un fondo de agua. Tapar y cocer a fuego medio durante 15-20 minutos. Añadir el pimiento rojo y mezclar bien. Servir con perejil.

Arroz con castañas pilongas · Ver tabla págs. 42-43

Ingredientes para 2 ó 3 personas
1 taza de arroz integral de grano medio o corto │ sal marina │ 1 taza de castañas pilongas (remojadas toda la noche en 3 tazas de agua) │ 1 tira de alga kombu │ 3 tazas de agua

1. Escurrir las castañas pilongas y si hay pieles secas sueltas, quitarlas.

2. Colocar las castañas en la olla a presión, junto con el alga kombu y las tres tazas de agua.

3. Llevar a presión alta, reducir el fuego al mínimo y cocinar durante 10 minutos. Sacar la olla del fuego y rociarla con agua fría hasta reducir su presión. Abrirla.

4. Lavar el arroz debajo del grifo con agua fría. Escurrir y colocarlo en la

Boniatos a la canela

Ingredientes para 2 personas
4 boniatos medianos │ una pizca de sal marina │ aceite de oliva │ canela en polvo │ jugo concentrado de manzana │ perejil

1. Lavar los boniatos y cortarlos a lo largo en cuatro trozos.

2. Colocarlos en una cazuela de doble fondo y cocinarlos al vapor con una pizca de sal marina durante 5-7 minutos.

3. Sacarlos con cuidado. Calentar una sartén con aceite de oliva y hacerlos a la plancha por los dos lados.

4. Añadir unas gotas de jugo concentrado de manzana, espolvorearlos con canela en polvo y servirlos calientes.

olla a presión, junto con las castañas precocinadas, cortar el alga kombu e integrarla en la olla, junto con una pizca de sal marina. Tapar.

5. Llevar a presión alta, reducir el fuego al mínimo y cocinar durante 35-40 minutos. Si la llama es muy alta, reducirla con una placa difusora.

6. Sacar la olla del fuego y dejar que la presión baje naturalmente.

7. Abrir la olla y colocar el arroz con las castañas en una fuente de cerámica o vidrio. Servir.

Boniatos
a la canela

Salteado largo de chirivías

Ingredientes para 2 ó 3 personas
4 chirivías peladas y cortadas a método rodado o trozos grandes | aceite de oliva | sal marina | 2 cucharadas de jugo concentrado de manzana | pimienta negra al gusto

1. Calentar una cazuela de hierro fundido o con doble fondo, añadir un poco de aceite de oliva, las chirivías y una buena pizca de sal marina. Saltear 1-2 minutos a fuego alto.

2. Tapar y cocer a fuego lento con una placa difusora durante 45 minutos. El secreto de este plato es cocinarlo sin agua a fuego muy bajo, removiendo de tanto en tanto.

3. Condimentar con el jugo concentrado de manzana y la pimienta negra al gusto. Servir.

Mermelada de cebolla

Ingredientes
2 Kg de cebollas peladas y cortadas finas a medias lunas | 2 cucharadas de aceite de oliva | sal marina | laurel

1. Saltear las cebollas con un poco de aceite de oliva y una pizca de sal marina, sin tapa durante 10 minutos.

2. Tapar y cocer a fuego muy lento, con una placa difusora, durante 30-40 minutos. Remover de tanto en tanto para que no se pegue. Si el fuego es muy lento, no se tendría que necesitar agua. Si las cebollas han sido cortadas muy finas, no es necesario hacer puré. Si se desean todavía más dulces, se puede añadir una cucharada sopera de miel de arroz. Servir.

Donuts de manzana al caramelo

Ingredientes para 2 personas
2 manzanas dulces peladas enteras, descorazonadas y cortadas a rodajas de 2 cm cada una | 1/2 taza de maicena | aceite para freír | fresas frescas

Rebozado: 1/2 taza de harina semi-integral bien tamizada | una pizca de sal marina | 1/2 cucharadita de canela en polvo | agua con gas | 1 cucharada de jugo fresco de jengibre (rallado y escurrido)

Caramelo: 1/2 tarro de melaza de cebada y maíz o miel de arroz

1. Mezclar los ingredientes de la pasta para el rebozado hasta obtener una consistencia espesa y sin grumos. Enfriar en la nevera como mínimo 30 minutos. Añadir el jugo del jengibre.

2. Calentar el aceite para freír.

3. Secar bien cada rodaja de manzana con la maicena. Sumergir cada trozo de manzana en la pasta del rebozado y freír hasta obtener un color dorado y una consistencia crujiente. Retirar y secar con un papel absorbente.

4. En un cazo, hervir la melaza (sin añadir agua), sin tapa, removiendo constantemente hasta que se espese un poco, pero sin quemar. Verter con cuidado un poco de caramelo encima de cada trozo de manzana. Servir inmediatamente con algunas fresas frescas.

Donuts de manzana
al caramelo

Crema de arroz con calabaza · Ver tabla págs. 42-43

Ingredientes para 2 ó 3 personas
1 taza de arroz integral de grano medio | sal marina | 2 tazas de calabaza a trozos medianos | 4-5 tazas de agua

1. Lavar el arroz, escurrirlo y colocarlo en una cazuela de acero inoxidable con fondo grueso.

2. Añadir el agua, la calabaza y una pizca de sal marina. Tapar y hervir.

3. Reducir el fuego al mínimo y si fuera necesario utilizar una placa difusora. Cocer durante 1 hora y cuarto, o hasta conseguir la consistencia cremosa deseada. Se puede añadir más agua si se desea. Servir.

Crema fina de brécol

Ingredientes para 2 personas
2 cebollas cortadas finas a medias lunas | 1 manojo de brécol cortado a flores pequeñas | aceite de oliva | sal marina | 1 cucharada de miso blanco | leche de arroz (opcional) | pimienta negra | perejil crudo

1. Saltear las cebollas con el aceite y una pizca de sal marina durante 10 minutos, sin tapa y a fuego lento.

2. Añadir el brécol y agua que cubra 1/4 del volumen de las verduras. Tapar y cocer a fuego medio-bajo durante 20-25 minutos.

3. Hacer puré, añadiendo el miso blanco, agua o leche de arroz hasta obtener la consistencia deseada. Condimentar al gusto con pimienta negra. Decorar con perejil crudo. Servir.

Mermelada de calabaza y cebolla

Ingredientes
4 cebollas cortadas muy finas a medias lunas | 1/2 calabaza pelada y cortada a dados medianos | aceite de oliva | sal marina | laurel

1. Saltear las cebollas con el aceite y una pizca de sal marina durante 10 minutos, sin tapa y a fuego bajo.

2. Añadir la calabaza, el laurel y agua que cubra 1/4 del volumen de las verduras. Tapar y cocer a fuego medio-bajo durante 45 minutos. Retirar el laurel.

3. Hacer puré. La consistencia debe de quedar muy espesa, tipo mermelada.

Crema de arroz con canela · Ver tabla págs. 42-43

Ingredientes para 2 ó 3 personas
1 taza de arroz integral de grano medio | sal marina | canela en rama | 1 cucharadita de ralladura de limón | 4-5 tazas de agua

1. Lavar el arroz, escurrirlo y colocarlo en una cazuela de acero inoxidable con fondo grueso.

2. Añadir el agua, la canela y una pizca de sal marina. Tapar y hervir. Reducir el fuego al mínimo y si fuera necesario utilizar una placa difusora.

3. Cocer durante 1 hora y cuarto, o hasta conseguir la consistencia cremosa deseada. Se puede añadir más agua si se desea.

4. Añadir la ralladura de limón, mezclar bien y servir.

Hamburguesas de mijo con pasas y alcaparras

Ingredientes para 2 personas
1/2 taza de mijo lavado y escurrido | 1 cebolla mediana picada fina | 1 cucharada de pasas | 1 cucharada de alcaparras | perejil cortado fino | 1 hoja de laurel | aceite de oliva | sal marina

1. Dorar la cebolla con un poco de aceite de oliva y una pizca de sal marina, sin tapa y a fuego lento, durante 10 minutos.

2. Añadir el mijo, la hoja de laurel, 1 1/4 tazas de agua y una pizca de sal marina. Tapar y dejar cocer a fuego lento durante 25-30 minutos.

3. Mezclar al mijo cocido las pasas, el perejil y las alcaparras. Dejar enfriar la pasta unos minutos.

4. Moldear pequeñas cantidades del mijo, en forma de hamburguesas e intentando que en el interior estén bien compactas. Dejar enfriar.

5. Se pueden servir tal cual o pasarlas a la plancha durante unos minutos. Servir.

Hamburguesas de mijo
con pasas y alcaparras

Mermelada de zanahoria

Ingredientes
4 cebollas cortadas muy finas a medias lunas | 10 zanahorias cortadas finas a rodajas | aceite de oliva | sal marina | laurel

1. Saltear las cebollas con un poco de aceite de oliva y una pizca de sal marina, sin tapa durante 10-12 minutos.

2. Añadir las zanahorias, el laurel y un fondo de agua. Tapar y llevar a ebullición.

3. Reducir el fuego y cocer muy lentamente durante 35-40 minutos.

4. Retirar el laurel y el exceso de líquido, si lo hubiera. Hacer puré. La consistencia debe quedar muy espesa, tipo mermelada.

Mermelada de cebolla y chirivía

Ingredientes
4 cebollas cortadas muy finas a medias lunas | 4 chirivías cortadas finas a rodajas | aceite de oliva | sal marina | laurel

1. Escaldar las chirivías con agua hirviendo durante unos segundos. Escurrir.

2. Saltear las cebollas con el aceite y una pizca de sal marina durante 10 minutos, sin tapa y a fuego bajo.

3. Añadir las chirivías escaldadas, el laurel y agua que cubra 1/4 del volumen de las verduras. Tapar y cocer a fuego medio-bajo durante 45 minutos. Retirar el laurel.

4. Hacer puré. La consistencia debe de quedar muy espesa, tipo mermelada.

Revoltillo de tofu con calabacín y maíz

Ingredientes para 2 personas
1/2 bloque de tofu ahumado desmenuzado y 1/2 bloque de tofu fresco | 3 cebollas cortadas finas a medias lunas | 2 calabacines cortados a dados pequeños | aceite de oliva | sal marina | 1 hoja de laurel | 1/2 taza de maíz | cebollino crudo cortado fino

1. Saltear las cebollas con un poco de aceite de oliva, una hoja de laurel y una pizca de sal marina, durante 10 minutos, sin tapa y a fuego medio-bajo.

2. Hervir el tofu crudo durante 10 minutos con agua que lo cubra. Desmenuzarlo.

3. Añadir al salteado los calabacines, el maíz y el tofu fresco cocido y desmenuzado, tapar y seguir cociendo durante 10-15 minutos.

4. Añadir el tofu ahumado desmenuzado y mezclar bien. Servir con cebollino.

Revoltillo de tofu
con calabacín y maíz

Mermelada de remolacha y cebolla

Ingredientes
4 cebollas cortadas muy finamente a medias lunas | 4-5 remolachas peladas y cocidas al natural (sin vinagre) | aceite de oliva | sal marina | laurel

1. Saltear las cebollas con el aceite y una pizca de sal marina durante 10 minutos, sin tapa y a fuego bajo.

2. Añadir la remolacha, el laurel y agua que cubra 1/4 del volumen de las verduras. Tapar y cocer a fuego medio-bajo durante 45 minutos. Retirar el laurel.

3. Hacer puré. La consistencia debe de quedar muy espesa, tipo mermelada.

Compota de frutas secas y pera

Ingredientes para 2 ó 3 personas
1/2 taza de pasas de Corinto | 1 taza de orejones troceados | 4 peras frescas troceadas y rociadas con jugo de limón para evitar que ennegrezcan | 2-3 clavos | 1 cucharadita de ralladura de naranja | 2 cucharadas de piñones ligeramente tostados | sal marina

1. Colocar toda la fruta en una cazuela, junto con una buena pizca de sal marina y los clavos.

2. Añadir agua que cubra 1/3 de la fruta y llevar a ebullición. Reducir el fuego al mínimo y cocer lentamente durante 30-40 minutos.

3. Retirar los clavos, añadir la ralladura de naranja y servir con los piñones.

Mermelada de zanahoria y boniato

Ingredientes
8-10 zanahorias cortadas a rodajas finas | 14 boniatos pelados y cortados finos | 1 sal marinas | 1 canela en rama

1. Colocar los ingredientes en una cazuela de hierro fundido o doble fondo, con una pizca de sal marina y agua que cubra 1/4 del volumen de las verduras. Tapar y llevar a ebullición. Reducir el fuego y cocer lentamente durante 35-40 minutos.

2. Quitar el excedente de líquido de cocción, si hubiera demasiado. Sacar la canela.

3. Hacer puré. La consistencia debe de quedar muy espesa, tipo mermelada.

Col blanca al laurel

Ingredientes para 2 ó 3 personas
3 cebollas cortadas finas a medias lunas | 1/2 col blanca cortada fina | aceite de oliva | sal marina | 2 hojas de laurel | 2 cucharadas de pasas de Corinto | 2 cucharadas de concentrado de manzana

1. Saltear las cebollas con un poco de aceite de oliva y una pizca de sal marina, durante 10 minutos, sin tapa y a fuego medio-bajo.

2. Añadir la col blanca, el laurel, las pasas y un fondo de agua. Tapar y cocer a fuego medio-bajo durante 30-45 minutos. Servir.

Otras recetas simples que generan dulzor

LA NUEVA COCINA ENERGÉTICA

· Crema de calabaza
· Crema de coliflor
· Crema fría de remolacha
· Puré de verduras dulces
· Sopa de cebolla
· Sopa de col
· Puerros al gratén
· Estofado de verduras
· Estofado otoñal de verduras
· Salteado largo de verduras
· Melocotones a la canela
· Compota de manzana y pera
· Pastel de zanahorias
· Pastel dulce de polenta

ALGAS, LAS VERDURAS DEL MAR

· Mantequilla de cebolla
· Crema de boniato y cebolla
· Bolas de castañas
· Judías verdes a la catalana
· Ensalada de maíz fresco
· Salteado de judías verdes con arame
· Salteado dulce de verduras
· Sopa de mijo con calabaza
· Puré de zanahorias y chirivías
· Crema de calabacín
· Crema a la canela
· Crema de orejones y peras

EL LIBRO DE LAS PROTEÍNAS VEGETALES

· Crema de calabacín y tofu
· Brécol con crema de tofu y piñones
· Estofado de tofu
· Agridulce de seitán con judías verdes y maíz
· Seitán con cebollitas caramelizadas
· Cocido de verduras
· Salteado largo con tempeh
· Crema de lentejas rojas
· Postre de castañas y coco
· Sopa de habas y maíz
· Sopa minestrone
· Strudel de piñones
· Paté de zanahoria y almendra
· Macedonia de frutas con almendras al caramelo
· Crema fría de verduras con almendras
· Leche de almendras
· Manzanas al sésamo
· Papillote de frutas

Mermelada
de zanahoria y boniato

Ejemplo de menú semanal

LUNES

Desayuno
Crema de mijo a la canela
Licuado de zanahorias

Almuerzo
Ensalada crujiente de quinoa
Seitán a la plancha
(EL LIBRO DE LAS PROTEÍNAS VEGETALES)
Verduras a la plancha con alioli de aguacate
Mermelada de cebolla
Verdura verde hervida
(LA NUEVA COCINA ENERGÉTICA)

Cena
Crema de chirivía a la nuez moscada
Ensalada crujiente de quinoa
Col blanca al laurel
Salteado corto de calabacín
Queso de tofu
(EL LIBRO DE LAS PROTEÍNAS VEGETALES)

MARTES

Desayuno
Mantequilla de zanahoria
Crema de arroz
Avellanas tostadas
Café de cereales

Almuerzo
Arroz con cebada
Salmón al pesto
Salteado de coliflor y pimientos rojos
Ensalada de berros y endibias
Boniatos a la canela
Flan de café

Cena
Crema de hinojo con maíz
Arroz con cebada
Salteado largo de chirivías
Ensalada griega al tofu
Brécol hervido

MIÉRCOLES

Desayuno
Leche de almendras caseras
(EL LIBRO DE LAS PROTEÍNAS VEGETALES)
Crema de avena
Nori tostada

Almuerzo
Ensalada de arroz con seitán
(EL LIBRO DE LAS PROTEÍNAS VEGETALES)
Mermelada de remolacha y cebolla
Salteado de judías verdes con arame
(ALGAS, LAS VERDURAS DEL MAR)
Ensalada verde

Cena
Crema de calabaza
(LA NUEVA COCINA ENERGÉTICA)
Tagliatelli al pesto
(LA NUEVA COCINA ENERGÉTICA)
Estofado de tofu con kombu
Hinojo a la plancha

JUEVES

Desayuno
Bocadillo de queso de tofu
(EL LIBRO DE LAS PROTEÍNAS VEGETALES)
Licuado de zanahorias

Almuerzo
Mijo con verduras
Puerros al gratén
(LA NUEVA COCINA ENERGÉTICA)
Calabaza al vapor
Ensalada con tempeh frito
(EL LIBRO DE LAS PROTEÍNAS VEGETALES)

Cena
Crema de coliflor
(LA NUEVA COCINA ENERGÉTICA)
Paté de garbanzos con pan pitta
(EL LIBRO DE LAS PROTEÍNAS VEGETALES)
Estofado largo de zanahorias
Ensalada de algas a la vinagreta
(ALGAS, LAS VERDURAS DEL MAR)
Leche de almendras casera

para generar dulzor

VIERNES

Desayuno
Crema de mijo a la vainilla
Nori tostada

Almuerzo
Paella rápida de pescado
y verduras
Acelgas con pasas, ajo y perejil
Ensalada de col china al sésamo
Condimento de alga dulse
Strudel de piñones y albaricoques
(EL LIBRO DE LAS PROTEÍNAS VEGETALES)

Cena
Crema de boniato y cebollas
(ALGAS, LAS VERDURAS DEL MAR)
Potaje de judías rojas con fideos
(EL LIBRO DE LAS PROTEÍNAS VEGETALES)
Salteado de col verde
con wakame y piñones
Rodajas de pepino

SÁBADO

Desayuno
Bocadillo con paté de lentejas
(EL LIBRO DE LAS PROTEÍNAS VEGETALES)
Infusión de regaliz

Almuerzo
Ensaladilla de cebada
Estofado de seitán al vino dulce
Condimento de nori al jengibre
Ensalada de calabacín
Zanahorias escaldadas

Cena
Crema fina de brécol
Arroz con calabaza
(LA NUEVA COCINA ENERGÉTICA)
Medallones de tempeh
a la jardinera
(EL LIBRO DE LAS PROTEÍNAS VEGETALES)
Ensalada verde

DOMINGO

Desayuno
Pancakes dulces
(LA NUEVA COCINA ENERGÉTICA)
Leche de almendras casera
(EL LIBRO DE LAS PROTEÍNAS VEGETALES)

Almuerzo
Gratén del mar
Pasta tricolor con salsa
picante de alcaparras
(LA NUEVA COCINA ENERGÉTICA)
Verdura a la plancha
Judías verdes a la catalana
(ALGAS, LAS VERDURAS DEL MAR)
Compota de frutos secos y peras

Cena
Crema de zanahoria a la naranja
Quiche de tofu y espárragos
(LA NUEVA COCINA ENERGÉTICA)
Salteado corto al curry
Brécol hervido

* Las recetas que aparecen en este libro están indicadas en color.

Errores
a tener en cuenta

El término «dulzor» es muy desconocido. No sólo a nivel emocional, sino también en la cocina, cuando se trata de la parte más femenina de la cocina energética.

Podemos seguir estas sugerencias durante varias semanas y observar los cambios que se van produciendo a todos los niveles de nuestro ser. Poco a poco nos sentiremos más relajados, flexibles y tolerantes con nosotros mismos y los demás, aportando quizá más dulzor a nuestra vida.

El término «dulzor» es muy desconocido. No sólo a nivel emocional, sino también en la cocina, cuando se trata de la parte más femenina de la cocina energética. Si observamos la cocina popular, veremos que además de tener un exceso de sal y aceite, el picante (pimienta, ajo, mostaza...) y el ácido (vinagres, limón...) son muy predominantes.

Esto se entiende muy bien, ya que se trata de los sabores más extremos de efecto expansivo: enfrían, purifican y disipan la gran cantidad de carnes y productos animales que se consumen. Como resultado, el cuerpo desea el gusto dulce, y ya no se conforma con el dulzor de una zanahoria rallada, de una sopa de calabaza o de una crema de cebolla; necesita un efecto extremo e inmediato: el azúcar.

Poco a poco nos sentiremos más relajados, flexibles y tolerantes con nosotros mismos y los demás, aportando quizá más dulzor a nuestra vida.

La luz del aquí y ahora

«Si de verdad quieres ser feliz, no caigas en la tentación de comparar este momento con otros momentos del pasado, los cuales no supiste disfrutar porque los comparabas con los momentos por venir.»

ANDRÉ GIDE

En la cocina popular no se fomenta el sabor dulce natural; ¡ni siquiera el de las verduras! Y así, a unas pobres judías verdes con patatas cocinadas en exceso se las riega con vinagre (de mala calidad), sal y aceite. ¡Y el dulzor ha desaparecido!

En este apartado pongo mucho énfasis porque considero que todos necesitamos un poco más de dulzor; ¡empezando con la cocina diaria!

Espero que empecéis a practicar a diario estos platos dulces tan sencillos, especialmente de verduras, que se sugieren en el apartado de recetas.

Estamos ante una rueda
pero ésta tiene un principio reconocible

1. Si tomamos platos de verduras dulces a diario, nos sentiremos con menos ansias por dulces extremos de azúcar y chocolate.

2. Al no tomar azúcares extremos rápidos, no tendremos las subidas y bajadas emocionales que acompañan su consumo, ni nos sentiremos cansados.

3. Como resultado, nos sentiremos más centrados, equilibrados y preparados para asumir con responsabilidad y energía lo que la vida nos ofrece a cada momento.

4. Tendremos una calidad de energía constante, sin tantas fluctuaciones extremas.

5. La confianza en nosotros mismos aumentará sorprendentemente, ya que no tendremos sentimientos de culpabilidad por haber comido esto o aquello...

6. Al cambiar interiormente, también nuestro exterior será diferente. Y poco a poco los demás lo percibirán. Porque al nutrirnos de dulzor, también podremos ofrecérselo a los demás. ¡Vale la pena!

Vivencia interior
para generar dulzor en nuestra vida

V amos a descolgar el teléfono y disponer de unos
minutos para una jornada
interior. ¡Regálate este momento!
¡Te lo mereces!

Reflexiones para generar dulzor en nuestra vida

✳ ¿Qué significa para mí tener dulzor en
mi vida?

✳ ¿Cómo y por qué se amarga mi vida?

✳ ¿Mantengo el suficiente equilibrio
entre responsabilidades y momentos
de relax y placer?

✳ ¿Le dedico tiempo y atención a mis
momentos dulces?

✳ ¿En qué momento del día puedo rega-
larme un momento dulce? ¿ Con qué?

✳ ¿Tengo claridad en mi vida?

✳ ¿Se dirigen mis pasos hacia mi destino,
o me siento perdido, en la oscuridad?

✳ Para poder tener dulzor hay que
abrirse, relajarse y, para ello, hay que
tener claro a dónde vamos.

Vamos a relajarnos como de
costumbre, estirados en el suelo o
sentados en una silla, cómodos y
con la espalda en posición recta.
Hacemos varias inspiraciones pro
fundas y espiramos muy lenta
mente, sintiéndonos más y má
relajados, pesados y conectados a
la Madre Tierra.

Vamos a imaginar que estamo
en el campo, en un lugar de l
naturaleza que nos genera paz y
armonía. El Sol resplandece en un
cielo azul. Estamos sentados sobr
la hierba suave, tibia y mullida
Observamos las pequeñas planta
que crecen a nuestro alrededo
Las flores de color brillante no

Vamos a imaginar que
estamos en el campo,
en un lugar de la naturaleza
que nos genera paz
y armonía.

de vivir? ¿O estamos tan ocupados y hambrientos por él que no lo percibimos? Aunque sea en las pequeñas gotas de néctar que la vida nos ofrece, siempre hay dulzor a nuestro alrededor si deseamos percibirlo, aceptarlo y recogerlo.

¿Regalamos dulzor a nuestras actividades diarias, a nuestra familia y amigos, a nuestra forma de vivir...? Y lo más importante: ¿nos regalamos dulzor a nosotros mismos?

Para poder apreciar el dulzor que existe en nuestro entorno, a cada momento, es necesario sentirnos presentes en la vida; estar abiertos, flexibles y practicar la conexión humana de corazón a corazón. Entonces, como la mariposa, podremos disfrutar y deleitarnos de cada contacto que hagamos, de cada persona que encontremos, de cada flor que visitemos... ¡Aceptando y ofreciendo la eterna fuente de dulzor que existe en nosotros y a nuestro alrededor!

obsequian con sus perfumes y su belleza.

Vemos cómo una mariposa de colores cálidos y resplandecientes se posa sobre una flor, muy cerca de nosotros. Al cabo de un momento, al terminar de recoger su néctar, su dulzor, se va a otra flor y luego a otra... Con cada flor esta mariposa parece más vibrante, con más energía y vitalidad, más dulce... La observamos detenidamente, sus idas y venidas, y reflexionamos sobre nuestra vida...

¿Aceptamos el dulzor en nuestra vida; en nuestras idas y venidas diarias; en nuestras relaciones, acciones, trabajo, estudios, forma

Sugerencias
de forma de vida

- Intercalar trabajo con momentos de relax a lo largo del día, para no sentirnos agobiados al final de la jornada.

- Rodearnos de pequeños detalles que nos den placer: plantas, flores, un ambiente agradable, colores amorosos...

- Escuchar cada día alguna música que nos relaje y abra el corazón.

- Dormir las horas suficientes y algunas más.

- Meditar, reflexionar, conectar con nuestro dulzor interior.

- Observar (sin emitir juicios) cómo nos relacionamos con los demás. ¿Podríamos expresar más dulzor en nuestra manera de comunicarnos?

«Sólo aspiro a encontrar mi paraíso en la tierra. Y soy digno de compasión porque es posible que lo haya encontrado en varias ocasiones y no me haya dado cuenta.»

Terenci Moix

capítulo 8

Depurando nuestro cuerpo

Exceso de peso,
acumulación y **estancamiento de energía**,
emociones y hábitos del pasado.
Falta de claridad y de simplicidad en la vida.

Si deseamos depurar, las mejores épocas del año
son la primavera y el verano. Cuando el cuerpo
y toda la naturaleza en pleno empiezan
a abrirse energéticamente.

Tiempo de depurar

C uando aparece la primavera, también lo hacen las habituales preguntas sobre cómo **depurarnos**, qué dieta es la mejor y qué ayuno podemos hacer para sentirnos más ligeros y descargar los excesos. Creo que todo cambio drástico provoca una reacción de intensidad parecida, por lo que nos afectará a corto y largo plazo en muchos aspectos de nuestro ser.

Se trata del síndrome «yoyó»; es decir, que comemos en exceso y luego nos castigamos con regímenes estrictos que nos privan de los nutrientes que nuestro organismo necesita, creando de nuevo la necesidad de compensarlo con excesos...

Llegados a este punto, debemos preguntarnos: ¿Cómo queremos gastar nuestro tiempo, dinero y energía? ¿Por qué no nos adaptamos a una forma de vida moderada con alimentos frescos y naturales, y cuidamos la forma como los cocinamos, generando las energías y los efectos adecuados a nuestras necesidades particulares? ¿Por qué no generamos **calidad, armonía y equilibrio**?

Intentemos sentir el concepto «depurar»: se trata de una energía de desintegración, dispersión, disipación, apertura... Todo lo opuesto energéticamente a «nutrir» y «enriquecer». Debemos hacer de los siguientes consejos un hábito de vida; de nada sirve aplicarlos en una comida semanal y tomar el resto del tiempo alimentos pesados, grasas saturadas y un exceso de calorías.

Para ello es esencial integrar los alimentos que depuran de forma sabrosa, simple y creativa; así nuestro cuerpo cambiará biológicamente de forma progresiva y notará los beneficios de una alimentación sana y natural.

Por otro lado, también debemos valorar nuestra **forma de vida:**

¿Qué relación mantenemos con la comida?
¿Nos sirve de «tapadera» para otros conflictos?
¿Comemos con estrés, sin conciencia de ello?
¿Cómo nos depuramos en otros aspectos que no son la comida?

Pautas para depurarse antes de hacerlo con la dieta

La masticación...

1. Mejora la digestión.

2. Produce un estado de energía y vitalidad estable.

3. Reduce la cantidad de comida que deseamos; ¡se come menos!

4. Reduce la cantidad de snacks y alimentos entre comidas.

5. Nos hace más pacientes y equilibrados interiormente.

6. Favorece la claridad y la salud mentales.

7. Evita la necesidad de comer dulces refinados.

8. Mejora el sabor de todo lo que comemos.

9. Reduce flatulencias, gases y digestiones pesadas.

10. Genera un estado general de relajación.

11. Estimula el funcionamiento del sistema endocrino y, por lo tanto, refuerza el sistema inmunitario.

12. Regula el pH de la sangre, dado que alcaliniza los alimentos ingeridos.

13. Fortifica los dientes y las encías.

El poder de la visualización

Todos disponemos de 5 ó 10 minutos al día para conectarnos interiormente, aunque lo ideal es hacerlo al despertar o antes de irnos a dormir. Todos tenemos esta capacidad innata de visualización o, si esto nos bloquea, de imaginación. **Podemos imaginarnos o visualizarnos en un campo, en un lugar tranquilo, rodeados de naturaleza. Podemos imaginar los colores y los olores de las flores y las plantas, la textura de la hierba húmeda bajo nuestros pies descalzos, el contacto con el tronco** rugoso de un árbol o el toque sedoso de los pétalos de una flor... También escuchamos el sonido de un riachuelo o de una cascada que hay cerca de nosotros. Hace calor y nos sentimos muy atraídos por la cascada que cae juguetona en este lugar de inmensa belleza. Deseamos depurarnos, limpiarnos, dispersar la energía que acumulamos en nuestro interior y que ya no deseamos. El agua de la cascada nos ayudará a conseguirlo: sentimos el agua caer sobre nosotros, limpiándonos y desintegrando todo aquello que ya no deseamos cargar en nuestro cuerpo físico, emocional o mental. **Podemos quedarnos en este lugar hasta que nos encontremos más equilibrados, utilizando incluso la energía del Sol para secarnos y revitalizarnos de nuevo. Podemos hacer esta breve visualización cuantas veces sean necesarias antes de volver a nuestras obligaciones diarias o irnos a dormir.**

Comer a horas fijas

Picar durante todo el día, sin horario fijo, da como resultado un consumo excesivo de calorías. Y dado que todos tenemos ciertas obligaciones y hobbies, debemos revisar nuestro ritmo de vida y adaptar los horarios de nuestras comidas a dichas circunstancias.

Cenar temprano o hacer una merienda-cena

Cenar muy tarde es tan nocivo como comer en exceso o ingerir grasas saturadas, pues crea acumulaciones en los intestinos, desgaste energético y obesidad.

Aumentar la proporción de alimentos del reino vegetal frente a los del reino animal (7/10 a 1)

Descubrir las proteínas vegetales

Si deseamos hacer un cambio duradero, podemos depurarnos a la vez que comemos proteína de buena calidad y sin grasas saturadas. Para ello, pondremos énfasis en la proteína vegetal de las leguminosas, el tofu, el seitán y el tempeh. De este modo no sólo obtendremos platos muy sabrosos y depurativos, sino que además se pueden adaptar muy fácilmente a las costumbres alimentarias de nuestra familia.

- **Seitán.** Podemos utilizarlo en todas las recetas en que se utilizaba carne.
- **Tofu.** Se puede adaptar muy bien en lugar de queso y huevo (revoltillo de tofu), quiches, mayonesas, etc.
- **Tempeh.** Su textura no se asocia a nada parecido de lo que utilizábamos en nuestra cultura, pero se adapta muy bien para sustituir carne.
- **Leguminosas.** Son un regalo en nuestra tradición. Tenemos muchísimas clases, sabores y texturas. Éstas nos aportan una calidad de proteína importante, hay que volver a integrarlas en nuestra cocina casera. Aunque eso sí, con recetas más depurativas y ligeras, en las que no se incluyan grasas animales saturadas.
- **Semillas.** También podemos utilizarlas en pequeñas cantidades, como sustituto de la proteína o aceite en una comida, tales como: calabaza, sésamo o girasol. Éstas nos aportarán además de aceite y proteína, una textura seca y crujiente.

Depurar no significa ayunar
ni pasar hambre

¡D epurar no significa estar todo el día masticando apio! Podemos utilizar variedad de ingredientes (cereales, proteínas vegetales, algas, verduras frescas de la temporada, semillas, aceite y condimentos salados), aunque con mucha moderación.

El mejor aceite para depurar es el de sésamo, menos graso que el de oliva, pero unas gotas de este último pueden aportarnos la riqueza y el sabor a los que estamos acostumbrados, ¡sin necesidad de desesperarnos a media tarde por un pastelito!

En muchas de las recetas para depurar he optado por mantener el aceite de oliva, aunque en cantidades mínimas (especialmente a la hora de saltear las cebollas) para que nos aporte el dulzor que nuestro cuerpo necesita.

Incrementa a diario los alimentos que ayudan a depurar

- Rabanitos y nabos, tanto crudos como escaldado
- Champiñones y toda clase de setas
- Verduras de hojas verdes frondosas e intensas, tale como: col verde, brécol, puerros, apio, borraja berros, hojas de los nabos, rabanitos... y cocinad muy ligeramente
- Utilizar a menudo jengibre fresco, ajo y especias.
- Emplear en cada comida variedad de hierbas are máticas frescas
- Verduras depurativas: alcachofas, espárragos, rem lacha, endibias, hinojo y apio

Reduce y evita el consumo de...

- Horneados (pan, bollería, pastelería, galletas, pizzas...)
- Toda clase de grasas saturadas de origen animal
- Sal cruda, condimentos salados y snacks salados
- Exceso de fritos y aceite
- Alimentos ahumados de origen animal
- Todos estos alimentos producirán energía de concentración, acumulación, tensión y calor interior extremo; efectos completamente opuestos energéticamente a lo que deseamos: depurar, desintegrar y eliminar

---

Las acciones extremas provocan reacciones extremas

No sirve de nada empezar de forma fanática y olvidarlo al cabo de tres semanas porque nuestro cuerpo se encuentra débil y nuestro paladar se siente abandonado. Si sientes que necesitas picar, echa mano de:
- Tiras de verduras (apio, zanahoria, nabo, pepino...)
- Fruta cruda
- Fruta cocida (compotas, vapor...)
- Frutos secos (pasas, albaricoques, manzanas secas...)
- Licuados de verduras y frutas
- Ensaladas
- Mermeladas de verduras dulces (véase capítulo «Dulzor»)

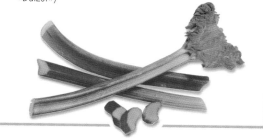

Condimentos frescos

Juegan un papel **importantísimo** a la hora de **depurar**, aunque **la cantidad en que aparezcan cambia la calidad del plato**. Utiliza siempre estos condimentos con moderación, intentando tener en cada comida:
- **Un tipo de especia:** jugo de jengibre fresco, ajo, mostaza, pimienta, curry...
- **Varias hierbas aromáticas frescas:** menta, perejil, cebollino, albahaca...
- **Un sabor ácido:** ralladura o jugo de cítricos, jugo concentrado de manzana, vinagre de arroz, vinagre balsámico...
- **Germinados:** especialmente de alfalfa, mostaza o cebolla. Los germinados de leguminosas pueden causar gases e indigestión a según qué personas, ya que son difíciles de digerir.
- **Pickles caseros:** fermentados de verduras de corta maceración.

Haz énfasis en las verduras

Es importante empezar a valorar las verduras, que no comemos en la suficiente medida. De hecho, deberíamos utilizar toda clase de verduras y convertirlas en el ingrediente más importante de nuestras comidas, para lo cual es importante aprender nuevas formas de prepararlas.

Verduras cocidas

Las verduras son las que deberían aparecer en la mayor proporción en cada uno de nuestros platos. Debemos comerlas ligeramente cocidas, especialmente en **macerados, escaldados, hervidos, al vapor** y **salteados cortos con agua o aceite**. A la hora de cocinarlas, lo más importante en cualquiera de estos estilos es no utilizar demasiados aliños salados y reducir la cantidad de aceite. Y, por supuesto, no añadir ningún condimento salado crudo o aceite a la hora de servirlas.

Ensaladas

Hay que tomar a diario ensaladas con verduras variadas, tales como rabanitos (crudos o escaldados)

o nabo rallado crudo. En las ensaladas es importante eliminar ingredientes frecuentes como olivas muy saladas, huevo duro, anchoas, atún enlatado y, por supuesto, embutidos y quesos. También tendremos cuidado con los aliños, ya que si utilizamos sal o aceite en exceso no obtendremos el efecto depurativo que deseamos. Por supuesto que los aceites deben ser biológicos de primera presión en frío. **El mejor aceite para depurar es el de sésamo**, menos graso que el de oliva. Si utilizamos el aceite de sésamo tostado (de fuerte aroma y sabor), sólo necesitaremos utilizar un par de gotas, por lo que la cantidad se reducirá al máximo.

Verduras del mar

Las algas o «verduras del mar» tienen efectos muy depurativos y remineralizadores. Su uso es imprescindible en toda alimentación sana y natural. Recomiendo utilizar gran variedad de ellas, especialmente las más ligeras, como:

■ **Wakame, dulse y arame.** Éstas necesitan ser remojadas sólo 2 ó 3 minutos para ser incorporadas a cualquier plato, desde ensaladas a salteados de verduras, sopas, etc.

■ **Agar-agar.** Es clave para depurar. Se puede encontrar en el mercado en forma de copos, barras o tiras. Podemos remojarla o macerarla para utilizarla en ensaladas, o bien cocerla con zumos de frutas durante 10 minutos y confeccionar deliciosas gelatinas, mousses y jaleas.

Por supuesto, también podemos utilizar el resto de algas:

■ **Nori.** En sushis, troceada para guarniciones en sopas, ensaladas...

■ **Espaguetis de mar.** En platos de verduras, con champiñones, con ajo y perejil...

■ **Algas de lago,** tales como chlorella, clamath y cspirulina. Éstas juegan un papel primordial a la hora de depurar y limpiar, aunque tomadas siempre en pequeñas dosis.

Cereales integrales

Debemos consumir cereales integrales porque nuestro cuerpo necesita carbohidratos de calidad para obtener energía. Si los omitimos, querremos pan; productos de pastelería; alimentos de consistencia seca, densa y crujiente; productos animales; snacks salados, etc., que no nos ayudarán precisamente a lograr nuestra meta: depurar.

Lo aconsejable es consumir pequeñas cantidades de cereales integrales en cada comida, en forma de ensaladas con verduras o en formas ligeras y refrescantes. Los cereales más indicados son la cebada, el arroz integral de grano largo o basmati, y la quinoa, así como pequeñas cantidades de pasta integral, polenta, cuscús o bulgur.

Frutas y zumos

Las frutas son importantes para depurar, pero no por ello debemos limitarnos a hacer una cura de frutas durante días. Cualquier acción extrema traerá consigo efectos y reacciones extremos. Es posible que una vez por semana deseemos sustituir una comida por frutas o licuados, o que ese día que llegamos muy tarde a casa hagamos una cena a base de frutas, pero no debe ser la norma a seguir.

Dependiendo de si comemos la fruta cruda o cocida, el efecto que obtengamos será diferente en nuestro organismo:

■ **Fruta cocida** (compotas, al vapor...). Nos aportará un dulzor intenso, nos relajará y saciará el sabor dulce que nuestro cuerpo desea. Es mucho mejor comer compotas de fruta fresca o seca (o una mezcla de ambas), que pastelería y azúcares refinados.

Al cocer la fruta, siempre debemos añadir unos granitos de sal marina y bastante ralladura de limón o naranja, así como utilizar especias como canela, clavo, jengibre, vainilla natural...

■ **Fruta fresca.** Nos refrescará, depurará y limpiará. No nos aportará el dulzor intenso de la fruta cocida, pero es esencial para una buena alimentación. Podemos consumirla cruda, en zumos o en licuados.

Las mejores horas para tomar fruta fresca o zumos son las primeras del día: al levantarnos o durante la mañana, mientras que las frutas cocidas son más aconsejables por la tarde y la noche.

■ **Bebidas depurativas**
Empieza cada mañana tomando un licuado de:
- Zanahoria
- Zanahoria y manzana
- Zanahoria, manzana y apio
- Zanahoria, apio y unas gotas de limón
- Manzana y pera
- Piña

Endulzantes naturales

Si deseamos utilizar endulzantes, los más recomendables son los procedentes de cereales, tales como miel de arroz, melaza de cebada y maíz, o amasake, que no contienen tantas calorías como los azúcares refinados.

Si queremos utilizar algún sustitutivo de los lácteos (grasas saturadas), recomendamos la leche de arroz o pequeñas cantidades de leche casera de almendras.

Otras bebidas importantes a la hora de depurar son:
■ **Té verde**
■ **Té de cebada**
■ **Té de diente de león**
■ **Infusiones de menta, anís, hinojo, manzanilla...**

La cantidad de líquido variará según las necesidades de nuestro cuerpo físico, ¡no mental!

Si nuestra alimentación se compone de los alimentos indicados anteriormente, no necesitaremos litros y litros de agua, ya que el líquido lo obtendremos de forma natural de las verduras, las frutas y la masticación.

Recetas para depurar

En las siguientes recetas veremos qué estilos de cocción, ingredientes, aderezos y dirección energética se necesitan para obtener de nuestros platos la **depuración** que buscamos. Se trata de recetas muy sencillas que no requieren mucho tiempo de preparación. Al final de estas recetas aparecen otras, publicadas en mis anteriores libros, con las cuales podemos obtener un efecto parecido.

Sopa de rabanitos

Ingredientes para 2 ó 3 personas
2 cebollas cortadas a medias lunas finas | 1 manojo de rabanitos (tanto la parte de la raíz como las hojas verdes tiernas) | 2 tiras de alga wakame (remojadas en agua fría 2-3 minutos y troceadas) | 2 cucharadas de vinagre de umeboshi | 1 cucharadita de ralladura de naranja o limón

1. Saltear las cebollas a fuego lento con el aceite de oliva y una pizca de sal marina, durante 10-12 minutos sin tapa.

2. Añadir 2 tazas de agua y hervir. Añadir la parte verde de los rabanitos troceada pequeña y el alga wakame. Cocer durante 5-7 minutos.

3. Añadir los rabanitos cortados a trozos medianos, el vinagre de umeboshi y la ralladura del cítrico. Apagar y servir.

Consomé depurativo (I)

Ingredientes para 2 personas
3-4 champiñones secos shiitake (remojados 20 minutos y cortados finos) | 1 tira de alga kombu | 1 nabo cortado a medias rodajas finas | 1 cucharada de jugo de jengibre fresco (rallado y escurrido) | 2 cucharadas de salsa de soja | 1-2 cucharadas de jugo concentrado de manzana

1. Hervir 2 tazas de agua (incluyendo el agua del remojo de los champiñones), y añadir los champiñones troceados finos y el alga kombu. Tapar y cocer a fuego medio-bajo durante 15-20 minutos.

2. Añadir el nabo y cocer 5 minutos más.

3. Añadir la salsa de soja y el jengibre, dejar activar 1 minuto a fuego lento. Apagar y servir con alguna hierba aromática fresca al gusto.

El alga kombu se guardará para utilizar en otra receta de cocción más larga.

Consomé depurativo (II)

Ingredientes para 2 personas
2 cebollas cortadas finamente a medias lunas | 2 tazas de champiñones cortados a láminas finas y rociadas con unas gotas de jugo de limón para evitar que se ennegrezcan | 2 tiras de alga wakame (remojadas en agua fría 2-3 minutos y troceada) | 1 cucharada de aceite de oliva | 1 hoja de laurel | 2 cucharadas de miso blanco | cebollino cortado crudo

1. Saltear las cebollas a fuego lento con el aceite de oliva y una pizca de sal marina, durante 10-12 minutos sin tapa.

2. Añadir 2 tazas de agua, los champiñones, el alga y el laurel. Tapar y cocer durante 10 minutos a fuego medio-bajo.

3. Condimentar con el miso blanco y servir con el cebollino cortado crudo.

Consomé depurativo (III)

Ingredientes para 2 personas
1 cebolla cortada a rodajas | 1 zanahoria rallada | 1 nabo rallado | 2-3 rabanitos cortados a rodajas finas | 1 tira de alga wakame (remojadas en agua fría 2-3 minutos y troceada) | 1-2 cucharadas de salsa de soja | 2 cucharadas de jugo concentrado de manzana

1. Hervir 2 1/2 tazas de agua, añadir las rodajas de cebollas y cocer sin tapa durante 5-7 minutos.

2. Añadir el resto de los ingredientes. Dejar activar durante 1-2 minutos a fuego lento y servir.

Ensalada de quinoa crujiente

Ingredientes para 2 ó 3 personas
1 taza de quinoa | 2 zanahorias ralladas gruesas | 1/2 manojo de rabanitos cortados finos | 1 taza de pepino cortado a dados | 1/2 taza de maíz | 2 cucharadas de semillas de girasol ligeramente tostadas | perejil crudo cortado fino

Aliño: 1-2 cucharadas de miso blanco | 1 cucharadita pequeña de aceite de sésamo tostado | 1 cucharadita pequeña de mostaza | 1 cucharada de jugo concentrado de manzana | 1 cucharada agua

1. Lavar la quinoa varias veces con agua fría. Escurrirla bien y tostarla en una sartén sin aceite durante varios minutos hasta que los granos estén secos.

2. Colocarla en una cazuela con 2 tazas de agua, el maíz y una pizca de sal marina. Tapar y hervir a fuego mínimo, durante 15 minutos. Colocarla en una ensaladera y dejarla enfriar.

3. Añadir las zanahorias ralladas y escurridas, los rabanitos, pepino, semillas y perejil mezclar bien.

4. Confeccionar el aliño y servir por separado.

Ensalada
de quinoa crujiente

Sopa de cebada

Ingredientes para 2 ó 3 personas

2 cebollas cortadas finas a medias lunas | 1/2 taza de cebada remojada toda la noche en 2 tazas de agua | 2 zanahorias cortadas a dados | 2-3 pencas de apio tierno cortadas a dados | 1 tira de alga kombu | 1 cucharada de aceite de oliva | sal marina | 1-2 cucharadas de miso blanco | hierbas aromáticas | pimienta negra | perejil cortado fino

1. Lavar y escurrir la cebada, colocarla en una cazuela, junto con el alga kombu, 3 tazas de agua y un ramillete de hierbas aromáticas al gusto. Hervir, reducir el fuego al mínimo y cocer durante 45-60 minutos.

2. Saltear las cebollas a fuego lento con el aceite de oliva y una pizca de sal marina, durante 10-12 minutos sin tapa.

3. Añadir a la cebada, las cebollas salteadas, junto con las zanahorias y el apio. Cocer 5-7 minutos más.

4. Sacar el alga kombu, cortarla fina e integrarla de nuevo a la sopa.

5. Condimentar la sopa con el miso blanco y pimienta negra al gusto. Servir con el perejil.

Nabos a la plancha

Ingredientes para 2 personas

3 nabos cortados a lo largo en láminas gruesas | aceite de oliva | vinagre de umeboshi | perejil cortado crudo

1. Cocer las láminas de los nabos al vapor durante 7-8 minutos. Dejar enfriar.

2. Pasar los nabos a la plancha con un poco de aceite de oliva y unas gotas de vinagre de umeboshi. Servir con el perejil.

Sopa minestrone

Ingredientes para 2 ó 3 personas

2 puerros cortados finos | 2 pencas de apio cortadas finas | 1 nabo cortado a dados | 1 taza de champiñones cortados a láminas finas y rociados con unas gotas de jugo de limón para evitar que se ennegrezcan | 2 tiras de alga wakame (remojadas en agua fría | 2-3 minutos y troceada) | 2 tazas de leche de arroz | 1-2 cucharadas de miso blanco | 2 hojas de laurel | pimienta negra al gusto

1. Hervir las 2 tazas de leche de arroz, añadir los puerros, hervir sin tapa durante 3-4 minutos. Añadir el resto de las verduras, el alga y el laurel, tapar y cocer a fuego lento durante 10 minutos.

2. Condimentar con el miso blanco y pimienta al gusto. Servir.

Ensaladilla de cebada · Ver tabla págs. 42-43

Ingredientes para 2 ó 3 personas

1 taza de cebada (remojada varias horas) | 2 zanahorias cortadas a cuadritos | 1/2 manojo de rabanitos cortados a rodajas finas | 1 manojo de judías verdes cortadas finas | mayonesa de tofu, rodajas de pepino | aceitunas sin hueso | 1 pimiento rojo y 1 verde (escalibados, lavados y cortados a tiras finas) | perejil o albahaca fresca troceada fina | sal marina

1. Colocar la cebada en una cazuela de acero inoxidable de fondo grueso, añadir 2 1/2 tazas de agua y una pizca de sal marina. Tapar y cocer a fuego lento durante 50 minutos o hasta que el agua se haya evaporado.

2. Hervir las zanahorias y las judías verdes juntas, con una pizca de sal marina, durante 5-7 minutos. Lavar con agua fría y escurrir.

3. Colocar los rabanitos cortados finos en un recipiente grande, añadir unas gotas de vinagre de umeboshi o unos granitos de sal, prensar con las

Ensalada de berros y endibias

Ingredientes para 3 ó 4 personas

1 manojo de berros lavados y cortados a trozos grandes | 2 endibias cortadas a lo largo en varios trozos | rabanitos cortados a rodajas finas | 1/2 taza de maíz cocido | 1/2 taza de alga arame (remojada 15 minutos y escurrida) | 1 manzana roja, descorazonada y cortada a rodajas | 1 zanahoria cortada a tiras muy finas (rociadas con unas gotas de limón para que no ennegrezcan)

Aliño: 1 cucharada de miso blanco | 2 cucharadas de mostaza | 3 cucharadas de jugo concentrado de manzana | 1 cucharadita pequeña de aceite de sésamo tostado | hierbas aromáticas frescas al gusto

1. Colocar los ingredientes de la ensalada en una fuente .

2. Mezclar los ingredientes del aliño y añadir un poco de agua hasta obtener la consistencia deseada. Servir con la ensalada.

manos varios minutos hasta que e jugo de los rabanitos salga. Escurrir.

4. Mezclar todos los ingredientes junto la cebada cocida, los rabanitos, la zanahorias y las judías verdes, junto con varias cucharadas de mayonesa de tofu y las aceitunas sin hueso troceadas. Formar un tipo pastel.

5. Cubrir el pastel con un poco más de mayonesa de tofu. Decorar con la rodajas de pepino y las tiras de los do pimientos alternativamente. Servir.

Esta receta también se puede hacer con arroz integral basmati.

Ensalada
de berros y endibias

Ensalada de col china al sésamo

Ingredientes para 2 personas
1 col china cortada a trozos grandes | 6-8 rabanitos cortados finos | 1 zanahoria cortada a tiras finas | 1/2 hinojo cortado fino, sal marina | 2 cucharadas de sésamo tostado

Aliño: 1 cucharada de salsa de soja | 1 cucharadita pequeña de aceite de sésamo tostado | 1 cucharadita pequeña de jugo de jengibre fresco (rallado y escurrido) | 3 cucharadas de jugo concentrado de manzana

1. Hervir en una cazuela agua, añadir una pizca de sal marina. Hervir la col china, el hinojo y las zanahorias juntas, sin tapa, durante 2-3 minutos. Lavar con agua fría y escurrir.

2. Escaldar los rabanitos unos segundos. Inmediatamente añadirles unas gotas de vinagre de umeboshi para preservar el color rosado.

3. Mezclar todas las verduras y espolvorear con el sésamo tostado. Hacer el aliño y servirlo por separado.

Alcachofas al limón

Ingredientes para 2 personas
4-6 alcachofas peladas y cortadas a cuartos | varias rodajas de limón | sal marina | 1 cucharada de semillas de sésamo ligeramente tostadas

1. Colocar las alcachofas en una cazuela, junto con las rodajas de limón, una pizca de sal marina y 1 taza de agua.

2. Tapar y llevar a ebullición, reducir el fuego al mínimo y cocer durante 10 minutos.

3. Escurrir y servir con perejil picado y las semillas de sésamo.

Acelgas con pasas, ajo y perejil

Ingredientes para 2 ó 3 personas
1 manojo de acelgas, lavadas y troceadas (separar la parte blanca de la verde) | 2 ajos picados finos | 1-2 cucharadas de pasas de Corinto | 2 cucharadas de salsa de soja | 1 cucharada de aceite de oliva | perejil picado fino | 3-4 gotas de aceite de sésamo tostado (opcional)

1. Dorar los ajos con el aceite de oliva durante 1-2 minutos, añadir la parte blanca de las acelgas troceadas, las pasas y 1 cucharada de salsa de soja. Saltear durante 5-6 minutos, hasta que el líquido de las acelgas se haya evaporado.

2. Añadir la parte verde y 1 cucharada de salsa de soja: Saltear 4-5 minutos, hasta que el líquido de las acelgas se haya evaporado.

3. Mezclar las gotas de aceite de sésamo tostado y el perejil. Servir.

Arroz con alcachofas al curry · Ver tabla págs. 42-43

Ingredientes para 2 ó 3 personas
1 taza de arroz integral basmati | 2 alcachofas peladas y cortadas a gajos finos | 1 taza de champiñones cortados finos (rociados con un poco de zumo de limón para evitar que se ennegrezcan) | 2 cebollas cortadas a dados | 1/2 taza de maíz | aceite de oliva | sal marina | perejil cortado fino | curry al gusto

1. Lavar el arroz y colocarlo en una cazuela, junto con 2 tazas de agua y una pizca de sal marina. Tapar y llevar a ebullición, reducir el fuego al mínimo y cocer durante 35 minutos.

2. Saltear las cebollas con un poco de aceite y una pizca de sal marina, sin tapa a fuego lento durante 10 minu-

Ensalada dulce de remolacha

Ingredientes para 2 ó 3 personas
1 paquete de remolacha cocida cortada a rodajas | hojas de varias lechugas | 2 cucharadas de pasas de Corinto | 5-6 rabanitos cortados en rodajas finas | 2 zanahorias cortadas a rodajas finas | 1 cebolla roja cortada en anillos | perejil picado fino | 2 cucharadas de jugo concentrado de manzana | 1 cucharada de vinagre de umeboshi

Aliño: 1 cucharadita pequeña de pasta de umeboshi | 2 cucharadas de melaza | 1 cucharadita pequeña de aceite de oliva | 1 cucharadita pequeña de ralladura de limón

1. Escaldar la cebolla durante 1-2 minutos. Escurrir e inmediatamente añadir vinagre de umeboshi y jugo concentrado de manzana. Mezclar bien y dejar enfriar.

2. Colocar todos ingredientes de la ensalada en una fuente para servir.

3. Emulsionar los ingredientes del aliño, añadiendo un poco de agua para conseguir la consistencia espesa.

4. Servir el aliño por separado.

tos. Añadir los champiñones, las alcachofas y el maíz. Tapar y cocer a fuego bajo durante 10 minutos.

3. Añadir a las verduras curry al gusto. A continuación mezclar el arroz ya cocido.

4. Decorar con perejil y servir.

Ensalada dulce
de remolacha

Nabos con champiñones

Ingredientes para 2 personas
2-3 nabos cortados a medias rodajas | 2 tazas de champiñones cortados a cuartos (añadir unas gotas de limón para prevenir que se ennegrezcan) | 1 tira de alga wakame lavada con agua fría y troceada | 1 cucharada de salsa de soja | 1 cucharadita pequeña de aceite de sésamo tostado | cebollino cortado crudo fino

1. Saltear los champiñones con el aceite de sésamo y la salsa de soja, remover constantemente hasta que empiecen a sacar su líquido.

2. Añadir el alga wakame, los nabos y 1/2 taza de agua. Tapar y cocer a fuego medio-bajo durante 15 minutos. Si todavía quedase líquido, destapar y reducir.

3. Servir con el cebollino cortado crudo.

Escarola salteada con champiñones

Ingredientes para 2 personas
1 taza de champiñones cortados a láminas finas (rociados con unas gotas de jugo de limón para prevenir que ennegrezcan) | 1/2 escarola bien lavada y cortada a trozos | 1 ajo picado fino | salsa de soja | 1 cucharadita pequeña de aceite de sésamo tostado

1. Colocar el aceite de sésamo en una sartén y sofreír rápidamente el ajo picado. Añadir los champiñones y unas gotas de salsa de soja. Saltear sin tapa durante 5-7 minutos, hasta que todo el jugo de los champiñones se haya evaporado.

2. Añadir la escarola y saltear bien 2-3 minutos. Escurrir bien el jugo que se haya generado y servir inmediatamente.

Estofado de nabo y cebolla

Ingredientes para 2 personas
2-3 nabos cortados a rodajas medianas | 3 cebollas cortadas a medias lunas finas | 1 cucharada de aceite de oliva, sal marina | 2 hojas de laurel | 1 tira de alga kombu (remojada durante varias horas) | 1 cucharada de miso blanco | albahaca fresca troceada

1. Saltear las cebollas con un poco de aceite y una pizca de sal marina, sin tapa a fuego lento durante 10-12 minutos.

2. Añadir los nabos, el alga kombu y 1 taza del líquido del remojo, las hojas de laurel y el miso blanco. Tapar y cocinar durante 30-35 minutos a fuego medio-bajo.

3. Si todavía hubiera mucho líquido del estofado, reducirlo. Servir con albahaca fresca.

Nabos al jengibre

Ingredientes para 2 personas
4-5 nabos cortados a trozos grandes o método rodado | 2 hojas de laurel | 1-2 cucharadas de aceite de oliva | sal marina | 1 cucharada de jugo de jengibre fresco (rallado y escurrido) | 2 cucharadas de jugo concentrado de manzana

1. Calentar el aceite en una cazuela ancha, añadir los nabos y una pizca de sal marina. Rehogar durante 2-3 minutos a fuego medio. Añadir 1/2 taza de agua y el laurel. Tapar y dejar cocer a fuego lento durante 20 minutos. Se puede utilizar una placa difusora si la llama es muy fuerte.

2. Destapar y reducir el jugo de los nabos, si todavía quedara mucho. Condimentar. Con el jengibre y el endulzante. Servir.

Estofado de setas y alcachofas

Ingredientes para 2 personas
3 tazas de setas lavadas y cortadas a trozos | 1 diente de ajo picado | 2 cebollas cortadas a medias lunas finas | 2 tomates maduros cortados por la mitad y rallados | 2 alcachofas peladas y cortadas a gajos | sal marina | 1 cucharada aceite de oliva | 1 ramita de romero fresco | salsa de soja

1. Sofreír el ajo y las cebollas con el aceite de oliva y una pizca de sal marina durante 10 minutos.

2. Añadir los tomates rallados, las setas, las alcachofas, el romero y 1 taza de agua. Tapar y cocer a fuego medio-bajo durante 25-30 minutos.

3. Condimentar con unas gotas de salsa de soja y servir.

Escaldado de zanahorias

Ingredientes para 2 personas
4 zanahorias cortadas a tiras finas | sal marina | 1 cucharadita pequeña de ralladura de limón | 1 cucharada de jugo concentrado de manzana | unas gotas de vinagre de arroz

1. Hervir 3-4 tazas de agua, añadir una pizca de sal marina y las zanahorias. Escaldar durante 30-40 segundos.

2. Lavar con agua fría y escurrir bien. Añadir los aliños y servir.

Estofado de setas
y alcachofas

Alcachofas estofadas

Ingredientes para 2 personas
4 alcachofas peladas, cortadas a cuartos y rociadas con unas gotas de jugo de limón para evitar que se ennegrezcan | 6-8 cebollitas pequeñas peladas enteras | 2 zanahorias cortadas a método rodado o trozos grandes | 1/2 taza de guisantes verdes | un ramillete de hierbas aromáticas al gusto | 1 cucharadita pequeña de aceite de sésamo tostado | 1 ajo picado fino | 1-2 cucharadas de miso blanco

1. Colocar las alcachofas, las cebollitas, las zanahorias, las hierbas aromáticas, el ajo picado y 1 taza de agua en una cazuela ancha. Tapar, llevar a ebullición, reducir el fuego al mínimo y cocer durante 30-35 minutos.

2. Añadir los guisantes y cocer 5-7 minutos (si son congelados), y si son frescos durante 15 minutos.

3. Condimentar con el aceite de sésamo y el miso blanco. Servir.

Ensalada de apio, nabo y manzana · Ver tabla págs. 42-43

Ingredientes para 2 personas
2 pencas de apio cortado fino | 2 zanahorias y 2 nabos cortados a medias rodajas | 1 manzana roja cortada a dados y rociada con jugo de limón para evitar que se ennegrezca | sal marina | mayonesa de tofu | cebollino cortado crudo

1. Hervir en una cazuela agua y añadir una pizca de sal marina. Hervir el apio, los nabos y las zanahorias juntas, sin tapa, durante 5 minutos. Escurrirlos.

2. Mezclar las verduras, junto con la manzana. Añadir varias cucharadas de mayonesa de tofu, mezclar bien y decorar con cebollino cortado crudo. Servir.

Crema de ortigas

Ingredientes para 2 personas
2 buenos manojos de ortigas frescas y tiernas | 2 cebollas cortadas finas a medias lunas | 2 tiras de alga wakame (remojadas en agua fría durante 3-4 minutos y troceada) | sal marina | 1 cucharada de aceite de oliva | 1-2 cucharadas de miso blanco | 1 cucharada de aceite de oliva | 2 hojas de laurel

1. Saltear las cebollas a fuego lento con el aceite de oliva y una pizca de sal marina, durante 10-12 minutos sin tapa.

2. Hervir agua en una cazuela grande y sumergir por completo las ortigas durante 2-3 minutos. Lavarlas inmediatamente en agua fría, escurrirlas bien y trocearlas. Si hubieran algunos tallos duros, retirarlos.

3. Añadir las ortigas al salteado de cebolla junto con el alga wakame, el laurel y agua que cubra la mitad del volumen de las verduras. Tapar y cocer a fuego medio-bajo durante 15 minutos.

4. Retirar el laurel, hacer puré hasta conseguir una textura homogénea, rectificar de agua y añadir el miso blanco. Mezclar bien y servir.

Tofu hervido · Ver tabla págs. 42-43

Ingredientes para 2 personas
1 bloque de tofu fresco cortado a dados medianos | 1 tira de alga kombu | 2 cucharadas de salsa de soja | 2 hojas de laurel | cebollino cortado fino crudo

1. Colocar el tofu en una cazuela, junto con el alga kombu, el laurel, agua que cubra 1/3 del volumen del tofu y la salsa de soja. Tapar y cocer durante 20 minutos.

2. Servir con el cebollino.

Setas con arame al ajillo

Ingredientes para 2 personas
10 setas bien lavadas y troceadas grandes | 1/2 taza de alga arame (lavada con agua fría y remojada 10 minutos y escurrida) | 1 ajo picado fino, perejil picado fino | 2 cucharadas de salsa de soja | 2 cucharadas de jugo c. de manzana, aceite de oliva

1. Colocar un poco de aceite de oliva en una sartén y sofreír rápidamente el ajo picado. Añadir las setas y la salsa de soja. Saltear sin tapa durante 5 minutos.

2. Añadir el alga arame y el concentrado de manzana. Tapar y cocer a fuego lento durante 5-10 minutos o hasta que el jugo que desprenden las setas se haya evaporado.

3. Servir con el perejil picado.

Ensalada con diente de león a la mostaza

Ingredientes para 2 personas
Varias clases de lechuga | algunos canónigos | diente de león lavado y troceado | 2 zanahorias ralladas (rociadas con un poco de zumo de limón) | germinados de alfalfa | pickles de pepino naturales (gherkins) en rodajas

Aliño: 1-2 cucharadas de miso blanco | 1 cucharada de mostaza | 1 cucharada de aceite de oliva | 2 cucharadas de jugo concentrado de manzana

1. Mezclar los ingredientes de la ensalada. Hacer el aliño y servirlo por separado.

Setas con arame
al ajillo

Ensalada de maíz con garbanzos · Ver tabla págs. 42-43

Ingredientes para 2 ó 3 personas
1 taza de garbanzos (remojados toda la noche en 4 tazas de agua) ǀ 1 tira de alga kombu ǀ 1-2 zanahorias ralladas crudas ǀ 1 taza de champiñones cortados finos (añadir unas gotas de limón para prevenir que se ennegrezcan) ǀ 1-2 mazorcas de maíz ǀ 1 pimiento rojo escalibado (lavado, cortado a tiras) ǀ aceite de oliva ǀ sal marina ǀ albahaca fresca

Aliño: 1/2 ó 1 ajo picado fino ǀ 1 cucharadita de pasta de umeboshi ǀ 1 cucharadita pequeña de aceite de sésamo tostado ǀ 2 cucharadas de jugo concentrado de manzana ǀ 1 cucharada de miso blanco

1. Lavar los garbanzos y colocarlos en la olla a presión junto con el alga kombu. Cubrirlos totalmente de agua fresca, llevarlos a ebullición sin tapa. Retirar todas las pieles sueltas que puedan estar en la superficie. Tapar y cocer a presión durante hora y media. Si al cabo de este tiempo, todavía estuvieran duros, cocinar de nuevo a presión. Cuando estén completamente blandos, añadir una pizca de sal marina y cocer de nuevo 10 minutos.

2. Hervir las mazorcas de maíz durante varios minutos. Cortar a rodajas.

3. Saltear los champiñones con unas gotas de aceite de oliva y salsa de soja, y cocer sin tapa hasta que todo su jugo se haya evaporado. Dejar enfriar.

4. Escurrir los garbanzos y mezclarlos en una fuente para servir con los demás ingredientes. Añadir el aliño y decorar con albahaca fresca. Servir.

Manzanas maceradas con fresas y kiwis

· Ver tabla págs. 42-43

Ingredientes para 2 ó 3 personas
3 manzanas cortadas a gajos finos (rociadas con zumo de limón para que no se ennegrezcan) ǀ 2 tazas de fresas cortadas por la mitad ǀ 2 kiwis pelados y cortados a rodajas finas, sal marina ǀ 2-3 cucharadas de melaza natural ǀ 2-3 cucharadas de jugo concentrado de manzana

1. Mezclar todas las frutas, añadir una pizca de sal marina y los endulzantes. Dejar macerar unas horas y servir con su jugo.

Recetas sencillas depurativas

LA NUEVA COCINA ENERGÉTICA

· Crema de champiñones
· **Crema de espárragos**
· Crema de apio
· Sopa de primavera
· Puré de verduras dulces
· Crema fría de remolacha
· Estofado de cebada
· Ensalada de tofu macerado
· Alcachofas a la vinagreta
· Verduras al vapor
· Col verde con champiñones y puerros
· Alcachofas al pesto
· Verduras escaldadas
· Nabos al vapor

· Champiñones al ajillo
· Puerros a la vinagreta
· Ensalada de zanahoria, nabo y manzana
· Ensalada de zanahoria y piña
· Ensalada de hinojo y pepino
· Ensalada primaveral
· **Ensalada multicolor**
· Ensalada de verduras de mar y tierra
· Champiñones con arame y brécol
· Ensalada de verano con hiziki
· Ensalada de arame con pimientos
· Mousse de limón

ALGAS, LAS VERDURAS DEL MAR

· Encurtidos de rabanitos
· Alcachofas rellenas con mousse de tofu y ajo
· Tempeh con champiñones
· Verdura verde con wakame
· Ensalada griega al tofu
· Ensalada de espárragos y brécol
· Sopa de verano
· Ensalada de fruta y dulse
· Ensalada de remolacha y dulse
· Ensalada con salsa picante de alcaparras
· Ensalada de alcachofa y arame
· Ensalada de germinados con arame
· Ensalada de algas a la vinagreta
· Ensalada refrescante
· Mousse de fresa
· Tarta al kiwi

Ensalada de arame y judías verdes a la vinagreta

Ingredientes para 2 ó 3 personas
1 taza de alga arame (remojada 10 minutos en agua fría y escurrida) ǀ 1 buen manojo de judías verdes cortadas por la mitad ǀ 8 rabanitos cortados por la mitad ǀ 1 manojo de brécol cortado a flores ǀ sal marina ǀ vinagre de umeboshi.
Vinagreta: 1 ajo picado fino ǀ 1 cucharadita pequeña de aceite de oliva ǀ 2 cucharadas de vinagre de arroz ǀ 1-2 cucharadas de miso blanco ǀ 1 cucharada de jugo concentrado de manzana

1. Hervir en una cazuela agua, añadir una pizca de sal marina. Hervir las judías verdes y el brécol durante 4-5 minutos sin tapa. Lavar con agua fría y escurrir bien.

2. Escaldar los rabanitos durante unos segundos y añadir inmediatamente unas gotas de vinagre de umeboshi para preservar el color rosado.

3. Mezclar las verduras con el alga arame y el aliño. Servir.

Manzanas maceradas
con fresas y kiwis

Ejemplo de menú semanal

LUNES

Desayuno
Licuado de zanahorias
Crema de arroz a la vainilla

Almuerzo
Ensaladilla de cebada
Nabos con champiñones
Alcachofas al limón
Seitán a la plancha
Berros escaldados

Cena
Sopa de lechuga
Cebada
Macerado de tofu a las finas hierbas
Ensalada de escarola con escalibada de pimientos
Germinados de alfalfa

MARTES

Desayuno
Manzanas maceradas con fresas y kiwis

Almuerzo
Consomé depurativo (I)
Arroz con alcachofas al curry
Paté de garbanzos y aguacate
Mermelada de cebolla y calabaza
Setas con arame al ajillo
Ensalada de berros y endibias

Cena
Ensalada de quinoa crujiente
Tempeh a la menta
(LA NUEVA COCINA ENERGÉTICA)
Estofado de nabo y cebolla
Verdura verde con wakame
(ALGAS, LAS VERDURAS DEL MAR)
Germinados de alfalfa

MIÉRCOLES

Desayuno
Licuado de zanahoria, manzana y apio
Crema de quinoa
Nori tostada
Semillas de sésamo tostadas

Almuerzo
Ensalada de maíz y garbanzos
Salteado de pasta
Puerros a la pimienta
Ensalada de calabacín
Condimento de alga dulse

Cena
Consomé depurativo (II)
Quiche de pimientos y olivas
(EL LIBRO DE LAS PROTEÍNAS VEGETALES)
Mermelada de zanahoria y boniato
Cebada con arroz
Ensalada multicolor
(LA NUEVA COCINA ENERGÉTICA)
Germinados de alfalfa

JUEVES

Desayuno
Licuado de zanahoria y manzana
Crema de arroz y cebada
Semillas de sésamo

Almuerzo
Sopa de rabanitos
Espaguetis a la mediterránea
(ALGAS, LAS VERDURAS DEL MAR)
Mermelada de zanahoria
Ensalada de seitán macerado
(ALGAS, LAS VERDURAS DEL MAR)
Berros escaldados

Cena
Ensalada veraniega de lentejas
(EL LIBRO DE LAS PROTEÍNAS VEGETALES)
Cebada con arroz
Escarola salteada con champiñones
Nabos a la plancha
Germinados de alfalfa

para depurar

VIERNES	SÁBADO	DOMINGO

Desayuno
Licuado de zanahoria, remolacha y manzana
Pan integral con mantequilla de cebolla
Germinados de alfalfa

Almuerzo
Quinoa con zanahorias
Acelgas con pasas, ajo y perejil
Condimento de alga nori
Guisado de alcachofas con tempeh
(El libro de las proteínas vegetales)
Ensalada de col china al sésamo

Cena
Consomé depurativo (III)
Quinoa con zanahorias
Mantequilla de remolacha y cebolla
Tofu braseado
(La nueva cocina energética)
Ensalada de arame y judías verdes a la vinagreta

Desayuno
Crema de arroz
Semillas tostadas de girasol
Infusión de menta

Almuerzo
Arroz con cebada
Ensalada de hinojo con garbanzos
Mermelada de calabaza y cebolla
Salteado corto al curry
Verdura verde con wakame
(Algas, las verduras del mar)

Cena
Crema de espárragos
(La nueva cocina energética)
Espaguetis a la oriental
(La nueva cocina energética)
Tofu hervido
Ensalada de diente de león
Verduras a la plancha

Desayuno
Té verde
Manzanas al vapor

Almuerzo
Paella de verduras con seitán y tofu ahumado
Estofado de setas y alcachofas
Ensalada crujiente con arame
(Algas, las verduras del mar)
Mousse de naranja

Cena
Crema de apio
(La nueva cocina energética)
Arroz
Verduras al ajillo
(Algas, las verduras del mar)
Puerros a la vinagreta
Brécol con crema de tofu y piñones
(El libro de las proteínas vegetales)
Germinados de alfalfa

* Las recetas que aparecen en este libro están indicadas en color.

Errores a tener en cuenta

Podemos seguir estas sugerencias durante varias semanas y observar los cambios que se van produciendo a todos los niveles de nuestro ser. Poco a poco nos sentiremos con más **paz, sosiego** y **equilibrio**. Puede que ya no nos encoleciceramos tan a menudo, que nos levantemos más alegres, abiertos y sociables que antes, que notemos la ropa más holgada o que nos tomemos la vida con más tranquilidad, flexibilidad y apertura, sin tener que controlarlo todo. Pero, aunque es estupendo poder sentirnos así, debemos ir con cuidado para no pasar por el centro del equilibrio energético y continuar hacia el otro lado. Si empezamos a sentirnos desorientados, dispersos; nos cuesta concentrarnos, leer, estudiar o trabajar en un proyecto con objetividad; empezamos a perder el apetito y nos sentimos más melancólicos y lentos, significa que nos hemos sobrepasado.

Especialmente si hemos decidido experimentar la dinámica energética de depurar durante los meses fríos de otoño e invierno (más Yin), cuando nuestra condición superficial puede cambiar muy rápidamente.

> «El mundo es como una olla y el corazón una cuchara;
> según como la muevas, la comida te saldrá bien o mal.»
>
> PROVERBIO ZEN

do cargado, y son muy impacientes. Desean perder peso en varias semanas y esto no es posible. Si lo que se desea es un cambio total a largo plazo hay que ser perseverante, y tener paciencia y entusiasmo.

Es posible que al principio del cambio se pierdan unos kilos (los más superficiales, el exceso de líquido y las grasas más blandas), pero luego parece que el proceso se para y surge la impaciencia, con afirmaciones como «esto no funciona». El proceso de depurar ha empezado y tiene que actuar lentamente en sus diferentes fases. Las grasas más superfluas se pueden eliminar con más facilidad, pero la energía estancada de huevos, quesos salados, embutidos, carnes, etc., es muy lenta en desaparecer.

Esta clase de personas son muy extremas en su forma de pensar y actuar (¡todo o nada!), y lo que normalmente hacen es todo lo recomendado para enfriar y depurar, pero en cantidades extremas, abusando de estas energías. Y, como consecuencia, se crearán un estado exterior o condición superficial Yin pero con energía Yang bloqueada en su interior (tensión, agresividad, acumulación de grasas saturadas y sobrepeso...).

Es importante recordar **que no hay que enfriar ni congelar las grasas saturadas acumuladas**. ¡Hay que diluirlas, pero no congelarlas! Lo congelado es sólido, estático, ¡no se mueve ni fluye!

¿Qué significa «condición superficial»?

Significa que una persona con exceso de energía Yang (estática, densa, sin movimiento...) no cambia rápidamente. Ya hemos visto en otros capítulos la lenta vibración de la energía Yang (muy interior, lenta, profunda, casi estática...) y que esta energía no cambia en semanas o meses. Se ha ido acumulando muy lentamente, y se irá disipando con la misma velocidad.

Las personas con exceso de energía Yang normalmente tienen un exceso de calor, de energía estancada en el interior, con el híga-

¿Cuándo depurar?

Si deseamos depurar o enfriar, las mejores épocas del año son la primavera y el verano, cuando el cuerpo empieza a abrirse energéticamente, como toda la naturaleza. La puerta energética está abierta; podemos entrar y empezar a limpiar en profundidad. En cambio, en otoño o invierno no tiene sentido hacerlo, ya que es cuando el cuerpo desea cerrarse energéticamente, acaparar exceso, calentar y prepararse para las épocas frías.

¡Depurar durante los meses fríos es actuar en contra de las reglas energéticas universales!

Vivencia interior
para depurar

sta visualización sirve para depurar a todos los niveles de nuestro ser, tanto físico, como mental o emocional. Y puede utilizarse cuantas veces sea necesario. Dispondremos como siempre de tiempo y espacio para nosotros, sin interrupciones. Nos relajaremos un poco antes de empezar el ejercicio.

Nos encontramos en una playa desierta y andamos cerca de la orilla, las olas acuden a mojarnos con suavidad los pies y sentimos su cálida temperatura...

Sentimos el cosquilleo de la arena bajo nuestros pies y el contacto con la Madre Tierra. El Sol luce con un calor delicado y regenerador... La brisa nos acaricia el cuerpo y nos sentimos revitalizados de estar entre la

Reflexiones para la depuración

※ ¿Qué cuerpo necesito depurar? ¿El físico, el mental o el emocional?

※ ¿De qué necesito depurarlo y desbloquearlo?

※ ¿Cómo me he creado este exceso?

※ ¿Qué emociones pasadas todavía necesito depurar?

※ ¿Con quién necesito depurarme?

※ ¿Qué creencias tengo de mí mismo?

※ ¿Qué, cómo y quién bloquea mi vida?

※ ¿Estoy cargando con el exceso de otros?

※ ¿Me identifico demasiado con los problemas de los demás y esto me crea confusión y bloqueo en mi vida?

※ ¿Qué beneficio me aporta cargar con las sombras de los demás?

Sentimos el cosquilleo de la arena bajo nuestros pies y el contacto con la Madre Tierra.
El Sol luce con un calor delicado y regenerador...

Cuando ya no necesitemos colocar nada más en la cesta, buscamos una herramienta para cortar la cuerda. Lo hacemos y vemos cómo el globo, poco a poco, se va elevando majestuosamente hacia el cielo.

El globo va haciéndose más y más pequeño, desapareciendo en la lejanía...

Nos desprendemos sin apego de estas pequeñas partes de nosotros. Las vemos alejarse y les enviamos luz y amor, ya que en un momento dado de nuestra vida fueron necesarias para nuestra evolución.

Dejamos que el elemento aire nos ayude, enviando al globo en la trayectoria más oportuna para su transformación y purificación.

El globo se ha perdido por completo de nuestra vista, ha desaparecido...

El aire acaricia nuestro cuerpo, limpiándolo y purificándolo. El resto de elementos también están aquí para celebrar este proceso: el Sol con su calor vigorizante, el agua con su oleaje tranquilo, la arena tibia por el Sol... Nos sentimos más ligeros, más libres, ¡más cerca de nosotros mismos!

Sugerencias
de forma de vida

- Realizar a diario movimiento físico: andar, bailar, hacer yoga, ir en bicicleta...

- Lograr una vida clara, simple, limpia, sin excesos.

- Incluir los elementos de la naturaleza a diario (Sol, aire, agua y tierra).

- Vivir al día, en el presente.

- Tener muchas plantas en toda la casa.

- Limpiar la casa a fondo y reciclar objetos, ropa, libros y muebles que ya no necesitamos. Visitar todos los rincones de la casa y depurarlos. Utilizar incienso de buena calidad o aceites esenciales.

- Depurar el cuerpo emocional, expresándolo de forma constructiva y positiva: cantando, limpiando a fondo, fregando, corriendo por la playa, cavando en el huerto, tirando piedras al mar...

naturaleza. Sabemos que detrás de unas palmeras muy altas **algo nos está esperando y vamos hacia allá...**

Atado al suelo con una cuerda muy consistente, vemos un globo (de los que sirven para viajar), con una cesta de mimbre muy grande y completamente vacía. Observamos el globo: su forma, sus colores...

Ponemos en la cesta todo lo que ya no nos sirve de nuestra vida: emociones, pensamientos, juicios, apegos, sentimientos pasados o presentes... que todavía llevamos con nosotros pero que no necesitamos.

capítulo 9

Enfriando nuestro cuerpo

Falta de movimeinto energético en la vida

Exceso de peso y grasa. Emociones reprimidas
o actitudes mentales rígidas e inflexibles que alimentan
un volcan interno.

¿De qué forma me autogenero
este exceso de calor y tensión?
¿Es a nivel físico, emocional o mental?
Hay que armonizarlo con el mismo nivel
de vibración al que corresponda.

Alimentos equilibrados para enfriarnos

Verduras y ensaladas

Comer unas cuantas hojas de lechuga en una comida y en otra, una crema de verduras, no significa tomar las verduras que nuestro cuerpo requiere a diario. Y luego nos quejamos, sin comprensión energética, de que estamos todavía muy apegados al azúcar, al chocolate, a los productos de pastelería y a otras chucherías.

La solución es tan sencilla que muy pocas personas la advierten: ¡aumentar la variedad y la cantidad de verduras en cada comida!

Las verduras contienen una gran cantidad de agua, vitaminas y fibra; componentes que tienen el efecto de enfriar y dispersar el calor interior. Sin embargo, hay que prepararlas de forma que nos enfríen, siendo los estilos de cocción más apropiados: prensados, macerados, escaldados, hervidos, salteados rápidos con agua o con un poco de aceite, plancha... o en forma de ensaladas.

Aunque es muy recomendable tomar diariamente una ensalada cruda multicolor, en algunos casos se abusa de ellas, creando a la larga en algunas personas retención de líquidos y cuerpos hinchados sin energía ni vitalidad. Unas verduras escaldadas crujientes nos ofrecerán el efecto de ligereza que buscamos.

La retención de líquidos se origina principalmente por un consumo excesivo de sal o condimentos salados. Éstos producen contracción y bloqueo en los riñones, y les impiden hacer su trabajo con eficiencia. Por esta razón, siempre recomiendo hacer un aliño por separado que incluya diferentes sabores y condimentos en lugar del típico a base de sal cruda, aceite y vinagre.

Las ensaladas frías hervidas o escaldadas durante sólo unos minutos no son muy conocidas, y en ellas preservamos la textura crujiente, las vitaminas, la fibra, los colores y los sabores; propiedades que se intensifican y nos aportan un dulzor que satisfará nuestra necesidad de dulce de buena calidad.

La modalidad de las ensaladas prensadas son muy recomendables para personas con retención de líquidos, intestinos hinchados, gases y digestiones difíciles.

Hierbas aromáticas y especias

Durante las estaciones calurosas podemos colorear y dar sabor a nuestros platos con hierbas aromáticas frescas y especias. Se trata de ingredientes que en cantidades reducidas enfrían porque su energía (de dispersión y vibración muy rápida porque notamos su efecto de inmediato) disipa nuestro calor interior y, por un corto periodo de tiempo, hace que sintamos más calor superficial y sudemos. Al cabo de unas horas de haberse reducido este calor interno sentimos más frío, por lo que habremos enfriado nuestro cuerpo y cumplido el objetivo deseado. Por esta razón se da un consumo tan alto de especias en países calurosos como la India. Aunque, como bien dice el refrán: «Todas las masas pican», y un exceso de especias genera energía de dispersión y desintegración a muchos niveles, no tan sólo de temperatura. ¿Quién no ha sufrido cólicos y diarreas al viajar a la India?

Cereales integrales y proteínas

No podemos olvidarnos de algo tan esencial en nuestra alimentación diaria. Sea la estación que sea, nuestro cuerpo requiere carbohidratos de buena calidad para poderlos transformar en energía. Aunque queramos enfriarnos, todos deseamos estar activos, dinámicos, tener concentración, vitalidad... Y esto requiere un aporte esencial de carbohidratos y proteínas, si bien en lugar de tomar un arroz al horno o un estofado de garbanzos, más bien debamos comer una ensalada de arroz basmati o un paté frío de garbanzos. Los ingredientes son los mismos, pero cambia la forma de cocinarlos.

Las frutas

Los efectos energéticos de las frutas son enfriar y dispersar, precisamente lo que debemos potenciar si queremos enfriarnos interiormente.

Cuando hablamos de «enfriar» nos referimos a...

1. Dispersar, disipar el exceso de calor interior que podemos tener al consumir alimentos que generan este efecto: productos animales con grasas saturadas: carnes, embutidos, huevos, quesos densos y salados, exceso de sal, snacks salados, exceso de fritos, ahumados y horneados (pan galletas, pastelería...)

2. Equilibrarnos en las estaciones calurosas. Apreciar el calor estival sin que nos agobie o nos cree pesadez u otros síntomas. Es posible que ya no tomemos los anteriores alimentos que producen calor interior, tensión o energía profunda y estática, pero todavía no tengamos la suficiente práctica energética para crear, en nuestro laboratorio de salud, la alquimia y los efectos deseados.

3. Producen calor:
- El exceso de pan integral
- Una dieta demasiado rica en cereales integrales y frutos secos
- El exceso de sal en la cocina y en crudo (ensaladas, por ejemplo)
- Los condimentos salados, como salsa de soja, tamari, miso, ciruelas umeboshi...
- Los huevos y los quesos
- Una dieta escasa de frutas y verduras
- Las verduras cocinadas largo tiempo, ¡sin frescura ni dinamismo!
- Y algo muy importante, los estilos de cocción. Si tan sólo usamos presión (para ahorrar tiempo), horno, ahumados y cocciones largas o incluso vapor en exceso, generaremos energía interior, profunda y con calor, muy apropiada para estaciones invernales, pero no para el verano o para enfriarnos.

o más recomendable es utilizar variedad de frutas locales de la stación, aunque tomarlas en exceso durante meses puede cabar provocando un exceso de líquidos en nuestro cuerpo e ncluso su retención.

ay mucha gente que se pasa meses comiendo únicamente fruta que, poco a poco, padece hipotensión, mareos, falta de energía y esmineralización, inflamación de los intestinos, gases, diarrea, epresión... ¡y con el cambio otoñal ya padecen la primera gripe!

a cantidad cambia la calidad

a fruta cruda nos aporta frescor, ligereza y sabor ácido-dulce, ero a la larga no nos aporta la calidad de dulce que ecesitamos. Incluso en verano podemos combinar el uso de ruta cruda con el de la fruta cocida: compotas, al vapor, cremas e frutas... No hace falta consumirlas calientes, sino que pueden omerse fresquitas de la nevera.

ambién podemos tomar licuados de frutas y verduras hechos l momento: zanahoria y manzana, zanahoria, manzana y apio, tcétera.

as verduras del mar

e la misma manera que necesitamos carbohidratos y roteínas, también necesitamos minerales y sus efectos energéticos para mantener nuestro ritmo de actividad en todas las estaciones del año. Especialmente en verano, cuando nuestro cuerpo pierde minerales al sudar y resulta esencial reponerlos a diario.

Las algas o «verduras del mar» son alimentos muy versátiles, que podemos integrar con facilidad en cualquier plato, y que nos proporcionan los minerales necesarios.

El aceite

El aceite crudo enfría, contrariamente al aceite de cocción, que nos genera una energía más profunda y de calor interior. Las semillas y los frutos, que además de aceite nos aportan proteínas de buena calidad, pueden utilizarse para enfriar nuestros platos.

Lo que comemos repercute a todos los niveles de nuestro ser, tanto en el cuerpo físico como en el emocional y el mental. Así pues, podemos reflexionar y observar si nuestras emociones también necesitan enfriarse un poco; si nuestro temperamento es muy colérico, con tendencia a la agresividad y a las ideas rígidas e inflexibles. Puede que estas sugerencias a nivel alimentario nos ayuden a equilibrarnos en muchas otras facetas.

¡Sólo hay que probarlo y ver los resultados!

Recetas para enfriar

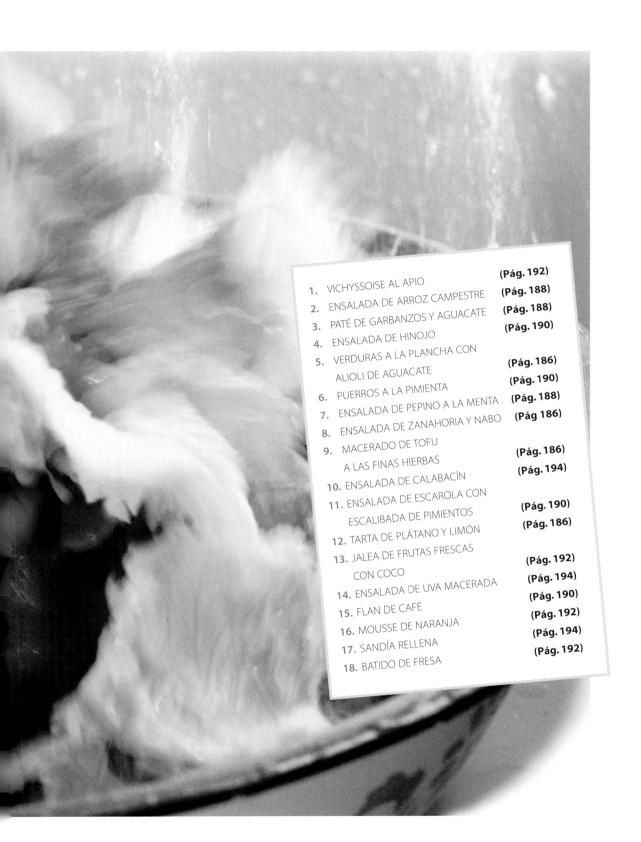

Tarta de plátano y limón

Ingredientes para 3 ó 4 personas
varias rodajas finas de pan germinado dulce ǀ
2 tazas de leche de arroz ǀ 1/2 vaina de vainilla
cortada por la mitad a lo largo ǀ 3-4 cucharadas
de endulzante natural ǀ 1 cucharada de ralladura de limón ǀ 4-5 plátanos maduros, cortados y
rociados con una gotas de limón para evitar que
se ennegrezcan ǀ sal marina ǀ 2 cucharadas de
copos de agar-agar

1. Hervir la leche de arroz con la vainilla, una pizca de sal y los copos de
agar-agar, durante 10 minutos, sin
tapa, a fuego medio-bajo.

2. Con la ayuda de un cuchillo con
punta, raspar todo el polvo de la vainilla y añadirlo al líquido. Retirar la
vaina.

3. Añadir el endulzante, la ralladura de
limón y los plátanos. Hacer puré
completamente.

4. En un recipiente plano de vidrio o
cerámica, colocar un fondo de pan
germinado e, inmediatamente y con
cuidado, el puré o gelatina. Dejar
enfriar en la nevera como mínimo
1 hora. Servir.

También se pueden añadir algunas fresas
antes de hacer puré, para obtener un
color rosado.

Macerado de tofu a las finas hierbas

Ingredientes para 2 personas
1 bloque de tofu fresco cortado a dados medianos ǀ 1 taza de tomates cherry cortados por la
mitad ǀ 1 aguacate cortado a dados y rociado
con zumo de limón ǀ 2 tazas de canónigos ǀ
germinados de alfalfa

Macerado: 1 taza de agua ǀ 3 cucharadas de
salsa de soja ǀ 1 cucharada de vinagre de umeboshi ǀ 1 ajo picado fino ǀ hierbas aromáticas
frescas y secas al gusto ǀ 1 cucharada de mostaza ǀ 1 cucharadita de aceite de sésamo tostado

1. Mezclar los ingredientes para el
macerado en una fuente de cerámica o vidrio, y macerar el tofu durante
3-4 horas (mínimo).

2. Colocar los ingredientes de la ensalada en una fuente grande para servir.

3. Escurrir el tofu e integrarlo a la ensalada. Servir con hierbas aromáticas
frescas.

Ensalada de zanahoria y nabo · Ver tabla págs. 42-43

Ingredientes para 2 personas
3 zanahorias ralladas gruesas ǀ 1 nabo rallado
(añadir unas gotas de jugo de naranja para evitar
que se ennegrezcan) ǀ 2 cucharadas de pasas ǀ
2 cucharadas de semillas de girasol ligeramente
tostadas ǀ germinados de alfalfa

Aliño: 1 cucharada de vinagre de umeboshi ǀ
2 cucharadas de jugo concentrado de manzana ǀ 1 cucharadita pequeña de ralladura de
naranja.

1. Mezclar todos los ingredientes.

2. Hacer el aliño y mezclarlo. Servir.

Verduras a la plancha con alioli de aguacate

Ingredientes para 3 ó 4 personas
champiñones grandes enteros o cortados por la mitad ǀ 2 calabacines cortados a lo largo en tiras ǀ 1 paquete
de remolacha cocida y cortada a rodajas ǀ 2 mazorcas de maíz (frescas)
ǀ 1 manojo de espárragos frescos,
lavados y sin la parte más leñosa

Alioli de aguacate: 2 aguacates
maduros ǀ el jugo de 1/2 limón ǀ
1 cucharada de miso blanco ǀ 1 ajo
picado fino ǀ 2 cucharadas de aceite
de oliva ǀ 1/2 cucharadita pequeña de
pasta de umeboshi

1. Macerar el calabacín en
láminas con una pizca de sal
marina durante 30 minutos.
Lavar, escurrir y secar bien.

2. Hervir las mazorcas de maíz
con una pizca de sal, durante
20 minutos. Retirar y cortar a
trozos.

3. Calentar una sartén grande
o una plancha, añadir aceite
de oliva y hacer a la plancha
las verduras: los champiñones,
las mazorcas, los calabacines, la
remolacha y los espárragos.

4. Elaborar el alioli, haciendo
puré todos sus ingredientes
con la ayuda de un poco de
agua según la consistencia
deseada.

5. Colocar las verduras atractivamente en una fuente.
Decorar con perejil picado
crudo y servir con el alioli.
Servir inmediatamente.

Verduras a la plancha
con alioli de aguacate

Paté de garbanzos y aguacate · Ver tabla págs. 42-43

Ingredientes para 2 ó 3 personas
2 tazas de garbanzos (remojados toda la noche en 6-8 tazas de agua) ǀ 2 tiras de alga kombu ǀ sal marina ǀ 1-2 aguacates maduros troceados y rociados con jugo de limón para que no se ennegrezcan ǀ 1-2 cucharadas de aceite de oliva ǀ 1 limón (zumo) ǀ 1 diente de ajo picado fino ǀ 1 cucharadita de pasta de umeboshi

1. Lavar los garbanzos y colocarlos en la olla a presión, junto con el alga kombu. Cubrirlos totalmente de agua fresca, llevarlos a ebullición sin tapa. Retirar todas las pieles sueltas que puedan estar en la superficie. Tapar y cocer a presión durante 1 hora y media. Si al cabo de este tiempo están ya blandos y cremosos, añadir 1 cucharadita de sal marina y cocinarlos de nuevo 10 minutos.

2. Si hubiera mucho líquido de cocción, retirar un poco y añadir los demás ingredientes para el paté. Hacer puré hasta conseguir una consistencia cremosa. Dejar enfriar.

Ensalada de arroz campestre · Ver tabla págs. 42-43

Ingredientes para 2 ó 3 personas
1 taza de arroz integral basmati ǀ 1 taza de maíz ǀ 3 tazas de lechuga cortada fina ǀ 3 cucharada de pasas de Corinto ǀ 2 zanahorias ralladas crudas ǀ 2 aguacates maduros cortados a dados medianos y rociados con jugo de limón ǀ menta fresca cortada fina

Vinagreta: 1 cucharada de aceite de oliva ǀ 2 cucharadas de vinagre de arroz ǀ 2 cucharadas de jugo concentrado de manzana ǀ 1 cucharadita pequeña de salsa de soja

1. Lavar el arroz y colocarlo en una cazuela junto con 2 tazas de agua, el maíz y una pizca de sal marina. Tapar y llevar a ebullición, reducir el fuego al mínimo y cocer durante 35 minutos. Colocarlo en un recipiente para servir y dejar enfriar.

2. Añadir al arroz la lechuga, las pasas, las zanahorias y los aguacates. Hacer la vinagreta y añadirla a la ensalada.

3. Decorar con menta fresca.

Ensalada de pepino a la menta

Ingredientes para 2 personas
1 pepino con piel cortado a rodajas finas ǀ varias pencas de apio cortado muy finamente ǀ 1 manojo de rabanitos cortados finos ǀ 2 tiras de alga wakame (remojada 2-3 minutos y cortada fina) ǀ menta fresca ǀ sal marina

Aliño: 1 cucharada de vinagre de arroz ǀ 3 cucharadas de jugo concentrado de manzana ǀ 1 cucharada de aceite de oliva

1. Cortar todas las verduras muy finamente y añadir 1 cucharadita de sal marina. Mezclar con cuidado.

2. Colocar las verduras en un recipiente hondo y poner encima un plato y un peso. Prensarlas como mínimo 2-3 horas.

3. Lavarlas bien, para que la sal desaparezca. Escurrirlas y colocarlas en una fuente.

4. Añadir el alga wakame, la menta fresca y el aliño. Servir.

Ensalada de pepino
a la menta

Ensalada de hinojo

Ingredientes para 2 ó 3 personas
1/2 escarola bien lavada y troceada | 1 hinojo cortado fino | 2 zanahorias lavadas y ralladas | 1/2 taza de maíz cocido | 1 manojo de berros troceados | 2 cucharadas de pasas de Corinto | aceitunas negras | menta fresca picada fina | zumo de limón

Vinagreta: 2 cucharadas de vinagre balsámico | 1 cucharada de mostaza | 2 cucharadas de aceite de oliva | 1/2 cucharadita de pasta de umeboshi o una pizca de sal marina | 2 cucharadas de endulzante natural (melaza)

1. Rallar las zanahorias y añadirles unas gotas de zumo de limón para que no se ennegrezcan.

2. Mezclar los ingredientes de la ensalada en una fuente. Añadir el aliño justo antes de servir.

Puerros a la pimienta

Ingredientes para 2 personas
6 puerros cortados en trozos de unos 5 cm | sal marina | 2 hojas de laurel | perejil picado

Vinagreta: 1 cucharada de aceite de oliva | una pizca de pimienta de Cayena | 1 cucharada de vinagre de arroz | 2 cucharadas de jugo concentrado de manzana | 1 cucharada de miso blanco

1. Colocar los puerros en una cazuela ancha, junto con un fondo de agua, una pizca de sal marina y el laurel.

2. Tapar y cocer a fuego medio durante 15-20 minutos. Colocarlos en una fuente.

3. Preparar la vinagreta y añadirla a los puerros.

4. Decorar con perejil. Servir.

Ensalada de escarola con escalibada de pimientos

Ingredientes para 2 personas
1/3 de escarola lavada y cortada a trozos medianos | 1 pepino cortado a dados | 1 zanahoria rallada (rociada con unas gotas de jugo de limón para evitar que se ennegrezca) | 2 pimientos (uno verde y uno rojo, escalibados, pelados, lavados y cortados a tiras finas) | 1 tira de alga wakame (remojada 2-3 minutos y cortada a trozos pequeños) | hojas de albahaca fresca

Aliño: 1 ajo picado fino | 2 cucharadas de miso blanco | 1 cucharadita de aceite de sésamo tostado | 3 cucharadas de jugo concentrado de manzana

1. Colocar en una ensaladera todos los ingredientes de la ensalada. Hacer el aliño y agregarlo al momento de servir.

Flan de café

Ingredientes para 2 personas
1 1/2 tazas de leche de arroz | 3-4 cucharadas de café de cereales | endulzante natural al gusto (unas 4 cucharadas) | 1/2 cucharadita de canela en polvo | una pizca de sal marina | 1 cucharada de mantequilla de cacahuete | 2 cucharadas de copos de agar-agar | 2 cucharadas de pasas

1. Calentar todos los ingredientes (menos las pasas de Corinto) y dejar cocer a fuego lento durante 10 minutos.

2. Batir para integrar bien la mantequilla de cacahuete. Colocar en flaneras individuales o una grande. Repartir las pasas. Dejar enfriar 1-2 horas como mínimo. Servir.

Ensalada de escarola
con escalibada de pimientos

Vichyssoise al apio

Ingredientes para 2 ó 3 personas
2 puerros medianos cortados finos | 5-6 pencas de apio tierno cortado fino | 1 nabo cortado a rodajas finas | 1 taza de leche de arroz | aceite de oliva | sal marina | 2 cucharadas de miso blanco | pimienta blanca

1. Saltear los puerros con un poco de aceite de oliva y una pizca de sal marina, durante 5-7 minutos, sin tapa.

2. Añadir el nabo y el apio, y agua que cubra 1/3 del volumen de las verduras. Tapar y cocer a fuego medio durante 15 minutos.

3. Hacer puré y rectificar de líquido añadiendo leche de arroz al gusto. Añadir el miso blanco y la pimienta al gusto. Dejar enfriar y consumir.

Mousse de naranja

Ingredientes para 2 personas
2 1/2 tazas de jugo natural de manzana | una pizca de sal marina | 4 cucharadas de endulzante natural | 4 cucharadas de jugo concentrado de manzana | 4 cucharadas de copos de agar-agar | 1 cucharada de ralladura de naranja

1. Hervir todos los ingredientes sin tapa (menos la ralladura) a fuego lento durante 10 minutos.

2. Colocar el líquido en un recipiente de cerámica o vidrio. Dejar enfriar hasta que se haya solidificado.

3. Cortarlo a trozos y pasarlo por la batidora, con un poco de jugo de manzana, hasta conseguir una consistencia espesa. Añadir la ralladura. Dejar enfriar en la nevera. Servir.

Jalea de frutas frescas con coco

Ingredientes para 3 ó 4 personas
2 tazas de fresas cortadas a cuartos | 3 melocotones maduros cortados a trozos pequeños | 1 cucharadita de ralladura de naranja | 3-4 cucharadas de coco rallado | 2 tazas de leche de arroz | sal marina, endulzante natural al gusto | 3 1/2 cucharadas de copos de agar-agar

1. Calentar la leche de arroz con una pizca de sal marina, los copos de agar-agar y endulzante al gusto. Cocer, sin tapa y a fuego lento, durante 10 minutos. Añadir el coco rallado. Colocar una gota en un plato y esperar unos minutos para ver si se solidifica y tiene consistencia de jalea. Si no fuera así, añadir otra cucharada de copos de agar-agar.

2. Colocar la fruta mezclada en un recipiente plano de cerámica o de vidrio.

3. Verter encima con cuidado el líquido de gelatina con la ralladura. Dejar enfriar como mínimo 1 hora. Servir.

Batido de fresa

Ingredientes para 2 personas
2 tazas de fresas cortadas a cuartos | 2 plátanos | 2 tazas de leche de arroz | una pizca de sal marina

1. Batir todos los ingredientes. Enfriar servir.

Se pueden utilizar otras frutas dulces maduras en lugar de las fresas.

Jalea de frutas frescas
con coco

Ensalada de calabacín

• Ver tabla págs. 42-43

Ingredientes para 2 personas
2 calabacines cortados finos a medias rodajas |
lechuga roja y lechuga verde | 6-8 rabanitos cortados finos | varios tomates cherry cortados por la mitad | 2 cucharadas de alcaparras

Aliño: 1 cucharada de mostaza | 1 cucharada de aceite de oliva | 2 cucharadas de vinagre de arroz | 2 cucharadas de miso blanco | 1 cucharada de melaza (miel de arroz)

1. Mezclar todos los ingredientes de la ensalada.

2. Preparar el aliño, integrarlo a la ensalada y servir.

Ensalada de uva macerada

Ingredientes para 3 ó 4 personas
Varios racimos de uva dulce (negra y blanca) | sal marina | 2-3 cucharadas de jugo concentrado de manzana | 2 cucharadas de endulzante natural | 1 rama de canela

1. Desgranar las uvas y cortarlas por la mitad. Colocarlas en una fuente de cerámica o de vidrio.

2. Añadir una pizca de sal, los endulzantes y la canela. Mezclar bien y dejar macerar en la nevera durante 2-3 horas como mínimo. Servir.

Sandía rellena

Ingredientes para 3 ó 4 personas
2 melocotones | 2 naranjas | 12 frambuesas | 1 manojo de cerezas | 2 peras | 1/2 sandía | una pizca de sal marina | 2-3 cucharadas de endulzante natural | 2-3 cucharadas de jugo concentrado de manzana | 1/2 vasito de vino dulce

1. Vaciar la sandía con cuidado con una cucharilla y formar bolitas quitándole las pepitas.

2. Colocar las bolitas de sandía en un recipiente de cerámica o vidrio.

3. Cortar los melocotones, las naranjas y las peras a trozos medianos y colocarlos con la sandía. Añadir las frambuesas y las cerezas, junto con los demás ingredientes.

4. Mezclar bien y dejar macerar 1-2 horas como mínimo.

5. Rellenar la sandía en el momento de servir.

Otras recetas simples que enfrían

LA NUEVA COCINA ENERGÉTICA

· Crema de champiñones
· Crema de apio
· Crema fría de remolacha
· Crema de espárragos
· Crema de coliflor
· Nabos al vapor
· Champiñones al ajillo
· Puerros a la vinagreta
· Ensalada con hierbas aromáticas
· Ensalada de pimientos
· Ensalada waldorf
· Ensalada de berros
· Ensalada verde con champiñones
· Ensalada multicolor
· Ensalada oriental de wakame
· Tarta de fresas
· Mousse de limón
· Batido de frutas
· Peras al limón

EL LIBRO DE LAS PROTEÍNAS VEGETALES

· Tofu macerado
· Brécol con crema de tofu y piñones
· Ensalada de remolacha y tofu ahumado
· Mayonesa de tofu a la mostaza
· Tempeh a la plancha con salsa de remolacha
· Macedonia de frutas con almendras al caramelo
· Crema fría de verduras con almendras

ALGAS, LAS VERDURAS DEL MAR

· Tempeh a la mostaza
· Crema fría de garbanzos
· Tempeh con champiñones
· Ensalada de seitán macerado
· Ensalada griega al tofu
· Pasta con salsa verde
· Ensalada de espárragos y brécol
· Tomates rellenos con dulse y quinoa
· Revuelto de espárragos y alga dulse
· Ensalada refrescante
· Macarrones estivales con dulse
· Ensalada de alga dulse a la menta
· Ensalada de fruta y alga dulse
· Espaguetis a la mediterránea
· Melón sorpresa
· Ensalada de algas a la vinagreta
· Corona de frutas frescas
· Jalea fría de melón y plátano
· Tarta de kiwi

Sandía rellena

Ejemplo de menú semanal

LUNES

Desayuno:
Licuado de zanahoria
Crema de arroz a la vainilla
Semillas de sésamo tostadas

Almuerzo:
Vichyssoise al apio
Ensalada de arroz
Paté de garbanzos y aguacate
Puerros a la pimienta

Cena:
Salteado rápido de arroz con verduras
Mermelada de calabaza y cebolla
Ensalada de pepino a la menta
Macerado de tofu a las finas hierbas

MARTES

Desayuno:
Manzanas maceradas con fresas y kiwi

Almuerzo:
Macarrones con seitán
(La nueva cocina energética)
Ensalada de hinojo
Mermelada de cebolla y remolacha
Salteado corto al curry

Cena:
Crema de ortigas
Arroz
Verdura a la plancha con alioli de aguacate
Ensalada de zanahoria y nabo
Tempeh a la plancha
(El libro de las proteínas vegetales)

MIÉRCOLES

Desayuno:
Licuado de zanahoria, manzana y apio
Crema de quinoa
Nori tostada

Almuerzo:
Ensaladilla de cebada
Ensalada de escarola con escalibada de pimientos
Ensalada de maíz y garbanzos
Alcachofas al limón

Cena:
Sopa de rabanitos
Revoltillo de tofu y calabaza
(El libro de las proteínas vegetales)
Cebada con maíz
Ensalada de apio, nabo y maíz
Brécol hervido

JUEVES

Desayuno:
Licuado de zanahoria y remolacha
Pan integral con mantequilla de cebo

Almuerzo:
Arroz con alcachofas al curry
Estofado de tofu al tomillo
Escaldado de zanahoria
Ensalada de germinados con arame
(Algas, las verduras del mar)

Cena:
Crema de champiñones
(La nueva cocina energética)
Salteado rápido de pasta con verdura
(La nueva cocina energética)
Ensalada de diente de león
Mermelada de zanahoria
Seitán a la plancha

* Las recetas que aparecen en este libro están indicadas en color.

para enfriar

VIERNES	SÁBADO	DOMINGO

Desayuno:
Compota de manzana y pera
Semillas de calabaza tostadas

Almuerzo:
Quinoa con verduras
Mermelada de cebolla y chirivia
Tempeh a la plancha
Ensalada de berros y endibias

Cena:
Crema fría de remolacha
(LA NUEVA COCINA ENERGÉTICA)
Arroz
Ensalada de col china
Champiñones con arame y brécol
(LA NUEVA COCINA ENERGÉTICA)
Paté de lentejas
(EL LIBRO DE LAS PROTEÍNAS VEGETALES)

Desayuno:
Crema de cebada y arroz
Semillas de girasol tostadas
Té verde

Almuerzo:
Crema de coliflor
(LA NUEVA COCINA ENERGÉTICA)
Paella rápida de verduras
(LA NUEVA COCINA ENERGÉTICA)
Quiche de pimientos y olivas
(EL LIBRO DE LAS PROTEÍNAS VEGETALES)
Salteado de brécol y espárragos
Ensalada de alga dulse a la menta
(ALGAS, LAS VERDURAS DEL MAR)

Cena:
Tagliatelli con salsa verde
(LA NUEVA COCINA ENERGÉTICA)
Salteado rápido de zanahorias
con seitán
Mermelada de zanahoria y boniato
Ensalada dulce de remolacha

Desayuno:
Compota de manzana
Pan integral
Infusión de menta

Almuerzo:
Fideos a la cazuela con tempeh
(EL LIBRO DE LAS PROTEÍNAS VEGETALES)
Alcachofas al pesto
(LA NUEVA COCINA ENERGÉTICA)
Verduras a la plancha
Ensalada de verano con hiziki
(ALGAS, LAS VERDURAS DEL MAR)

Cena:
Crema de espárragos
(LA NUEVA COCINA ENERGÉTICA)
Cebada con arroz
Estofado de tofu
Acelgas con pasas, ajo y perejil
Mantequilla de zanahoria

Errores
a tener en cuenta

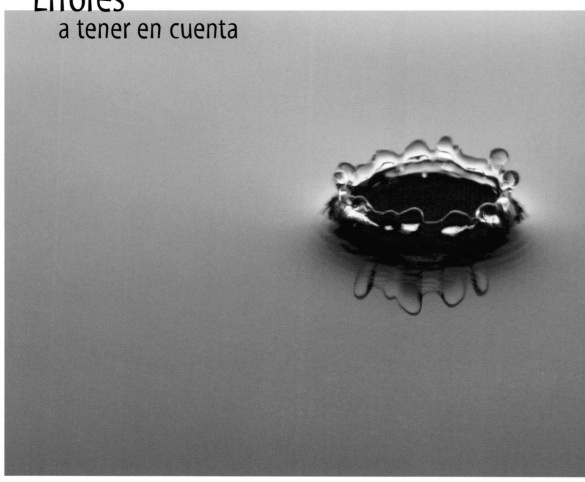

odemos seguir todas estas sugerencias durante varias semanas, e ir observando el cambio que se va realizando a todos los niveles de nuestro ser. Poco a poco nos iremos sintiendo con más **paz, sosiego y equilibrio**. Puede que ya no nos encolericemos tan a menudo, que nos levantemos más alegres, abiertos y sociables que antes, o que nos tomemos la vida con más tranquilidad, flexibilidad y apertura.

Es estupendo podernos sentir de esta forma, pero tenemos que ir con cuidado de no pasar por el centro del equilibrio energético y continuar hacia el otro lado.

Si empezamos a sentirnos desorientados, dispersos, nos cuesta

---

En los meses fríos, nuestra condición superficial puede cambiar muy rápidamente.

---

concentrarnos, leer, estudiar, trabajar en un proyecto con objetividad, empezamos a perder el apetito y nos sentimos más melancólicos y lentos, significa que nos hemos sobrepasado. Especialmente, si cuando hemos decidido empezar a experimentar la dinámica energética de enfriar, es en los meses fríos de otoño e invierno (más Yin).

Hay que ir con mucho cuidado en los meses fríos, pues nuestra condición superficial puede cambiar muy rápidamente.

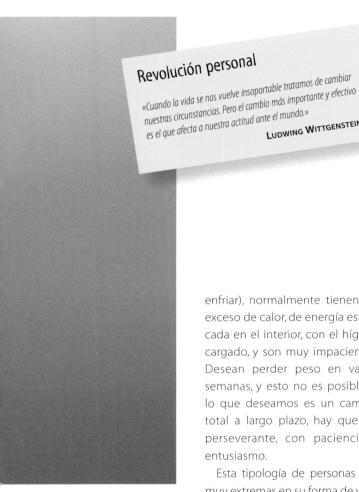

Revolución personal

«Cuando la vida se nos vuelve insoportable tratamos de cambiar nuestras circunstancias. Pero el cambio más importante y efectivo es el que afecta a nuestra actitud ante el mundo.»

LUDWING WITTGENSTEIN

¿A qué me refiero al decir «condición superficial»?

A que una persona con exceso de energía Yang (estática, densa, sin movimiento...) no cambia rápidamente. Ya hemos estudiado en otros capítulos, la lenta vibración de la energía Yang (muy interior, lenta, profunda, casi estática...), esta energía no cambia en varias semanas o meses. Se ha ido acumulando muy lentamente, y se irá disipando con la misma velocidad.

Personas con exceso de energía Yang (que deseen depurar, enfriar), normalmente tienen un exceso de calor, de energía estancada en el interior, con el hígado cargado, y son muy impacientes. Desean perder peso en varias semanas, y esto no es posible, si lo que deseamos es un cambio total a largo plazo, hay que ser perseverante, con paciencia y entusiasmo.

Esta tipología de personas son muy extremas en su forma de vida, pensar y actuar. ¡O todo o nada! Ante todo, harán y tomarán todo lo recomendado para enfriar y depurar, y en cantidades extremas, abusando de estas energías. Y entonces, como consecuencia, se crearán un estado exterior o condición superficial Yin, pero en el interior todavía tendrán una energía Yang bloqueada (tensión, agresividad, acumulación de grasas saturadas y peso...). También hay que mencionar que es importante **no enfriar ni congelar** las grasas saturadas acumuladas en forma de peso. ¡Hay que diluirlas, disiparlas pero no congelarlas!

También, en todo proceso de cambio hay que ser compasivo hacia uno mismo, ir jugando poco a poco con el baile energético. Muchas personas, especialmente con mentes fuertes, intentan imponer al cuerpo físico y al emocional cambios demasiado dramáticos que no podrán seguir a largo plazo, sintiéndose luego desanimados y culpables. Hay que tener constancia y paciencia. Repito: **las mismas acciones generan las mismas reacciones** *(ver pág. 123)*. ¿Estamos, pues, listos para practicar y experimentar nuevas formas de alimentarnos?

Vivencia interior
para enfriar

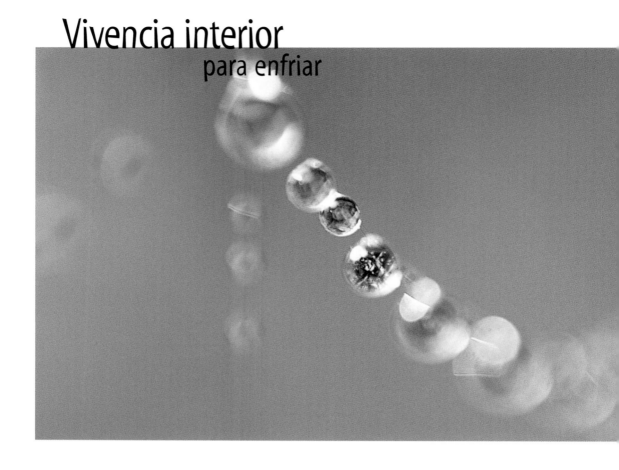

Según cómo nos encontremos podemos visualizar con el método directo (enfrentarnos con lo que nos produce calor) o con el método de cura (apaciguarnos con elementos que enfríen).

Método directo

Encontrarnos y sentir nuestro volcán interior.

Sentir su fuerza, energía, estallidos y explosiones.

¿En qué zona del cuerpo está mi volcán? ¿Con qué se alimenta este volcán? ¿Qué clase de suministro estoy dándole para que produzca estas explosiones y calor desmesurado?

¿Es un exceso de suministro con respecto a la **comida**, las **emociones**, las creencias y los **hábitos**?

Reflexiones para enfriarnos

✳ ¿Cómo me estoy produciendo este exceso de calor y tensión?

✳ ¿De dónde procede? ¿Del nivel físico, emocional o mental?

✳ ¿Por qué interiorizo, cierro y bloqueo mis emociones?

✳ ¿Qué, cómo y quién me roba libertad en mi vida?

✳ ¿Por qué me siento en una prisión? ¿Cómo puedo salir de ella?

✳ ¿Qué formas de crearme libertad tengo en mi vida?

✳ ¿Me siento contento y realizado con lo que hago en mi vida?

✳ ¿A quién quiero engañar?

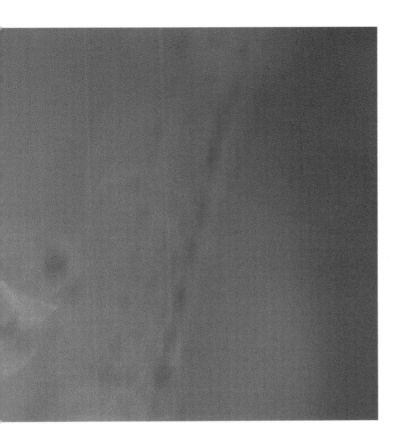

Sugerencias
de forma de vida

* Pasar todo el tiempo disponible al aire libre; en lugares abiertos, altos, donde se pueda respirar aire puro y sentirse libre.

* Encontrar formas constructivas de expresar lo que sentimos, con creatividad.

* Profundizar en nuestro cuerpo emocional.

* Pasear por la noche a la luz de la luna.

* Utilizar colores en nuestra ropa y decoración que relajen y enfríen.

* Tener las ventanas abiertas muy a menudo.

* Encontrar la forma de reducir el estrés y las responsabilidades en nuestra vida.

¿Qué mensaje desea comunicarme con sus aullidos y estallidos?

¿Cómo puedo apaciguarlo, darle la atención que se merece y escuchar lo que desea?

Podemos incluso pintar este volcán, verlo delante de nosotros de forma más real, para efectuar el proceso con mayor profundidad.

Método de cura

Utilizar el elemento agua para calmar y enfriar nuestro fuego interior.

Podemos utilizar el elemento agua de la forma que creamos más oportuna para nosotros. Hay muchas maneras de presentarse el agua: una cascada, una ducha, el mar, un riachuelo, la lluvia, el granizo, una piscina, una presa de agua... Es importante que el agua fluya, se mueva.

Podemos estar debajo de una cascada, por ejemplo, y sentir cómo cada gota de agua nos va relajando, enfriando, depurando de excesos a muchos niveles. Primero a nivel superficial pero luego, poco a poco, este proceso de depuración y limpieza se va haciendo más profundo y nos sentimos en armonía con todo lo que nos rodea. Más abiertos, relajados, humildes y con emociones sosegadas.

«Las gotas de lluvia besan la tierra y le murmuran: 'Somos tus pequeños que te añoramos, madre, y volvemos a ti desde el cielo'.»

RAVINDRANATH TAGORE

capítulo 10

Activando nuestro cuerpo

Falta de motivación y dinamismo en la vida
para encontrar su vocación o lo que le hace vibrar.
Su verdadera **pasión** y **chispa**.

Aunque a veces no es debido a carencia de energía,
sino a un estancamiento de ella.

Activándonos

El concepto de «activar» puede sonar muy ambiguo o novedoso, por lo que no es extraño preguntarse:

· **¿Qué significado energético nos sugiere la palabra «activar»?**
· **¿De qué forma podemos intuir la necesidad de nuestro cuerpo de activación y movimiento?**
· **¿En este mundo de estrés, movimiento constante y viajes ultrasónicos, ¿necesitamos realmente activarnos más?**

Es posible que este concepto resulte contrario a las necesidades de la vida de hoy, pero su significado es más profundo ¡y va más allá de lo que su palabra nos puede inspirar!

Por supuesto que activar implica movimiento, pero movimiento interno de la energía, fluir con armonía y equilibrio, **no con histerismo caótico y sin control de la vida moderna**.

Puede que nuestra energía interna esté parada, apalancada, estancada, y nos sintamos:

■ Pesados, lentos, saturados, con exceso de peso y calor interior, sin ganas de fluir en la vida... A nivel energético, con exceso de Yang interior. La causa es una alimentación con exceso de proteína animal, grasas saturadas, horneados y sal.

■ Frágiles, sin fuerzas, sin confianza en nosotros mismos, con frío interno, depresivos, sin ganas de crear ni de emprender ninguna aventura. Estamos apáticos interiormente porque hay una energía Yin estancada, sin movimiento. La causa se encuentra en una alimentación pobre y con exceso de azúcar, estimulantes, alcohol, crudos, frutas y líquidos.

En ambos casos, la energía vital necesita movimiento, activación y fluidez, pero para llegar a nuestro objetivo emprenderemos el camino más acorde a nuestro caso.

En el primer caso se necesitaría activar y enfriar; en el segundo, activar y calentar.

Cuando nos introdujimos en la cocina energética vimos que lo primero que debíamos hacer era enten-

---

Activar por medio de enfriar y diluir la energía estancada por exceso

«Activar» es sinónimo de 'movimiento', 'dinamismo' y 'fluidez' entre dos polos energéticos opuestos. Algunas sugerencias para la cocina diaria son las siguientes:

1. Eliminar alimentos y formas de cocción que generan provocan pesadez y estancamiento, como un exceso de proteína animal y grasas saturadas, horneados, ahumados, sal cruda, snacks salados...
2. Añadir plantas aromáticas frescas en el momento de servir.
3. Utilizar especias picantes que enfrían, como pimienta, mostaza, ajo, curry...
4. Utilizar el sabor ácido con vinagre de buena calidad, cítricos...
5. Dar énfasis a una mayor cantidad y variedad de verduras; especialmente las de hoja verde, así como a las ensaladas y frutas locales de la estación.

6. Hacer uso de estilos de cocción con movimiento (llama alta y viva):
   · Salteados rápidos
   · Hervidos cortos (3-5 minutos)
   · Escaldados
   · Tempuras
   · Fritos de verduras
7. Utilizar también estilos de cocción que enfríen y disuelvan el estancamiento por exceso: ensaladas crudas, macerados con hierbas aromáticas y picantes, germinados...
8. Usar el aceite con moderación y más bien en crudo. Podemos utilizar aceite de sésamo, que es menos graso que el de oliva.
9. Seguir sugerencias parecidas a las del capítulo «Depurar».

Activar por medio de calentar y mover la energía estancada por deficiencia

Algunas sugerencias para aplicar en la cocina diaria son las siguientes:

1. Eliminar alimentos y formas de cocción que provocan falta de energía y movimiento, como un exceso de azúcares, estimulantes, productos de pastelería, alcohol, crudos, frutas tropicales y líquidos.
2. Utilizar en la cocina diaria variedad de ingredientes que nos refuerzan, nutren y centran: cereales integrales, algas, leguminosas, verduras de raíz, pescado, semillas y frutos secos.
3. Utilizar estilos de cocción con movimiento, pero de duración más larga. Lograremos la activación profunda con:
   - Salteados cortos de verduras y proteínas
   - Salteados cortos de verduras y algas
   - Salteados largos de verduras de raíz y jengibre
   - Combinación de dos estilos de cocción: primero, rehogado; y segundo, estofado.
   - Estofados de verduras con proteínas y algas
   - Fritos y tempuras de verduras, proteína vegetal o pescado
   - Platos de proteína vegetal y/o pescado con especias, hierbas aromáticas, barbacoas
   - Verduras al horno con especias y plantas aromáticas
   - Aliños (especias y plantas aromáticas) de polaridad opuesta
4. Utilizar especias que calienten para crear movimiento con calor: canela, jengibre, nuez moscada y clavo.
5. Utilizar plantas aromáticas secas en cocciones largas y frescas en el momento de servir.
6. El uso adecuado de condimentos salados (sal marina, miso, salsa

de soja), complementados con la polaridad de condimentos que dispersen (especias que calienten, ralladura de cítricos, hierbas aromáticas...).
7. El uso del aceite con prioridad en cocciones largas.

A otro nivel y todavía observando la energía de «activar», podemos reflexionar si en nuestra vida nos sentimos activos, dinámicos y vitales.

---

der los efectos de los ingredientes, pero además debemos experimentar con la preparación de los alimentos. Esto es algo que no se considera importante, y mientras mezclamos sabores, colores y texturas para que nuestro plato resulte apetecible, no reparamos en el resultado energético del mismo.

Un factor muy importante son los estilos de cocción, ya que cada uno de ellos aporta una energía y un efecto diferente. El juego alquímico entre fuego, tiempo, cantidad de agua, condimentos y forma de cortado repercute en su efecto energético final. **A esta alquimia también podemos llamarla «polaridad».**

«Polaridad» significa 'movimiento de energía'»

Si queremos preparar un plato que caliente, refuerce y tenga calor interior, podemos utilizar ingredientes, estilos de cocción y condimentos con dichos efectos, pero necesitaremos un porcentaje mínimo de los efectos contrarios para conseguir polaridad, movimiento, y obtener el efecto deseado. Sin esta pequeña proporción de energías opuestas el plato no fluiría, es decir, estaría estancado y sin vida.

Por el contrario, si deseamos obtener una energía que enfríe, disperse, expanda y diluya, y sólo utilizamos ingredientes, estilos de cocción y condimentos con esta energía, el plato no tendrá el efecto que buscamos.

Recetas para activar y calentar

Revoltillo de garbanzos con ajos tiernos

• Ver tabla págs. 42-43

Ingredientes para 2 ó 3 personas
2 tazas de garbanzos (remojados toda la noche en 6-8 tazas de agua) ┃ 1 tira de alga kombu ┃ sal marina ┃ 1 manojo de ajos tiernos cortados finos (tanto la parte blanca como la verde) ┃ aceite de oliva ┃ salsa de soja ┃ 2-3 cucharadas de piñones ligeramente tostados

1. Lavar los garbanzos, colocarlos en la olla a presión, junto con el alga kombu. Cubrirlos totalmente de agua fresca y llevarlos a ebullición sin tapa. Retirar todas las pieles sueltas que puedan estar en la superficie. Tapar y cocer a presión durante 1 hora y media. Si al cabo de este tiempo están ya blandos y cremosos, añadir una cucharadita de sal marina y cocinarlos de nuevo 10 minutos.

2. Calentar una sartén grande, añadir aceite de oliva, la parte blanca de los ajos tiernos y unas gotas de salsa de soja, saltear sin tapa durante 8-10 minutos.

3. Añadir la parte verde de los ajos tiernos y unas gotas de salsa de soja, saltear constantemente a fuego medio-alto, hasta que su volumen se haya reducido a un tercio.

4. Añadir los garbanzos cocidos y tiernos, mezclar bien con cuidado. Añadir los piñones y servir inmediatamente.

Brochetas de verduras al agridulce

Ingredientes para 2 ó 3 personas
2 mazorcas de maíz ┃ 3 zanahorias ┃ 2 nabos ┃ 2 calabacines (todo cortado a rodajas gruesas) ┃ varios tomates cherry ┃ olivas negras sin hueso ┃ brochetas de madera para las verduras ┃ sal marina ┃ ramitas de romero (opcional)

Salsa agriculce: 1/2 taza de agua ┃ 2 cucharadas de miso blanco ┃ 1 cucharadita de aceite de sésamo tostado ┃ 2 cucharadas de jugo concentrado de manzana ┃ 3 cucharadas de vinagre balsámico o de arroz

1. Hervir las mazorcas con abundante agua y una pizca de sal. El tiempo de cocción dependerá de si son congeladas (4-5 minutos) o frescas (20 minutos). Cuando estén completamente cocidas cortarlas a rodajas gruesas.

2. Hacer el resto de las verduras (a excepción de los tomates cherry) al vapor durante 10 minutos, con una pizca de sal marina.

3. Alternar todas las verduras cocidas, el maíz, los tomates y las olivas en las brochetas. Colocarlas en una fuente plana de horno. Verter la salsa y dejar macerar 30 minutos. Intercalar el romero fresco con las brochetas.

4. En un horno precalentado, calentar las brochetas durante 10 minutos. Verter más salsa encima para que no se sequen. Servir inmediatamente.

Brochetas de verduras
al agridulce

Tempura de perejil

Ingredientes para 2 ó 3 personas
1 manojo de perejil, cortado a ramitas medianas

Tempura: 1/4 taza de harina semi-integral tamizada | una pizca de sal marina | agua con gas | hierbas aromáticas secas al gusto | 1/2 cucharadita de cúrcuma | 1 cucharada de maicena | aceite para freír

Aliño: 1 cucharada de salsa de soja | 1 cucharada de jugo fresco de jengibre (rallado y escurrido) | 2 cucharadas de agua

1. Mezclar los ingredientes de la pasta para la tempura. Ir añadiendo agua con gas hasta obtener una consistencia espesa pero ligera. Enfriar en la nevera 30 minutos.

2. Calentar el aceite en una sartén.

3. Sumergir cada ramita de perejil en la pasta del rebozado e inmediatamente en el aceite caliente. Freír unos minutos, hasta que la masa de harina quede crujiente y dura.

4. Escurrir en un papel absorbente el exceso de aceite y servir inmediatamente con el aliño, para ayudar a digerir el frito.

Con este método se pueden preparar toda clase de verduras crudas: calabacín, berros, calabaza, boniato, zanahoria, remolacha cocida, espárragos, alcachofa, anillos finos de cebolla, etcétera.

Salteado de pasta

Ingredientes para 2 ó 3 personas
1 taza de pasta integral | 2 cebollas cortadas finas | 3 zanahorias cortadas finas al estilo juliana | 1 manojo de brécol cortado en flores pequeñas | 1/2 taza de maíz | 3 cucharadas aceite de oliva | sal marina | salsa de soja | 2-3 cucharadas de aceitunas negras sin hueso | cebollino cortado fino | 1 cucharadita de ralladura de limón

1. Cocer la pasta con abundante agua hirviendo y una pizca de sal durante 7-10 minutos. Lavar con agua fría y escurrir bien.

2. Escaldar el brécol durante unos segundos. Lavar con agua fría y escurrir.

3. Saltear las cebollas con aceite de oliva y una pizca de sal, sin tapa, a fuego medio-bajo durante 10 minutos.

4. Añadir las zanahorias crudas al salteado, junto con el maíz. Saltear 5-7 minutos, añadiendo varias gotas de salsa de soja al gusto.

5. Añadir el brécol escaldado y saltear con fuego medio-alto durante 2-3 minutos más. Integrar las aceitunas y la ralladura de limón. Mezclar bien.

6. Servir caliente con los cebollinos frescos cortados finos.

Salteado de pasta

Salteado rápido de zanahorias y seitán

• Ver tabla págs. 42-43

Ingredientes para 2 ó 3 personas

1 bloque de seitán cortado a tiras finas ┃ 2 cebollas cortadas finas ┃ 3 zanahorias cortadas finas al estilo juliana ┃ 1 cucharada de semillas de sésamo tostadas ┃ 2 cucharadas de aceite de oliva ┃ 1 cucharadita de aceite de sésamo tostado (opcional) ┃ sal marina ┃ 1 cucharada de salsa de soja ┃ 1 cucharadita pequeña de jugo fresco de jengibre (rallado y escurrido)

1. Saltear las cebollas con el aceite de oliva y una pizca de sal, sin tapa, a fuego medio-bajo durante 10 minutos.

2. Añadir las zanahorias junto con el seitán, el aceite de sésamo tostado y la salsa de soja. Saltear constantemente durante 5-7 minutos.

3. Añadir el jengibre fresco y las semillas, mezclar bien y servir caliente.

Salteado rápido de arroz

• Ver tabla págs. 42-43

Ingredientes para 2 ó 3 personas

1 taza de arroz integral de grano medio ┃ 2 cebollas y 2 zanahorias cortadas a dados ┃ 1 manojo de tirabeques enteros ┃ sal marina ┃ aceite de oliva ┃ 1 cucharadita pequeña de jugo de jengibre fresco (rallado y escurrido) ┃ salsa de soja ┃ 2 cucharadas de semillas de sésamo ligeramente tostadas ┃ cebollinos cortados crudos

1. Lavar el arroz y colocarlo en una cazuela, junto con 2 tazas de agua y una pizca de sal marina. Tapar y llevar a ebullición, reducir el fuego al mínimo y cocer durante 35 minutos.

2. Saltear las cebollas con un poco de aceite de oliva, una pizca de sal, sin tapa a fuego medio-bajo durante 10 minutos.

3. Añadir las zanahorias, los tirabeques, 2-3 cucharadas de agua y continuar salteando a fuego medio-alto, durante 5-7 minutos. Condimentar al gusto con unas gotas de salsa de soja y el jengibre.

4. Añadir el arroz cocido y las semillas, mezclar bien. Decorar con cebollinos y servir.

Sopa estofado al curry

Ingredientes para 2 ó 3 personas

3 cebollas cortadas por la mitad ┃ 3 zanahoria ┃ 1 chirivía y 1 nabo (todo cortado a método rodado) ┃ 2 tiras de alga wakame (remojada en 1 taza de agua fría durante 2-3 minutos cortadas a trozos medianos) ┃ 1 boniato cortado a rodajas grandes ┃ 3 cucharadas de aceite d oliva ┃ sal marina ┃ 1 ramita de tomillo 1 cucharada de mugi miso ┃ 3 cucharadas d jugo concentrado de manzana ┃ curry al gusto perejil crudo

1. En una cazuela de fondo grueso sal tear las cebollas con el aceite d oliva y una pizca de sal durante 2-3 minutos, sin tapa.

2. Añadir el resto de las verduras, el alga wakame y su agua de remojo, e tomillo y más agua que casi cubra e volumen de las verduras.

3. Tapar, llevar a ebullición y cocer a fuego lento durante 30 minutos.

4. Diluir el miso con un poco del jug del estofado y añadirlo junto con e jugo concentrado de manzana curry al gusto. Servir caliente con e perejil.

Otras recetas simples que activan y calientan

LA NUEVA COCINA ENERGÉTICA

· Cuscús al curry
· Macarrones al horno
· Pinchitos de tofu y verduras
· Tofu braseado
· Salteado de seitán al estilo chino
· Seitán al curry
· Paella rápida de verduras
· Salteado rápido de pasta y verduras
· Macarrones con seitán
· Estofado de verduras y tofu al curry
· Tempeh rebozado
· Brochetas de tempeh frito con verduras
· Anillos de cebolla y espárragos finos
· Parrillada de verduras
· Chirivías fritas
· Hiziki con ajo y perejil
· Salteado rápido de arame
· Ponche caliente

EL LIBRO DE LAS PROTEÍNAS VEGETALES

· Revoltillo de tofu y calabaza
· Salteado de tofu con choucroute
· Salteado de tofu con arame
· Salteado de espárragos verdes con
  seitán y verduras
· Salteado de endibia, puerro y seitán
· Escalopas de seitán y tofu
· Salteado de seitán con menta
  y naranja
· Tempura de tempeh
· Salteado largo con tempeh
· Salteado corto con tempeh
· Ensalada con tempeh frito
· Manzanas salteadas al sésamo
· Lentejas con tofu frito
· Croquetas de tempeh
· Tempeh al agridulce
· Estofado de azukis al romero

ALGAS, LAS VERDURAS DEL MAR

· Tempeh al agridulce
· Verduras al papillote
· Salteado corto de calabacín y wakame
· Judías verdes a la catalana
· Revueltos de espárragos y alga dulse
· Parrillada de verduras con dulse
· Salteado de verduras con hiziki
· Verduras al ajillo
· Salteado de judías verdes con arame
· Salteado dulse de verduras
· Alga nori y verduras rebozadas
· Udon con caldo de jengibre
· Escudella vegetariana
· Consomé de kombu
· Dulse chips
· Potaje casero
· Guiso de seitán a la canela
· Fideuá rápida con seitán

Ejemplo de menú semanal

LUNES

Desayuno:
Sopa de wakame
Bocadillo con queso de tempeh
y verduras
(El libro de las proteínas vegetales)

Almuerzo:
Salteado rápido de arroz
Estofado largo de zanahorias
Tempura de tofu
Ensalada con arame
(Algas, las verduras del mar)

Cena:
Sopa-estofado al curry
Revoltillo de garbanzos con ajos tiernos
Arroz
Hinojo a la plancha
Verdura verde hervida

MARTES

Desayuno:
Crema de avena y calabaza
Semillas de calabaza tostadas
Nori tostada
Café de cereales

Almuerzo:
Quinoa con maíz
Brochetas de verduras al agridulce
Salteado rápido de zanahorias
con seitán
Mermelada de remolacha y cebolla

Cena:
Salteado de pasta
Algas hiziki con cebolla y nueces
Cocido de verduras con tempeh
(El libro de las proteínas vegetales)

MIÉRCOLES

Desayuno:
Consomé rápido remineralizante
Crema de quinoa
Semillas de sésamo tostadas

Almuerzo:
Sopa de pescado
Lentejas caseras al tomillo
Tempura de perejil
Condimento de nori al jengibre
Ensalada de arroz campestre

Cena:
Sopa de trigo sarraceno al jengibre
Paté de lentejas
Salteado de col verde con wakame
y piñones
Ensalada multicolor hervida
(La nueva cocina energética)

JUEVES

Desayuno:
Bocadillo con paté de tofu y atún
Infusión de regaliz

Almuerzo:
Salteado largo de calabacín con arame
Hamburguesas de mijo con pasas y
alcaparras
Tofu braseado
(La nueva cocina energética)
Verdura verde hervida

Cena:
Crema de calabaza
(La nueva cocina energética)
Arroz con almendras
Guiso de verduras con seitán
Salteado de col verde con wakame
y piñones
Ponche caliente
(La nueva cocina energética)

* Las recetas que aparecen en este libro están indicadas en color.

para activar y calentar

VIERNES

Desayuno:
Crema de trigo sarraceno
Nori tostada
Té con jengibre

Almuerzo:
Arroz frito con salsa de pescado
Judías verdes a la catalana
(ALGAS, LAS VERDURAS DEL MAR)
Cebollas asadas con especias
Ensalada de diente de león a la
mostaza

Cena:
Salteado de seitán con menta
y naranja
(EL LIBRO DE LAS PROTEÍNAS VEGETALES)
Mijo con cebolla
Estofado de calabacín y calabaza
Brécol hervido

SÁBADO

Desayuno:
Crema de mijo con canela
Nori tostada
Semillas tostadas de girasol
Infusión de menta

Almuerzo:
Arroz con cebada
(ALGAS, LAS VERDURAS DEL MAR)
Salteado largo de verduras
al jengibre con almendras
Tempeh al agridulce
(ALGAS, LAS VERDURAS DEL MAR)
Ensalada de espárragos y brécol
(ALGAS, LAS VERDURAS DEL MAR)

Cena:
Tagliatelli con gambas, tofu frito y
aguacate
Judías verdes con ajo y perejil
(LA NUEVA COCINA ENERGÉTICA)
Mermelada de zanahoria y boniato
Verdura verde hervida
Ponche caliente

DOMINGO

Desayuno:
Pan integral con paté de zanahoria
y almendras
(EL LIBRO DE LAS PROTEÍNAS VEGETALES)
Café de cereales con canela

Almuerzo:
Atún con salsa teriyaki
Arroz con alcachofas al curry
Ensalada de apio, nabo y
manzana
Verduras a la plancha con
alioli de aguacate

Cena:
Crema de coliflor
(LA NUEVA COCINA ENERGÉTICA)
Estofado de seitán al vino dulce
Quinoa con calabaza
Salteado de verdura verde con nori
y jengibre
(ALGAS, LAS VERDURAS DEL MAR)

Recetas para activar y enfriar

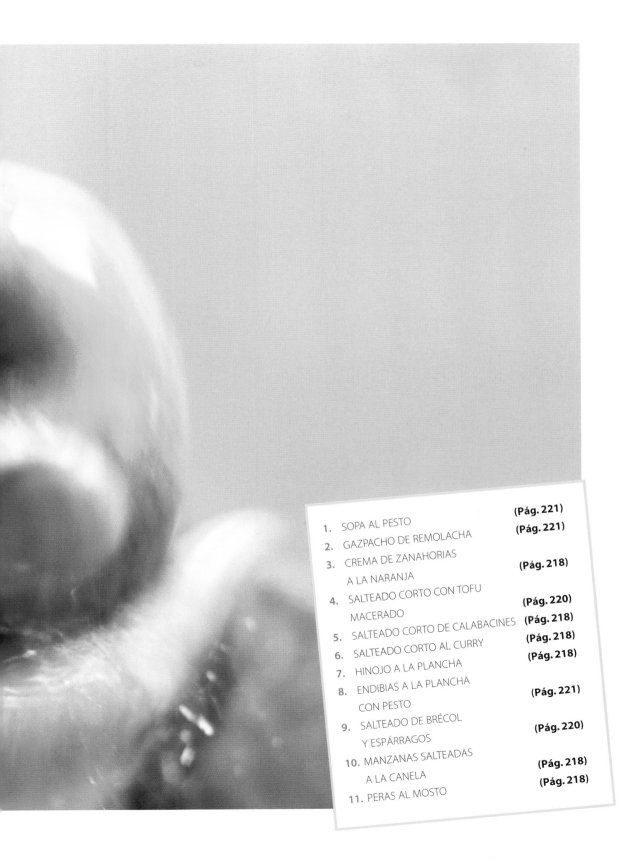

Salteado corto de calabacines

• Ver tabla págs. 42-43

Ingredientes para 2 personas
2 ajos picados finos | 2 tomates maduros, cortados por la mitåd y rallados | 1 hoja de laurel | 4 calabacines cortados a medias rodajas de grosor mediano | 1/2 taza de maíz | 2 cucharadas de aceite de oliva | salsa de soja | sal marina | albahaca fresca

1. En una sartén ancha calentar el aceite y sofreír los ajos durante 1-2 minutos, inmediatamente añadir los tomates rallados, el laurel y una pizca de sal marina.

2. Tapar y cocinar durante 10-12 minutos a fuego lento.

3. Añadir los calabacines y unas gotas de salsa de soja. Saltear a fuego medio-alto durante 5-7 minutos.

4. Apagar el fuego y servir con la albahaca fresca.

Manzanas salteadas a la canela

• Ver tabla págs. 42-43

Ingredientes para 2 personas
4 manzanas, peladas, troceadas y rociadas con un poco de zumo de limón para que no se ennegrezcan | aceite de oliva | sal marina | canela en polvo | endulzante natural | 1 taza de fresas cortadas por la mitad | ramitas de menta fresca

1. Calentar una sartén, añadir el aceite, las manzanas y la pizca de sal marina. Remover constantemente con una buena espátula de madera, durante 4-5 minutos.

2. Añadir al gusto la melaza y la canela. Servir con las fresas y la menta.

Crema de zanahorias a la naranja

• Ver tabla págs. 42-43

Ingredientes para 2 personas
6 zanahorias medianas cortadas a rodajas finas | 3 cebollas cortadas finas a medias lunas | 1 cucharada de ralladura de naranja | 2 cucharadas de aceite de oliva | 1/2 cucharadita de cilantro en polvo | sal marina

1. Saltear las cebollas con el aceite de oliva y una pizca de sal marina, a fuego medio-bajo, sin tapa durante 10-12 minutos.

2. Añadir 2 tazas de agua, las zanahorias y otra pizca de sal marina. Tapar y cocer a fuego medio durante 20 minutos.

3. Hacer puré hasta conseguir una consistencia cremosa. Añadir la ralladura y el cilantro en polvo. Mezclar bien y servir.

Peras al mosto

Ingredientes para 2 personas
2 peras | 2 tazas de mosto (zumo de uva negra) | 3-4 rodajas de naranja | sal marina | melaza de cebada | maíz o miel de arroz | 3-4 clavos | canela en rama | menta fresca

1. Pelar las peras y cortar un poco su parte inferior para evitar que se tambaleen.

2. Colocarlas en una cazuela, añadir el mosto y las rodajas de naranja, una pizca de sal marina, los clavos y la canela. Tapar y cocer a fuego medio-bajo hasta que estén blandas.

3. Servir las peras cocidas y las rodajas de naranja con el jugo.

4. Decorar con menta fresca y servir.

Salteado corto al curry

Ingredientes para 2 personas
1/2 hinojo cortado fino | 1 puerro cortado fino | 2 zanahorias cortadas finas al estilo juliana | 1 manojo de tirabeques | aceite de oliva | sal marina | salsa de soja | 1 cucharada de ralladura de naranja | curry | 2 cucharadas de pasas de Corinto.

1. En una sartén ancha calentar el aceite, añadir los puerros, el hinojo, las zanahorias y una pizca de sal marina, saltear a fuego medio-alto sin tapa, removiendo constantemente hasta que su volumen se reduzca a la mitad, unos 7-10 minutos.

2. Hervir los tirabeques durante 2-3 minutos, lavarlos con agua fría y escurrirlos.

3. Añadir los tirabeques al salteado, junto con unas gotas de salsa de soja, la ralladura de naranja, las pasas y curry al gusto. Servir.

Hinojo a la plancha

Ingredientes para 2 personas
1 hinojo cortado a rodajas finas | aceite de ol | salsa de soja | menta fresca

1. Calentar una sartén grande o un plancha, añadir aceite de oliva hacer a la plancha el hinojo con un gotas de salsa de soja.

2. Colocarlo atractivamente en un fuente. Decorar con menta fresca servir.

Salteado corto
al curry

Salteado corto con tofu macerado

• Ver tabla págs. 42-43

Ingredientes para 2 personas
1 bloque de tofu fresco cortado a dados pequeños | 2 pencas de apio tierno cortado fino | 1 puerro cortado fino | 2 zanahorias cortadas finas al estilo juliana | 1 taza de germinados de soja | 2 cucharadas de aceite de oliva | 1 cucharada de salsa de soja | 1 cucharada de jugo de jengibre fresco (rallado y escurrido) | sal marina | cebollino cortado fino

Macerado: 1 taza de agua | 3 cucharadas de salsa de soja | 1 cucharada de vinagre de umeboshi | varias rodajas de jengibre fresco | hierbas aromáticas frescas y secas al gusto | 1 cucharadita de aceite de sésamo tostado

1. Mezclar los ingredientes para el macerado en una fuente de cerámica o vidrio, y macerar el tofu durante 1-2 horas.

2. En una cazuela ancha calentar el aceite, añadir los puerros, el apio, las zanahorias y una pizca de sal marina, saltear a fuego medio-alto sin tapa, removiendo constantemente hasta que su volumen se reduzca a la mitad (unos 7-10 minutos)

3. Añadir los germinados de soja, el tofu macerado y escurrido, salsa de soja y jengibre al gusto. Mezclar bien, pero con cuidado. Servir con cebollino cortado crudo.

Salteado de brécol y espárragos

Ingredientes para 2 personas
1 manojo de brécol cortado a flores y los tallos tiernos cortados finos | 1 manojo de espárragos frescos (retirar su parte más leñosa), lavados y cortados a trozos de unos 5 cm | 2 ajos picados finos | 2 tomates maduros cortados por la mitad y rallados | 1 hoja de laurel | aceite de oliva | salsa de soja | sal marina | pimienta negra al gusto

1. En una sartén ancha calentar el aceite y sofreír los ajos durante 1-2 minutos, inmediatamente añadir los tomates rallados, el laurel y una pizca de sal marina.

2. Tapar y cocinar durante 10-12 minutos a fuego lento.

3. Hervir el brécol y los espárragos durante 3-4 minutos. Lavarlos con agua fría y escurrirlos bien.

4. Añadir al sofrito el brécol, los espárragos y unas gotas de salsa de soja. Saltear a fuego medio-alto durante 1-2 minutos. Condimentar al gusto con pimienta y servir.

Otras recetas simples que activan y enfrian

LA NUEVA COCINA ENERGÉTICA

· Revoltillo de tofu con maíz
· Tagliatelle verde al pesto
· Judías verdes con ajo y perejil
· Salteado corto de verduras
· Champiñones al ajillo
· Puerros a la vinagreta
· Verduras escaldadas
· Verduras hervidas
· Ensalada verde con champiñones
· Ensalada de zanahoria, nabo y manzana
· Ensalada de zanahoria y piña
· Mousse de frambuesa
· Batido de frutas
· Jalea de fresa y melocotón
· Peras al limón

ALGAS, LAS VERDURAS DEL MAR

· Ensalada griega al tofu
· Verdura verde salteada con nori y jengibre
· Ensalada picante de alcaparras
· Ensalada de germinados con arame
· Ensalada de algas con vinagreta
· Ensalada refrescante
· Tarta fría al café
· Mousse de fresa

EL LIBRO DE LAS PROTEÍNAS VEGETALES

· Ensalada aromática de endibias y tofu ahumado
· Macedonia de frutas con almendras al caramelo

Sopa al pesto

Ingredientes para 2 personas
2 puerros medianos cortados finos | 3 patatas peladas y troceadas pequeñas | 1 tira de alga wakame remojada 2-3 minutos y troceada | 1/2 taza de perejil picado fino (sin los troncos) | 1/2 taza de albahaca fresca cortada fina | 2 cucharadas de almendras en polvo | 1-2 cucharadas de miso blanco | aceite de oliva | sal marina | 2 cucharadas de piñones ligeramente tostados

1. Saltear los puerros y los ajos con aceite de oliva y una pizca de sal marina, a fuego medio-alto, sin tapa durante 5-6 minutos.

2. Añadir las patatas, el alga wakame y agua que cubra el volumen de las verduras. Tapar y cocer a fuego medio durante 20 minutos.

3. Incluir el perejil, la albahaca y la almendra en polvo. Hacer puré hasta conseguir la consistencia deseada. Añadir más agua, si fuera necesario.

4. Condimentar con el miso blanco al gusto. Servir con los piñones.

Gazpacho de remolacha

Ingredientes para 2 personas
2 cebollas cortadas a medias lunas finas | 6 zanahorias cortadas a rodajas finas | 1-2 remolachas cocidas cortadas a cuadritos pequeños | 1 ajo picado fino | aceite de oliva | sal marina | 2 hojas de laurel | 2-3 cucharadas de vinagre de umeboshi | 2-3 cucharadas de jugo concentrado de manzana | perejil crudo

1. Saltear las cebollas con aceite de oliva y una pizca de sal marina, sin tapa a fuego medio-bajo durante 10-12 minutos.

2. Añadir las zanahorias, la remolacha, el laurel, una pizca de sal marina y agua que cubra el volumen de las verduras. Tapar y cocer a fuego medio durante 15 minutos.

3. Retirar el laurel y hacer puré, añadiendo el ajo picado crudo, el vinagre de umeboshi y el concentrado de manzana al gusto.

4. Rectificar de agua si fuera necesario, dejar enfriar y servir con perejil.

Endibias a la plancha con pesto

Ingredientes para 2 personas
3-4 endibias cortadas a cuartos | aceite de oliva | salsa de soja | albahaca fresca.

Pesto: 1/2 taza de albahaca fresca y 1/2 taza de perejil (todo picado fino, retirar antes los troncos duros) | 1 diente de ajo picado fino | 1 cucharada de aceite de oliva | 1/2 cucharadita pequeña de pasta de umeboshi | 1-2 cucharadas de miso blanco | 1/2 taza de almendra en polvo

1. Calentar una sartén grande o plancha, añadir aceite de oliva y hacer a la plancha las endibias, con unas gotas de salsa de soja durante 2-3 minutos.

2. Colocarlas atractivamente en una fuente para servir. Decorar con albahaca fresca.

3. Confeccionar el pesto, añadiendo un poco de agua al hacer puré, para conseguir la consistencia deseada. Servir inmediatamente con las endibias.

Ejemplo de menú semanal

LUNES	MARTES	MIÉRCOLES	JUEVES

LUNES

Desayuno:
Licuado de zanahoria y manzana
Manzanas al vapor

Almuerzo:
Sopa al pesto
Salteado corto con tofu macerado
Ensalada de arroz campestre
Puerros a la pimienta
Germinados de alfalfa

Cena:
Espaguetis a la oriental
(LA NUEVA COCINA ENERGÉTICA)
Paté de garbanzos y aguacate
Hinojo a la plancha
Ensalada de pepino a la menta

MARTES

Desayuno:
Crema de quinoa a la vainilla
Infusión de menta

Almuerzo:
Arroz con alcachofas al curry
Seitán a la plancha
Nabos al jengibre
Ensalada de escarola con escalibada
de pimientos

Cena:
Gazpacho de remolacha
Salteado corto de calabacín
Ensalada veraniega de espirales
con tempeh
(EL LIBRO DE LAS PROTEÍNAS VEGETALES)
Germinados de alfalfa

MIÉRCOLES

Desayuno:
Compota de manzana
Infusión

Almuerzo:
Crema de zanahoria a la naranja
Ensaladilla de cebada
Salteado corto al curry
Revoltillo de tofu y calabaza
Verdura verde hervida

Cena:
Quinoa con maíz
Ensalada veraniega de lentejas
(EL LIBRO DE LAS PROTEÍNAS VEGETALES)
Endibias a la plancha con pesto
Nabos con champiñones
Germinados de alfalfa

JUEVES

Desayuno:
Bocadillo de paté de zanahoria y
almendras
(EL LIBRO DE LAS PROTEÍNAS VEGETALES)
Té verde

Almuerzo:
Vichyssoise al apio
Ensalada crujiente de quinoa
Salteado de brécol y espárragos
Escalibada con seitán
(EL LIBRO DE LAS PROTEÍNAS VEGETALES)
MANTEQUILLA DE CEBOLLA Y ZANAHORIA

Cena:
Arroz con cebada
(ALGAS, LAS VERDURAS DEL MAR)
Tofu braseado
(LA NUEVA COCINA ENERGÉTICA)
Verduras a la plancha con alioli
Alcachofas al limón
Berros y germinados

* Las recetas que aparecen en este libro están indicadas en color.

para activar y enfriar

VIERNES	SÁBADO	DOMINGO
Desayuno:	**Desayuno:**	**Desayuno:**
Licuado de zanahoria	Manzanas maceradas con fresas	Té verde
Crema de cebada	y kiwi	Crema de arroz con canela
Nori tostada		y ralladura de limón
	Almuerzo:	
Almuerzo:	Tomates rellenos de dulse	**Almuerzo:**
Paella de verduras con garbanzos	y quinoa	Macarrones con seitán
(EL LIBRO DE LAS PROTEÍNAS VEGETALES)	(ALGAS, LAS VERDURAS DEL MAR)	(LA NUEVA COCINA ENERGÉTICA)
Acelgas con pasas, ajo y perejil	Puerros a la vinagreta	Ensalada de pimientos
Estofado de setas y alcachofas	(LA NUEVA COCINA ENERGÉTICA)	(LA NUEVA COCINA ENERGÉTICA)
Ensalada de hinojo	Macerado de tofu a las finas hierbas	Brécol con crema de tofu
	Salteado corto de calabacín	(EL LIBRO DE LAS PROTEÍNAS VEGETALES)
Cena:	Germinados de alfalfa	Ensalada de germinados con arame
Crema de puerros y patatas		(ALGAS, LAS VERDURAS DEL MAR)
(LA NUEVA COCINA ENERGÉTICA)		
Espaguetis al pesto	**Cena:**	**Cena:**
(LA NUEVA COCINA ENERGÉTICA)	Crema fría de verduras con almendras	Puré de guisantes frescos
Setas con arame al ajillo	(EL LIBRO DE LAS PROTEÍNAS VEGETALES)	Arroz con cebada
Nabos a la plancha	Ensalada de cebada	(ALGAS, LAS VERDURAS DEL MAR)
Queso de tempeh	Paté de azukis con tiras de apio	Endibias a la plancha con pesto
(EL LIBRO DE LAS PROTEÍNAS VEGETALES)	(EL LIBRO DE LAS PROTEÍNAS VEGETALES)	Verdura al vapor
	Salteado corto al curry	Mantequilla de cebolla y zanahoria
		Manzanas salteadas al sésamo

Vivencia interior
para activar

Reflexiones para activar

❋ ¿Cómo me genero este estancamiento?

❋ ¿En qué cuerpo siento esta falta de fluidez y vibración? ¿En el físico, en el mental o en el emocional?

❋ ¿Está mi vida muy estancada con rutina y obligaciones?

❋ ¿Genero a menudo en mi vida nuevos alicientes?

❋ ¿Qué emociones deseo activar?

❋ ¿Por qué las he enterrado tan profundamente? ¿Qué quiero esconder?

❋ ¿Qué emociones necesito reforzar para adquirir más autoestima y, con ello, energía, vitalidad y movimiento?

❋ ¿Me rindo a la vida?

❋ ¿Dejo que fluya y acepto sus mensajes?

❋ ¿A qué nivel de nuestro ser existen la apatía, el estancamiento, la falta de fluidez y la rigidez?

Viaje por la vida de una gota de agua

Vamos a descolgar el teléfono y a disponer de unos minutos para vivir una jornada interior.

Vamos a relajarnos como de costumbre, estirados en el suelo o sentados en una silla, cómodos y con la espalda en posición recta.

Imaginamos que somos una gota de agua pequeña, cristalina, fresca, viva y vibrante. Esta gotita

Vamos a sentir el viaje, vibrar, activarnos con los cambios de lugar y lo más importante: **rendirnos a la vida. La falta de activación, vibración o estancamiento viene dado por estar rígidos, querer imponernos con nuestra mente y controlar nuestro corazón.**

Vamos, pues, a dejarnos fluir. Somos una gota de agua que viaja feliz con otras muchas a través de ese río caudaloso, bailando, moviéndonos de un lado a otro, meciéndonos... Durante el transcurso del río, la gota de agua **puede encontrarse con una zona de rocas, o quizá el río sea muy profundo, o puede que en otro lugar sea muy tranquilo, o puede que haya momentos en que se sienta casi sin movimiento... Pero, poco a poco, vuelve al ritmo caudaloso para caer rápidamente por una cascada...**

Ahora el ritmo es mucho más intenso, activo, como si estuviéramos volando por encima del agua... Llegamos a la desembocadura del río y allí nos encontramos con millones de gotas viajeras que, como nosotros, regresan de nuevo.

Estamos en el mar, que nos abraza, y con su vaivén nos activamos todavía más; nos rendimos totalmente a él y, al ser uno, absorbemos su energía, poder y vitalidad ilimitados.

Podemos sentir nuestra potente vibración interior y, de nuevo, estamos a punto para emprender otra jornada...

...está saltando con muchas otras en el nacimiento de un río.

¿Cómo ves a la gota de agua? ¿Feliz, abierta y flexible, dispuesta a jugar en la jornada interminable de la vida? ¿O le cuesta adaptarse a lo que la vida le deparará en su jornada?

¿Está comunicativa, abierta a las demás compañeras de viaje? ¿O se siente sola, desamparada, sin nadie que la comprenda?

¿Está cansada o se siente ligera y a punto de emprender de nuevo su misión?

Sugerencias
para activar

- Hacer deporte semanalmente para activar el cuerpo físico.

- Hacer excursiones al aire libre para estar en contacto con la naturaleza.

- Bailar con música alegre que nos haga vibrar y movernos.

- Tener un perro para poder dar muchos paseos con él.

- Activar el cuerpo emocional: escuchar, comunicar y expresar nuestros sentimientos.

- Activar el cuerpo mental haciendo cosas nuevas o introduciendo novedades en lo que hagamos habitualmente.

- Reír siempre que podamos.

- Limpiar la casa a fondo a menudo.

- Recibir masajes.

- Frotarse el cuerpo cada día para generar y estimular la circulación sanguínea.

«Sólo mirar en nuestro interior no nos acerca a la divinidad. Las intenciones más puras, la devoción más incondicional, las aspiraciones espirituales más nobles son en vano si no van acompañadas de la acción.»

ABRAHAM J. HESCHEL

capítulo 11

Relajando nuestro cuerpo

Relajar es una palabra muy utilizada, puede que sea el polo opuesto al estrés, ese exceso de movimiento, actividad, frecuencia rápida y frenética generada por la vida moderna y el consumo de alimentos extremos.

¡Todo el mundo necesita relajarse!

«Ser» en lugar de «hacer».
Generar «calidad» en lugar de «cantidad».

Relajando

oy en día empleamos muy a menudo la palabra «relajar» como lo opuesto a «estrés». De hecho, todos **padecemos estrés en mayor o menor medida y deseamos relajarnos**. Sentimos la palabra **«estrés»** como un exceso de actividad, como una frecuencia rápida y frenética, casi descontrolada. La palabra «relajar», en cambio, nos transmite un deseo profundo de parar toda actividad, descansar y pasar desapercibidos del mundo exterior. Sin embargo, la «relajación» también puede originarse por dos causas diferentes:

▪ **Por exceso.** La persona se siente tensa, impaciente, agresiva, irritable y controla a quienes la rodean. Es muy exigente y necesitaría más de 24 horas al día para hacer

> La «relajación» es sinónimo de un movimiento energético más sosegado, aunque con vida.

todo lo que se impone. Es inflexible y, habitualmente, su condición viene dada por una alimentación con exceso de grasas saturadas, carnes, horneados, sal... y rigidez en la vida. A nivel energético tiene un exceso de Yang.

▪ **Por defecto.** La persona está irritable, hipersensible y repleta de ideas que no pone en práctica. Tiene mucha energía en la parte superior del cuerpo y carencia de vida en el resto. Su cuerpo físico está débil, delgado, frío y desnutrido porque no sabe darle lo que realmente necesita. Aunque, exteriormente, la persona pueda parecer tensa, rígida y seria, interiormente está vacía y necesita calor y energía para relajarse.

Relajar disminuyendo la energía generada por un exceso

Debemos usar direcciones energéticas parecidas a las de depurar y enfriar, aunque con algunas sugerencias particulares:

Sopas. Deben ser cremosas, dulces, con muy poco condimento salado. Se pueden consumir frías.

Cereales. Evitar cocer los cereales a presión o en el horno. Usar cereales ligeros, de grano largo y con verduras, tipo ensalada.

Estilos de cocción. Estilos muy cortos, con movimiento ligero y efecto de apertura, dispersión. Tomar muchas ensaladas frescas. Es aconsejable que haya variedad de texturas (crujientes y frescas, dulces y blandas [vapor]), así como de colorido.

Algas. Utilizar algas ligeras, como dulse, nori, wakame y arame, en platos refrescantes.

Proteínas. Dar prioridad a la proteína de origen vegetal.

Sabores. Usar el sabor picante en todas sus variedades, aunque las especias deberían ser suaves para ayudar a abrir y refrescar (un exceso originaría más movimiento y activación). Emplear el sabor ácido del vinagre de arroz o balsámico, y de los cítricos. Y, por descontado, el sabor dulce de calidad de verduras, frutas, zumos, endulzantes naturales y postres ligeros.

Hierbas aromáticas. Utilizarlas con variedad y abundancia; especialmente frescas.

Frutas. Locales y de la estación, pueden comerse tanto crudas como cocidas. Pueden consumirse también unas pocas frutas tropicales o sus zumos.

Alcohol. Como dice Hipócrates: «Que la comida sea tu medicina». Un poco de alcohol en forma de vino o cerveza de buena calidad o sake (vino de arroz), producirá un efecto de apertura y relajación.

Evitar grasas saturadas, productos animales de toda clase, ahumados, exceso de sal en cocción y cruda, horneados, condimentos salados y un exceso de cereales.

Relajar generando energía y vitalidad a causa de una carencia

Debemos usar unas direcciones energéticas similares a las de reforzar, calentar y nutrir, aunque con algunas sugerencias particulares:

Sopas. Cremosas y dulces, calientes y con un poco de condimento salado.

Cereales. Tomaremos variedad de cereales. Algunos de ellos, cocidos con verduras y proteínas, tipo risotto o paella... Serán platos que nutran y refuercen, pero sin tensar ni cerrar por un exceso de sal.

Verduras. Variedad de cocciones, tanto ligeras, crujientes y refrescantes, como otras de energía más profunda: cremas de verduras dulces, estofados y salteados largos, con énfasis en el sabor dulce profundo, el cual tiene la facultad de relajar.

Algas. Variedad de verduras del mar, cocinadas con proteína o con verduras dulces.

Proteínas. Usaremos proteínas vegetales cocinadas de forma que refuercen, así como un poco de pescado.

Hierbas aromáticas. Variedad de hierbas aromáticas, tanto frescas como secas.

Frutas. Principalmente cocidas, las cuales nos darán un efecto de relajación profundo y no nos enfriarán.

Especias. Uso moderado de especias que calienten: canela, nuez moscada, clavo y jengibre.

Condimentos salados. Un poco de sal y condimentos salados para crear un ligero calor interior y relajación.

En general, los dos casos necesitan relajar el plexo solar: estómago, bazo y páncreas; órganos cuyo sabor asociado es el dulce.

Tenemos que aprender a crear dulzor natural en todos los platos que cocinamos para sentirnos relajados y dulces; un arte olvidado y que debe volver a ponerse en práctica.

Si observamos las dos últimas energías, activar y relajar, parece que estemos dando las mismas indicaciones para los dos casos (en exceso y en deficiencia). Aunque según la tipología de la persona a tratar, utilizaremos diferentes proporciones, platos y sugerencias.

Recetas para relajar y calentar

Crema de hinojo con maíz

Ingredientes para 2 personas
3 cebollas cortadas finas a medias lunas | 1 hinojo cortado finamente | 1/2 taza de maíz | 1 taza de leche de arroz | aceite de oliva | sal marina | 1 cucharada de miso blanco | laurel | 2-3 cucharadas de polvo de almendra | 2 cucharadas de láminas de almendras tostadas ligeramente, con mucho cuidado

1. Saltear las cebollas con el aceite de oliva y una pizca de sal marina, durante 12-15 minutos, sin tapa y a fuego lento.

2. Añadir el hinojo, el laurel y agua que cubra 1/3 del volumen de las verduras. Tapar y cocer a fuego lento durante 20-25 minutos.

3. Retirar el laurel y hacer puré. Rectificar de líquido, añadiendo leche de arroz al gusto.

4. Añadir el maíz y dejar cocer 5 minutos más.

5. Añadir el miso blanco, el polvo de almendra y servir con las láminas de almendras.

Arroz caldoso a la albahaca · Ver tabla págs. 42-43

Ingredientes para 2 ó 3 personas
1 taza de arroz integral de grano medio | 2 cebollas cortadas a medias lunas finas | 2 calabacines cortados a medias rodajas gruesas | 2 tazas de calabaza cortada a dados medianos | 1 nabo cortado a medias rodajas gruesas | aceite de oliva | sal marina | albahaca seca | 1 1/2 tazas de leche de arroz | 2 tazas de agua | albahaca fresca troceada

1. Saltear las cebollas con aceite de oliva y una pizca de sal marina, sin tapa, durante 10 minutos a fuego medio-bajo.

2. Añadir las verduras, el arroz lavado y escurrido, una pizca de sal marina, una pizca de albahaca seca, el agua y la leche de arroz. Llevar a ebullición.

3. Bajar el fuego al mínimo, colocar una placa difusora y cocer durante 45-50 minutos, o hasta obtener una consistencia caldosa y cremosa al gusto.

4. Decorar con albahaca fresca y servir.

Estofado de hinojo y boniato

Ingredientes para 2 ó 3 personas
2 cebollas cortadas a cuartos | 1/2 hinojo cortado a trozos medianos | 2 boniatos pelados y cortados a medias rodajas | 1 tira de alga kombu | 2 hojas de laurel | sal marina | salsa de soja | aceite de oliva

1. Saltear las cebollas con un poco de aceite de oliva y una pizca de sal marina, sin tapa y a fuego lento, durante 10-12 minutos.

2. Añadir el resto de las verduras, el alga, el laurel y agua que cubra 1/3 del volumen de las verduras.

3. Tapar y cocer a fuego lento, durante 30-35 minutos.

4. Condimentar con unas gotas de salsa de soja, cocinar 1-2 minutos más y servir.

Calabacín al vapor

· Ver tabla págs. 42-43

Ingredientes para 2 personas
4 calabacines cortados a rodajas gruesas | sal marina

1. Colocar los calabacines en una olla de acero inoxidable de dos pisos de vapor y añadir una pizca de sal marina encima de los calabacines. Tapar y cocer al vapor durante 7-10 minutos.

2. Servir inmediatamente.

Zanahorias al vapor

· Ver tabla págs. 42-43

Ingredientes para 2 personas
4-5 zanahorias cortadas a rodajas finas | sal marina

1. Colocar las zanahorias en una olla de acero inoxidable de dos pisos de vapor y añadir una pizca de sal marina encima de las zanahorias. Tapar y cocer al vapor durante 7-10 minutos.

2. Servir inmediatamente.

Bebida de amasake con jengibre

Ingredientes para 2 ó 3 personas
1 tarro de amasake (dulce fermentado de arroz) | 2 partes iguales (tarros) de agua | jugo de jengibre fresco (rallado y escurrido)

1. Mezclar el amasake y el agua y calentarlo. Añadir jengibre fresco al gusto y servir bien caliente.

En lugar del jengibre también se puede utilizar canela en polvo.

Estofado de hinojo
y boniato

Estofado de tofu relajante · Ver tabla págs. 42-43

Ingredientes para 2 personas
1 bloque de tofu fresco cortado a dados | 2 tiras de alga wakame | 2 cebollas cortadas a cuartos | 2 zanahorias | 1 chirivía cortada a trozos grandes o método rodado | 1 ramita de tomillo | aceite de oliva | sal marina | 1 cucharadita pequeña de mugi miso | 2 cucharadas de jugo concentrado de manzana

1. Saltear las cebollas con aceite de oliva y una pizca de sal marina, sin tapa, a fuego medio-bajo durante 10 minutos.

2. Añadir el resto de las verduras, algas, tofu y agua que cubra 1/3 del volumen de los ingredientes.

3. Tapar y cocer a fuego lento durante 45-60 minutos.

4. Añadir el miso y el concentrado de manzana. Activar 1 minuto a fuego lento y servir con perejil.

Bebida dulce con café de cereales

Ingredientes para 2 personas
2 tazas de agua | 2 cucharadas de café de cereales | endulzante al gusto | una pizca de polvo de canela

1. Calentar todos los ingredientes y servir caliente.

En lugar del agua se puede utilizar leche de arroz.

Crema de garbanzos · Ver tabla págs. 42-43

Ingredientes para 2 ó 3 personas
2 tazas de garbanzos (remojados toda la noche en 6-8 tazas de agua) | 2 tiras de alga kombu | 3 cebollas cortadas a láminas finas | 3 zanahorias cortadas a rodajas finas | 1 pimiento rojo escalibado (lavado y cortado fino) | 2 hojas de laurel | sal marina | aceite de oliva | comino en polvo | 1 cucharada de miso blanco | berros troceados

1. Lavar los garbanzos, colocarlos en la olla a presión, junto con el alga kombu. Cubrirlos totalmente de agua fresca y llevarlos a ebullición sin tapa. Retirar todas las pieles sueltas que pueda haber en la superficie. Tapar y cocer a presión durante 1 hora y media. Si al cabo de este tiempo están ya blandos y cremosos, añadir una cucharadita de sal marina y cocinarlos de nuevo 10 minutos.

2. Saltear las cebollas con un poco de aceite de oliva y una pizca de sal marina, sin tapa, a fuego lento durante 10-12 minutos.

3. Añadir las zanahorias, el pimiento rojo cortado fino y los garbanzos, incluido su jugo (si todavía hubiera mucho líquido, reservar un poco), ya que la consistencia a obtener es tipo crema espesa. Tapar y cocer a fuego lento durante 20-30 minutos.

4. Añadir el miso blanco y el comino al gusto, hacer puré. Servir caliente con los berros.

Puré de boniato

Ingredientes para 2 ó 3 personas
4 cebollas cortadas muy finamente a medias lunas | 4-5 boniatos cortados finos a rodajas | aceite de oliva | sal marina | nuez moscada

1. Saltear las cebollas con un poco de aceite de oliva y una pizca de sal marina, sin tapa, durante 10-12 minutos.

2. Añadir los boniatos y un fondo de agua. Tapar y llevar a ebullición.

3. Reducir el fuego y cocer muy lentamente durante 35-40 minutos.

4. Retirar el exceso de líquido si lo hubiera. Hacer puré y añadir nuez moscada al gusto. La consistencia debe quedar muy espesa.

Puré de mijo con canela

Ingredientes para 2 ó 3 personas
1 taza de mijo integral | sal marina | canela en rama | 1 cucharadita de ralladura de limón | 5-6 tazas de agua

1. Lavar el mijo, escurrirlo y colocarlo en una cazuela de acero inoxidable con fondo grueso.

2. Añadir el agua, la canela y una pizca de sal marina. Tapar y hervir. Reducir el fuego al mínimo y si fuera necesario utilizar una placa difusora.

3. Cocer durante 1 hora y cuarto, o hasta conseguir la consistencia cremosa deseada. Se puede añadir más agua si se desea.

4. Añadir la ralladura de limón, mezclar bien y servir.

Otras recetas simples que relajan y calientan

LA NUEVA COCINA ENERGÉTICA

· Crema de coliflor
· Crema de calabaza
· Estofado de cebada
· Tofu al papillote
· Estofado de verduras
· Estofado otoñal de verduras
· Salteado largo de verduras
· Peras al jengibre
· Peras rellenas de mazapán
· Compota de frutos secos
· Arroz con leche y canela
· Crema de café

EL LIBRO DE LAS PROTEÍNAS VEGETALES

· Crema de calabacín y tofu
· Sopa estofado con seitán
· Seitán con guisantes y azafrán
· Sopa de arroz con garbanzos
· Crema de lentejas rojas
· Estofado de calabaza con castañas
· Paté de zanahoria y almendra
· Leche de almendras
· Brécol con crema de tofu y piñones
· Sopa de habas y maíz
· Cocido de verduras
· Papillote de frutas y frutos secos

ALGAS, LAS VERDURAS DEL MAR

· Estofado de calabaza y kombu
· Mantequilla de cebolla
· Crema de boniato y cebolla
· Consomé de kombu
· Escudella
· Estofado de tofu con verduras
· Puré de zanahoria y chirivía
· Crema de calabacín y almendras
· Sopa de mijo con calabaza
· Crema a la canela
· Crema de orejones y peras
· Potaje de avena

Ejemplo de menú semanal

LUNES

Desayuno:
Puré de mijo con canela
Nori tostada
Semillas de calabaza tostadas
Infusión de regaliz

Almuerzo:
Crema de judías blancas con tropezones de pan
(EL LIBRO DE LAS PROTEÍNAS VEGETALES)
Trigo sarraceno con verduras dulces
Calabacines al vapor
Ensalada de col china al sésamo

Cena:
Crema de calabaza
Arroz a presión
Tofu al horno con crema de cebolla
Ensalada de verduras verdes hervidas
(LA NUEVA COCINA ENERGÉTICA)
Condimento de alga dulse

MARTES

Desayuno:
Crema de avena con calabaza
Semillas tostadas de girasol
Nori tostada
Café de cereales

Almuerzo:
Bacalao con pimientos
Estofado de hinojo y boniato
Ensalada de arroz campestre
Ensalada de berros y endibias
Compota de manzana y avellanas

Cena:
Sopa minestrone de judías blancas
(EL LIBRO DE LAS PROTEÍNAS VEGETALES)
Quinoa con cebolla
Cocido de verduras con tempeh
(EL LIBRO DE LAS PROTEÍNAS VEGETALES)
Brécol hervido

MIÉRCOLES

Desayuno:
Bocadillo de queso de tempeh
(EL LIBRO DE LAS PROTEÍNAS VEGETALES)
Café de cereales

Almuerzo:
Pastel de mijo con salsa de remolacha
Quiso de verduras con seitán
Ensalada de espárragos y brécol
(ALGAS, LAS VERDURAS DEL MAR)

Cena:
Crema de hinojo con maíz
Tarta de coliflor
Espaguetis con nueces y aguacate
(LA NUEVA COCINA ENERGÉTICA)
Ensalada de verdura multicolor hervida
(LA NUEVA COCINA ENERGÉTICA)
Bebida de amasake con jengibre

JUEVES

Desayuno:
Crema de arroz con canela
Mermelada de zanahoria y cebolla
Semillas de sésamo tostadas
Infusión

Almuerzo:
Sopa de pescado
Arroz con avena
Estofado de calabacín y calabaza
Hiziki con cebolla y nueces
Ensalada de pepinos a la menta

Cena:
Crema de garbanzos
Arroz con avena
Salteado largo de zanahorias con seitán
Ensalada de arame y judías verdes
a la vinagreta

* Las recetas que aparecen en este libro están indicadas en color.

para relajar y calentar

VIERNES	SÁBADO	DOMINGO

Desayuno:
Bocadillo de queso de tofu
Café de cereales con canela

Almuerzo:
Ensalada de quinoa crujiente
Cazuelita de garbanzos al azafrán
Salteado corto de calabacín
Verdura verde al vapor

Cena:
Crema de coliflor
(LA NUEVA COCINA ENERGÉTICA)
Mijo con maíz
Medallones de tempeh
a la jardinera
(EL LIBRO DE LAS PROTEÍNAS VEGETALES)
Mermelada de remolacha
y cebolla
Berros

Desayuno:
Crema de arroz con calabaza
Semillas tostadas de calabaza
Café de cereales
Nori tostada

Almuerzo:
Paella de verduras con seitán y
tofu ahumado
Mantequilla de zanahorias
Col blanca al laurel
Ensalada de espárragos y brécol
(ALGAS, LAS VERDURAS DEL MAR)

Cena:
Crema de chirivía a la nuez moscada
Espaguetis con hiziki y verduras
(ALGAS, LAS VERDURAS DEL MAR)
Paté de nueces y tofu
(EL LIBRO DE LAS PROTEÍNAS VEGETALES)
Brécol hervido
Bebida de amasake con jengibre

Desayuno:
Pan integral con mantequilla de
zanahoria y almendras
(EL LIBRO DE LAS PROTEÍNAS VEGETALES)
Infusión de regaliz

Almuerzo:
Brochetas de emperador
Fideuá rápida con seitán
(EL LIBRO DE LAS PROTEÍNAS
VEGETALES)
Salteado de col verde con
wakame y piñones
Ensalada de pepino y albahaca
Compota de manzana y plátano

Cena:
Paté de azukis
(EL LIBRO DE LAS PROTEÍNAS VEGETALES)
Arroz con semillas de sésamo
Ensalada jardinera
(LA NUEVA COCINA ENERGÉTICA)
Boniatos a la canela

Recetas para relajar y enfriar

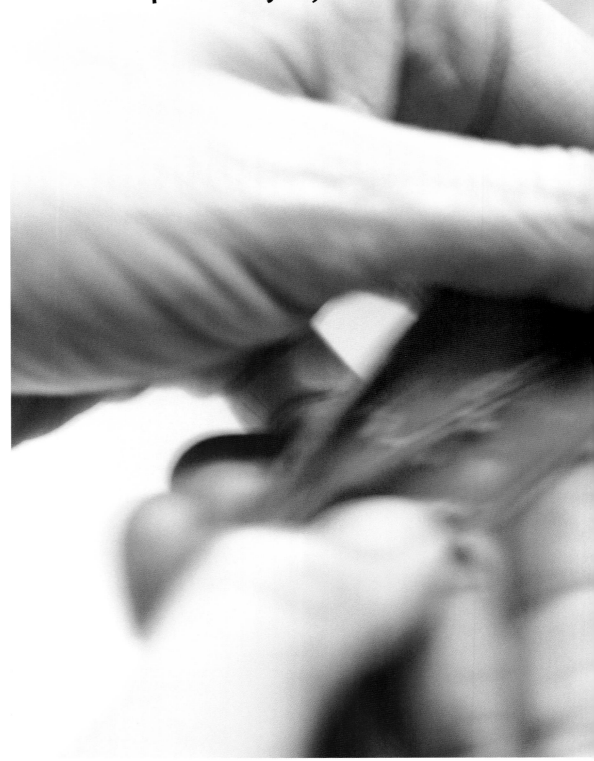

Sopa de lechuga

Ingredientes para 2 personas
4 cebollas cortadas a medias rodajas finas |
2 nabos pelados y cortados muy finos | 1 lechuga bien lavada y cortada muy fina (añadirle unas gotas de limón para prevenir que se ennegrezca) | 2 cucharadas de almendras el polvo | 1-2 cucharadas de miso blanco | 2 cucharadas de aceite de oliva | sal marina | 1 hoja de laurel

1. Saltear las cebollas con aceite de oliva y una pizca de sal marina a fuego medio-alto, sin tapa, durante 10-12 minutos.

2. Añadir los nabos, el laurel y agua que cubra el volumen de las verduras. Tapar y cocer a fuego medio-bajo durante 20 minutos.

3. Retirar el laurel y hacer puré.

4. Añadir la lechuga y más líquido si fuera necesario. Tapar y cocer 2-3 minutos.

5. Condimentar con el miso blanco y la almendra en polvo. Dejar enfriar y servir.

Puré de guisantes frescos

Ingredientes para 2 ó 3 personas
2 tazas de guisantes frescos pelados | 2 patatas cortadas a trozos pequeños | 2 ramas de apio | 2 puerros cortados finos en diagonal | 1 tira de alga wakame (remojada 2-3 minutos en 1 taza de agua fría y cortada fina) | 2 cucharadas de aceite de oliva | sal marina | 2 hojas de laurel | 1 cucharada de miso blanco | 1 zanahoria rallada cruda y escurrida (añadirle unas gotas de limón para evitar que se ennegrezca)

1. Saltear los puerros con el aceite de oliva y una pizca de sal marina durante 5-6 minutos, sin tapa.

2. Añadir el resto de las verduras, junto con el alga y el agua del remojo, el laurel y agua que cubra el volumen de las verduras. Tapar y cocer a fuego medio-bajo durante 30 minutos.

3. Retirar el laurel y hacer puré. Rectificar de líquido si fuera necesario, de acuerdo con la consistencia deseada y añadirle el miso blanco.

4. Dejar enfriar y servir con la zanahoria rallada al momento.

Compota de manzana y plátano

Ingredientes para 2 ó 3 personas
4 manzanas peladas y cortadas a trozos medianos | 3 plátanos pelados y cortados a trozos (toda la fruta rociada con un poco de zumo de limón para que no se ennegrezca) | sal marina | 1 vaina de vainilla | fresas frescas

1. Colocar la fruta en una cazuela, con una pizca de sal marina y la vaina de vainilla partida longitudinalmente.

2. Añadir un fondo de agua. Tapar y cocer a fuego muy lento con una placa difusora, durante 20 minutos.

3. Con la punta de un cuchillo, raspar la vainilla y añadirla a la compota. Dejar enfriar y servir con fresas frescas.

Compota de manzana
y plátano

Ensalada de pepino y albahaca

Ingredientes para 2 ó 3 personas
3 pepinos pelados y cortados finos ⏐ 3 tomates maduros cortados finos ⏐ 1/2 lechuga troceada fina ⏐ 2-3 cucharadas de albahaca fresca troceada ⏐ una pizca de orégano seco ⏐ 2 cucharadas de aceite de oliva ⏐ 2-3 cucharadas vinagre de umeboshi ⏐ 2 cucharadas de jugo concentrado de manzana

1. Colocar en una fuente para servir un fondo de lechuga.

2. Intercalar las rodajas de pepino y tomate encima de la lechuga. Espolvorear con orégano seco, aceite de oliva, vinagre de umeboshi y jugo concentrado de manzana.

3. Decorar con albahaca fresca y servir.

Bebida dulce de verduras

Ingredientes para 3 ó 4 tazas
1 tira de alga kombu (remojada durante 1 hora en 1 litro de agua) ⏐ 1 cebolla ⏐ 2 zanahorias ⏐ 1 trozo de calabaza ⏐ 1 trozo de col blanca ⏐ una pizca de sal marina

1. Colocar todos los ingredientes en una cazuela grande y llevar a ebullición.

2. Reducir el fuego y cocer lentamente durante 30 minutos.

3. Filtrar los ingredientes y beber.

Las verduras se pueden utilizar para hacer una crema o puré.

Fresas con crema de amasake

Ingredientes para 2 ó 3 personas
1 bandeja de fresas ⏐ sal marina ⏐ el jugo de 1 naranja ⏐ 3 cucharadas de endulzante natural (melaza de cebada y maíz)

Crema: 1 jarra de amasake ⏐ agua ⏐ 3 cucharadas de polvo de almendras ⏐ canela en polvo al gusto ⏐ 2 cucharadas de maicena

1. Lavar con cuidado las fresas y cortarlas por la mitad.

2. Macerarlas con la pizca de sal marina, la melaza y el jugo de naranja durante 1-2 horas.

3. Crema: Cocinar el amasake con el mismo volumen de agua, el polvo de almendra y la canela al gusto.

4. Diluir la maicena con un poco de agua fría y añadirla a la crema. Remover constantemente durante 1-2 minutos hasta que espese.

5. Dejar enfriar completamente. Servir con las fresas.

Fresas con crema
de amasake

Manzanas al vapor

• Ver tabla págs. 42-43

Ingredientes para 2 personas
2 manzanas ǀ sal marina ǀ unas gotas de jugo de limón ǀ endulzante (jugo concentrado de manzana, o miel de arroz, o melaza de cebada y maíz)

1. Lavar las manzanas y extraerles su centro, rociarlas con un poco de jugo de limón para prevenir que se ennegrezcan.

2. Colocarlas en una olla de doble fondo, tipo vapor. Añadirles una pizca de sal marina.

3. Tapar y cocerlas al vapor durante 15-20 minutos.

4. Dejarlas enfriar. Servirlas rociadas de endulzante y espolvoreadas con canela.

Coliflor a la mostaza

Ingredientes para 2 personas
1 coliflor

Salsa: 1/2 cucharada de crema de cacahuete ǀ 1 cucharada de mostaza ǀ 1 1/2 cucharada de miso blanco ǀ agua. **Decoración:** albahaca fresca

1. Cocer la coliflor entera al vapor, con una pizca de sal, durante 15 minutos.

2. Mezclar todos los ingredientes para la salsa y añadir poco a poco agua hirviendo hasta conseguir una consistencia cremosa. Verterla sobre la coliflor.

3. Gratinar 5 minutos. y servir con albahaca fresca.

Ensalada jardinera

Ingredientes para 2 personas
2 calabacines (cortados a medias rodajas) ǀ un manojo de judías verdes (cortadas en diagonal bastante finas) ǀ 2 zanahorias (cortadas a rodajas finas en diagonal) ǀ 5-6 rabanitos (cortados a cuartos) ǀ vinagre de umeboshi

1. Hervir primero las judías y las zanahorias durante 2 minutos. Añadir el calabacín y seguir hirviendo 2 minutos más. Colar las verduras, lavarlas con agua fría y escurrirlas bien.

2. En la misma agua escaldar los rabanitos 10 segundos. Colarlas y sin pasarlas por agua fria,escurrirlas bien. Añadir unas gotas de vinagre de umeboshi para resaltar el color.

3. Colocar las verduras de forma decorativa en una bandeja para servir.

Col roja con anís

Ingredientes para 2 personas
2 cebollas (cortadas en medias lunas) ǀ 1/2 col roja (cortada en tiras finas) ǀ anís ǀ aceite ǀ sal marina ǀ vinagre de umeboshi

1. Saltear las cebollas con aceite y sal durante 12 minutos.

2. Añadir un fondo de agua, la col roja, el anís y el vinagre de umeboshi. Cocer a fuego lento con tapa durante 30 a 40 minutos. Servir.

Peras a la naranja

Ingredientes para 2 personas
2 peras ǀ 2 naranjas (una en zumo y otra en rodajas) ǀ sal marina ǀ melaza de cebada y maíz o miel de arroz ǀ 1 canela en rama ǀ 1 cucharada de maicena

1. Pelar las peras y cortar un poco su parte inferior para evitar que se tambaleen.

2. Colocarlas en una cazuela, añadir el zumo y las rodajas de naranja, una pizca de sal marina y la canela en rama. Tapar y cocer a fuego medio-bajo hasta que estén blandas.

3. Colocar las peras cocidas y las rodajas de naranja en una bandeja para servir.

4. Con el jugo restante de cocer las peras, añadir endulzante natural al gusto. Diluir la maicena con un poco de agua fría (para evitar que se formen grumos), añadirla al jugo de las peras, remover constantemente a fuego medio durante 30 segundos hasta que espese y quede transparente. Verter la salsa encima de las peras y servir.

Peras a la naranja

Otras recetas simples que relajan y enfrían

LA NUEVA COCINA ENERGÉTICA

· Crema de puerros y patatas
· Ensalada de tofu macerado
· Crema de champiñones
· Crema de espárragos
· Alcachofas a la vinagreta
· Verdura verde hervida
· Col verde con champiñones y puerros
· Nabos al vapor
· Puerros con crema de tofu
· Ensalada multicolor
· Ensalada con hierbas aromáticas
· Ensalada de cebolla
· Ensalada de zanahoria, nabo y manzana
· Ensalada de zanahorias y piña
· Ensalada de hinojo y pepino
· Melocotones a la canela
· Crema de manzanas a la vainilla
· Mousse de limón
· Natillas

ALGAS, LAS VERDURAS DEL MAR

· Crema fría de garbanzos
· Verdura verde con wakame
· Ensalada griega al tofu
· Sopa de verano
· Melón sorpresa
· Crema a la canela
· Crema de orejones y peras
· Jalea fría de melón y plátano
· Ensalada refrescante
· Tarta al kiwi
· Corona de frutas frescas
· Mousse de fresa

EL LIBRO DE LAS PROTEÍNAS VEGETALES

· Ensalada de tofu ahumado y aguacate
· Tofu macerado
· Brécol con crema de tofu y piñones
· Mayonesa de tofu a la mostaza
· Ensalada con semillas de calabaza
· Crema fría de verduras con almendras

Ensalada de canónigos, uvas y germinados

Ingredientes para 2 ó 3 personas
1 paquete de germinados de alfalfa |
1 buen manojo de canónigos |
1 taza de uva blanca | 2 aguacates troceados (rociados con un poco de zumo de limón para prevenir que se ennegrezcan) | 3 cucharadas de maíz cocido

Aliño: 3 cucharadas de jugo concentrado de manzana | 1 cucharada de vinagre de arroz | 1 1/2 cucharadas de aceite de oliva | 1 cucharada de miso blanco

1. Colocar todos los ingredientes en una fuente para servir.

2. Preparar el aliño y servirlo por separado.

Ensalade de canónigos
uvas y germinados

Ejemplo de menú semanal

LUNES

Desayuno:
Bebida dulce de verduras
Crema de arroz a la vainilla

Almuerzo:
Ensaladilla de cebada
Ensalada de arame y judías verdes
a la vinagreta
Paté de garbanzos con aguacate
Zanahorias escaldadas

Cena:
Crema de espárragos
(La nueva cocina energética)
Quinoa con puerros
Nabos con champiñones
Mermelada de zanahoria y boniato
Ensalada con tempeh frito
(El libro de las proteínas vegetales)

MARTES

Desayuno:
Manzanas al vapor
Infusión de tila

Almuerzo:
Sopa de lechuga
Ensalada de maíz y garbanzos
Arroz con cebada
Alcachofas estofadas
Ensalada de berros y endibias

Cena:
Crema de puerros y calabacín
Ensalada de arroz
(La nueva cocina energética)
Escarola salteada con champiñones
Macerado de tofu a las finas hierbas
Germinados

MIÉRCOLES

Desayuno:
Bebida dulce de verduras
Crema de quinoa a la vainilla

Almuerzo:
Paella de tempeh con verduras
(El libro de las proteínas vegetales)
Ensalada de arroz campestre
Setas con arame al ajillo
Nabos a la plancha
Berros

Cena:
Sopa depurativa de cebada
Tagliatelle al pesto
(La nueva cocina energética)
Estofado de tofu relajante
Ensalada de col china al sésamo

JUEVES

Desayuno:
Compota de manzana y plátano
Semillas de girasol tostadas

Almuerzo:
Sopa de rabanitos
Ensalada de quinoa crujiente
Seitán a la plancha
(El libro de las proteínas vegetales)
Alcachofas al limón
Ensalada de verano con hiziki
(Algas, las verduras del mar)

Cena:
Paté de lentejas
(La nueva cocina energética)
Quinoa
Estofado de nabos y cebollas
Ensalada de diente de león a la mostaz

* Las recetas que aparecen en este libro están indicadas en color.

para relajar y enfriar

VIERNES	SÁBADO	DOMINGO

Desayuno:
Bocadillo con tofu ahumado con germinados de alfalfa
Licuado de zanahoria y apio

Almuerzo:
Ensalada de arroz salvaje con seitán
(EL LIBRO DE LAS PROTEÍNAS VEGETALES)
Ensalada de hinojo
Puerros a la pimienta
Mantequilla de cebolla

Cena:
Puré de guisantes frescos
Espaguetis a la oriental
(LA NUEVA COCINA ENERGÉTICA)
Tofu braseado
(LA NUEVA COCINA ENERGÉTICA)
Ensalada dulce de remolacha
Salteado de col verde con wakame y piñones

Desayuno:
Peras a la naranja

Almuerzo:
Fideos a la cazuela con tempeh
(EL LIBRO DE LAS PROTEÍNAS VEGETALES)
Ensalada con salsa picante de alcaparras
(ALGAS, LAS VERDURAS DEL MAR)
Zanahorias al vapor
Brécol hervido

Cena:
Crema de champiñones
(LA NUEVA COCINA ENERGÉTICA)
Arroz con cebada
Escalibada de seitán
(EL LIBRO DE LAS PROTEÍNAS VEGETALES)
Ensalada oriental con wakame
(LA NUEVA COCINA ENERGÉTICA)

Desayuno:
Licuado de zanahoria y manzana
Pan integral con paté de zanahoria y almendras
(EL LIBRO DE LAS PROTEÍNAS VEGETALES)

Almuerzo:
Vichyssoise al apio
Ensaladilla de cebada
Quiche de pimientos y olivas
(EL LIBRO DE LAS PROTEÍNAS VEGETALES)
Verdura a la plancha con alioli de aguacate
Ensalada de berros
(LA NUEVA COCINA ENERGÉTICA)

Cena:
Lentejas caseras al tomillo
Quinoa con apio y maíz
Ensalada roja con piñones
Mantequilla de cebolla

Vivencia interior
para relajar

Rendirnos al proceso de la vida. Abrirnos a recibir.

Buscamos unos momentos para relajarnos, estirados en el suelo o sentados con la espalda bien recta. Es un atardecer de verano y estamos en el campo, disfrutando de la paz y el sosiego de las horas cálidas y mágicas. Todo está vivo, vibrante, pero al mismo tiempo se respira relajación, dulzor y calma.

Estamos en nuestro lugar favorito esperando a un personaje conocido por nosotros, aunque muchas veces ignorado. Un personaje con quien caminamos nuestra jornada diaria y llamado «Vida».

Este personaje viene hacia nosotros, lo observamos y lo saludamos. Hoy estamos más receptivos, más abiertos a escuchar, a aceptar, a jugar...

Reflexiones para relajar

* ¿Nos sentimos en el centro de nuestra vida?
* ¿Qué o quién ocupa nuestro lugar en ella?
* ¿Por qué estamos tan tensos?
* ¿Qué alimenta a nuestra rigidez?

* ¿Qué clase de miedo se esconde detrás de ella? ¿De dónde proviene?
* ¿Qué creencia alimenta a este sentimiento? ¿Cómo podemos disiparlo?

Sugerencias
para relajar

- Disponer de tiempo de descanso, practicar la relajación, dormir, disfrutar de vacaciones...

- Escuchar música que nos relaje y nutra.

- Reír, bailar, cantar...

- Intentar romper pautas, especialmente las impuestas por otros. Saber decir «no».

- Tener algún animal de compañía en casa.

- Cultivar el arte y la creatividad.

Por exceso:

- Subir montañas.

- Estar cerca de agua (cascadas, ríos, mar...).

- Andar al atardecer por el campo.

- Ir a la sauna o al jacuzzi.

- Recibir masajes con aceites esenciales...

- Practicar Tai-Chi, Yoga...

Por defecto:

- Andar por el campo por la mañana o al mediodía, cuando más calienta el Sol, o por la orilla del mar descalzo.

- Abrazar árboles, sentarse cerca de ellos...

- Recibir masaje Shiatsu, acupuntura, Moxa...

«No puede haber una mente perpetuamente en calma para los que viven en este mundo, pues la vida es movimiento y está sazonada de deseos, miedos y nuevas sensaciones.»

THOMAS HOBBES

¿Qué clase de bienvenida le ofrecemos a nuestra amiga Vida?

¿Qué nos quiere comunicar la Vida?

¿Qué sugerencias nos da la Vida para que sigamos por nuestro camino?

¿Qué clase de relación mantenemos con ella?

Todo está vivo, vibrante,
pero al mismo tiempo
se respira relajación,
dulzor y calma.

La Vida nos quiere obsequiar con algo muy especial... ¿Estamos abiertos a recibir, relajarnos y aprovechar cada segundo de nuestra jornada?

Jugamos con la Vida en este lugar tan especial para nosotros... Son momentos de alegría, aceptación y paz.

Nos sentimos relajados y con confianza en nosotros mismos.

Damos gracias a la Vida por habernos ofrecido momentos tan cálidos y especiales.

Y lentamente volvemos a sentir nuestro cuerpo físico y la habitación donde nos encontramos, y volvemos poco a poco a la vida diaria.

capítulo 12

Cocina, disfruta y vive con libertad

¡Come para vivir y no vivas para comer!

Escucha los susurros de lo que «necesitas» y armoniza los aullidos de lo que «deseas», con el conocimiento energético en la cocina y en tu vida.

Visión energética
de los siete niveles de nutrición

Nivel primario 1

Comer de forma espontánea cuando se tiene hambre, sin seguir ninguna filosofía, es una conducta automática e inconsciente que responde a la sensación física del hambre.

Por supuesto que todos poseemos este instinto de supervivencia y debemos usarlo cuando lo necesitemos, pero podemos continuar el recorrido por los siete niveles y no quedarnos estancados en éste. El modo de hacerlo es seleccionar con conocimiento energético lo que nuestro cuerpo necesita, sin tener que «devorar» lo primero que esté a nuestro alcance cuando aparezca la sensación de hambre.

Nivel sensorial 2

Aquí nos referimos a comer por orden de los sentidos, haciendo énfasis en el aspecto, el sabor y el olor de los alimentos.

En este nivel encontramos a personas que se alimentan a base de platos que ya conocen para encontrar siempre satisfacción sensorial en lo que comen. Están atados a sus sentidos y aunque un alimento no les siente bien, siguen tomándolo por costumbre.

Podemos utilizar este nivel para cuidar la **forma**, el **color**, el **sabor** y la **textura** de lo que cocinamos. **Se trata de un nivel que está muy conectado al cuerpo físico y al emocional,** y que podemos usar de la forma adecuada, sin quedarnos atados a él.

Nivel emocional 3

En este nivel la alimentación se centra en la obtención de una satisfacción emocional con la comida.

Se trata de personas que suelen cocinar sus platos favoritos de la infancia, o bien que están estancados en una forma de cocinar que ya no beneficia a su salud. Posiblemente también necesitan presentar muy bien los platos, poniendo énfasis en todo el ritual que hay alrededor de la mesa: música, velas, flores, mantelería...

El nivel emocional es muy importante; especialmente ahora, cuando el acto de alimentarnos y **fabricar nuestra energía** está tan infravalorado. Sin embargo, tampoco debemos quedarnos estancados en él.

Nivel intelectual 4

En este nivel se come a partir de justificaciones racionales: calorías, proteínas, vitaminas, fibras, grasas, minerales.... Es la forma que tiene nuestra sociedad de alimentarse hoy día, olvidando las necesidades de cada persona en particular.

Algunas tendencias alternativas también están aferradas a este nivel: clasifican en grupos a los individuos y no tienen en cuenta que sus **necesidades energéticas cambian constantemente.**

Es evidente que nuestro cuerpo necesita ciertos grupos de alimentos, pero no sólo nos alimentamos de vitaminas, minerales, carbohidratos o grasas... también hay que considerar los efectos energéticos de lo que comemos y decidir cuándo los necesitamos.

Puede que un día llueva y haga frío, y al siguiente haga calor. Es posible que estemos trabajando en algo activo que produzca mucho desgaste físico; que estemos sentados detrás de un ordenador durante todo el día; o que sea domingo y decidamos relajarnos leyendo un libro. ¡Nuestras necesidades energéticas son muy diferentes!

También hay que considerar la forma de cocinar estos alimentos, ya que producirán efectos energéticos diferentes en nuestro cuerpo. Valorar los alimentos sólo por sus cualidades físicas (vitaminas, carbohidratos, proteínas, fibra, minerales, etc.) es una forma muy simplista de entender cómo debemos alimentarnos.

Nivel social 5

Se come con conciencia social, usando productos locales que se han podido obtener sin abusos económicos, de cultivo biológico, sin aditivos químicos... Además, se toman cantidades moderadas y de forma muy sencilla, pensando en países más pobres o en personas con un nivel económico bajo, y se recicla todo lo posible.

Es importante que todos tomemos conciencia de este nivel y participemos en él, agradeciendo infinitamente a nuestra **Madre Tierra** todo lo que nos ofrece; con una actitud de apertura, amor y atención en el momento de preparar nuestros alimentos, ya que ellos nos darán vida y energía.

Según cómo nos encontremos anímicamente, así será el resultado de lo que preparemos. Si en estos momentos nos sentimos enfadados, cansados, con resentimiento por tener que cocinar, **estas energías negativas irán a parar a nuestro plato.** No es de extrañar que muchas veces, después de cocinar con estos estados de ánimo, el hambre haya desaparecido o ya no deseemos lo que estábamos cocinando, sin saber el porqué. Y, por si fuera poco, obligamos a nuestra familia (especialmente a nuestros hijos) a ingerirlo.

A la hora de comer debemos sentirnos agradecidos por los alimentos que hemos podido obtener de nuestra Madre Tierra y por el amor con el que los hemos preparado, masticado y absorbido, tanto en su faceta física como vibracional y energética. Sólo así nos sentiremos totalmente satisfechos y con ganas de continuar nuestro camino en la vida.

Es muy importante considerar este nivel en profundidad, aunque todavía hay dos niveles más a tener en cuenta.

Nivel ideológico 6

Se come siguiendo ciertas creencias o disciplinas ideológicas, ya sean religiones, maestros, filosofías, dietas... La persona no observa qué necesita en cada momento, sino que sigue de forma **ciega, automática e inflexible** lo que una determinada disciplina predica. Aquí encontramos muchas dietas que pueden funcionar para una persona pero que para otra, con diferentes

necesidades energéticas, pueden llegar a resultar perjudiciales.

Por descontado que podemos experimentar con diferentes formas de ver la alimentación, pero volviendo siempre a nuestro punto interior como referencia única para juzgar si nos beneficia o nos perjudica.

Nivel energético de libertad 7

Significa comer libremente y de acuerdo a las necesidades individuales. Esta forma de comer no prohíbe ningún alimento, sino que selecciona automáticamente lo que la persona necesita energéticamente, teniendo en cuenta sus efectos y con el objetivo de **crear salud, equilibrio, paz y conexión interior.**

Aunque hay que vivir todos los niveles (cada uno aporta una pequeña parte del entendimiento energético), si nos quedamos estancados en cualquiera de ellos nos convertiremos en personas **«esclavas» y «fanáticas»** con respecto a la alimentación, generando en los planos emocional, mental y espiritual desorden y tensión, por no escuchar nuestras auténticas necesidades.

Si deseamos obtener equilibrio, dirección y armonía en nuestras vidas, es importante escuchar nuestras necesidades, respetando las leyes energéticas universales y aplicándolas con libertad e intuición.

Comer para vivir

Como muy bien dice el refrán, hay que **«Comer para vivir y no vivir para comer».** Sin embargo, muchas personas carecen del entendimiento energético que les permita apreciar en profundidad su significado.

Hoy día, a la alimentación no se le da el valor que merece. Se considera que cocinar es una pérdida de tiempo o una obligación que hay que intentar eludir... Y, además, quienes piensan así suelen estar ¡todo el día picando! No dan a su organismo lo que realmente necesita y, a cambio, éste muestra su insatisfacción constantemente.

El proceso de cocinar está desapareciendo de nuestros ojos a pasos agigantados. Las cocinas, por ejemplo, que antes eran el centro de la casa, se construyen ahora cada vez más pequeñas, con el espacio justo para el frigorífico y el horno microondas. ¡Es un círculo sin principio ni fin! Cada miembro de la familia se prepara sus comidas de forma independiente (ya no existe el aliciente de sentarse alrededor de la mesa con toda la familia) y come por separado delante del televisor... ¡Y luego nos quejamos de que no existe comunicación en las familias!

Debemos recuperar el arte de cocinar como un medio para generar salud, energía, equilibrio y paz interior.

Lo que necesitamos y lo que deseamos

Viviendo en una sociedad de consumo repleta de ruido, prisas, competitividad y agresividad, es difícil escuchar a nuestra voz interior, intuir sus susurros y equilibrarnos con sabiduría.

Nuestro ser no sólo está formado por el cuerpo físico que vemos delante del espejo, sino que poseemos otros cuerpos que, al vibrar más rápidamente, no percibimos de forma tan clara.

El cuerpo emocional y el mental también tienen necesidades y, si no las compensamos al nivel de su vibración, lo harán con alimentos de naturaleza física, produciéndose aún más conflictos en el cuerpo con carencia.

Y es entonces cuando la unidad (armonía, equilibrio y paz) se desintegra y se divide en dos polos opuestos: **lo que necesitamos** y **lo que deseamos**.

Lo que necesitamos

Aunque podemos entender perfectamente que tenemos ciertas necesidades energéticas, ¿sabemos ponerlo en práctica? ¿Nos han educado de forma que podamos escucharnos y saber cuándo necesitamos un zumo o una ensalada para refrescarnos, o un cocido caliente o un puñado de frutos secos para calentarnos y nutrirnos?

Si experimentamos los estados energéticos que aparecen en el libro, nuestra calidad biológica cambiará y podremos sentir claramente nuestras necesidades. Unas veces nos equivocaremos y otras acertaremos; todo depende de nuestro valor para aventurarnos en el camino de la energía y el cambio.

En resumen, debemos satisfacer las necesidades alimentarias del cuerpo físico en función del momento. Aunque resulte muy fácil de entender es muy complejo aplicarlo, ya que no todos los cuer-

---

Debemos ir paso a paso para observarnos sin juicios y **sentir nuestra vibración energética:**

- ¿Nos sentimos débiles o con mucha energía?
- ¿Estamos hiperactivos y necesitamos relajarnos, o estamos pasivos
- deberíamos activarnos?
- ¿Tenemos calor o frío?
- ¿Tenemos un exceso de grasas y emociones fuertes, o más bien nos sentimos depresivos y con deficiencia de peso y energía?

pos (físico, emocional y mental) están en equilibrio o tienen las mismas necesidades energéticas. Mientras que uno puede estar débil, otro puede encontrarse tenso o tener unas necesidades opuestas a las del primero.

Es habitual que muchas personas posean un cuerpo físico muy débil y, a la vez, un cuerpo mental y un cuerpo emocional muy tensos, con exceso de energía. Así, mientras que el físico necesita reforzarse, remineralizarse y nutrirse, el emocional y el mental necesitan abrirse, fluir y depurarse y relajarse. **No podemos reforzar el cuerpo físico hasta que no empecemos a abrir y depurar el cuerpo mental y el emocional**. Con tal fin deberemos trabajar con ellos y averiguar qué emociones tenemos bloqueadas desde hace años; qué actitudes mentales llevamos por la vida; qué creencias afectan nuestra visión de la realidad... Se trata de un trabajo interior para el cual se necesita mucha humildad, coraje y ganas de conocernos de verdad, y que resulta imprescindible para no sabotearemos a nosotros mismos con excusas; para no desear compensar energéticamente lo que sentimos en nuestro interior (estancamiento, rigidez, tensión, presión, etc.) con alimentos físicos extremos de vibración muy Yin (azúcar, chocolate, alcohol, exceso de frutas, zumos, estimulantes y líquidos, etc.). Estos alimentos ocasionan muchas veces una expansión tan extrema que el individuo no se siente en «su propio cuerpo», sino como fuera de él,

---

Tanto para saber lo que **necesitamos** como lo que **deseamos**, es importante hacer un profundo trabajo de observación interna, así como poseer la «**habilidad-para-responder**» en cada momento a los constantes cambios energéticos que la vida nos depara. Para ello, **se necesitan cuatro energías o cualidades:**

1. Vivir en el presente: sentirse totalmente aquí, enraizados, con cimientos sólidos en esta vida.
2. Tener habilidad para intuir nuestras necesidades interiores, siendo objetivos y entendiendo la naturaleza de la carencia.
3. Dejarse fluir con flexibilidad: estar abiertos a cambios en cualquier momento.
4. Tener energía y vitalidad para poder efectuar los cambios.

---

con falta de control de su propia vida. **Es una forma muy común de evadirse para no tener que afrontar lo que no se desea ver**.

En mis años de experiencia he constatado que si deseamos realmente un efecto a largo plazo hay que empezar armonizando los cuerpos más sutiles, los que vibran más rápidamente (emocional y mental), y poco a poco el físico se irá equilibrando. De hecho, cuando se localiza algún desequilibrio a nivel físico, este conflicto ya existía hace años en el resto de cuerpos (mental, emocional y etérico/aura).

Si, poco a poco, nos hacemos más sensitivos a los cambios interiores (a todos los niveles), podremos equilibrarnos más rápidamente y ¡no tendremos que esperar al aullido del cuerpo físico!

Lo que deseamos

Esta parte tiene muy poco que ver con las necesidades reales del cuerpo físico. Se trata de un apego de los otros cuerpos, especialmente del emocional y del mental, a ciertos alimentos para compensar sus carencias a otros niveles de vibración.

Lo que deseamos no es lo que necesitamos. La mayoría de las veces deseamos chocolate, alcohol, estimulantes, etc., no por necesidad física, sino porque hemos sufrido algún revés emocional o dificultad en la vida y buscamos una tapadera energética de efectos evasivos, dispersantes y volátiles; aunque también puede darse el caso de que busquemos una «tapadera» de efectos contrayentes, de crear barreras para protegernos, y entonces consumiremos en exceso pan, galletas, pizzas, snacks salados, carnes, huevos o quesos.

Puede que consigamos nuestro deseo de evasión momentáneamente, pero sea lo que sea a lo que debemos enfrentarnos, se agravará con la culpabilidad que genera este tipo de alimentación.

El paso del tiempo.
Pasado, presente y futuro

S i observamos nuestra vida y la de quienes nos rodean, veremos que a muchos de nosotros nos falta vivir con calidad cada momento, vivir el presente. En otras palabras, nos falta estar totalmente inmersos en nuestro cuerpo físico, en nuestro «Templo», en lugar de visitarlo de tanto en tanto, cuando sus aullidos nos hacen tomar conciencia de su existencia.

Para disfrutar nuestra realidad debemos estar en el presente. Sin embargo, muchos pasan por la vida apegados totalmente al pasado, reviviendo unas situaciones que ya no se pueden cambiar y cargando con ellas durante años.

No podemos cambiar el pasado, pero sí honrarlo para dejarlo ir, de forma que ya no influya en nuestras vidas; aprendiendo la lección con gratitud y humildad.

> Para disfrutar nuestra realidad debemos estar en el presente.

¿Por qué hay tanta gente apegada al pasado, estancada en un mundo sin vida? Hay mucha formas de contestar a esta pregunta, pero podemos empezar por la más simple y a la vez esencial, es decir, a nivel de nutrición: ¿Qué alimentos o formas de alimentarnos generan un efecto estático? Pues los productos animales con grasas saturadas (carnes, embutidos, lácteos), así como los alimentos con energía densa e interior (sal y condimentos salados, horneados, pan, huevos). Tomarlos genera rigidez, estancamiento y falta de dinamismo, con apego al pasado.

Si escogemos alimentos extremos Yang, sus efectos serán estáticos (se acumulan en nuestro organismo y producen tensión, rigidez, falta de fluidez y flexibilidad). En cambio, si escogemos alimentos extremos Yin, los efectos serán de apertura, desintegración y vibración muy rápida

vida. Pero, ¿realmente necesitamos generar adrenalina a diario? ¿Necesitamos estar en constante estado de alerta para podernos levantar de la cama, ir a la oficina, ponernos delante del ordenador o llevar a los niños a la escuela? ¿Necesitamos gastar en nuestra vida diaria una sustancia bioquímica que el cuerpo genera naturalmente para ocasiones de alerta y peligro? Puede que al principio nos genere una chispa, pero ésta es falsa, y con el tiempo su abuso nos debilitará hasta lo más profundo de nuestros cuerpos, ¡y no sólo el físico!

(alcohol, estimulantes, azúcar, especias...). Nos dispersan, diluyen el calor interior del cuerpo y generan adrenalina, con lo que soñaremos y viviremos más en el futuro.

Si observamos la forma habitual de complementar energías, comprobaremos que cuando una persona come un bistec, generalmente también toma una bebida alcohólica, un postre con azúcar, café y más alcohol. Y puede que a media tarde, cuando su energía empiece a decaer, necesite más azúcar, estimulantes, etc. La balanza energética universal no se puede cambiar, así que lo mejor es nutrirnos con energías más estables, sin altibajos constantes y que nos proporcionen paz y armonía interiores.

Una persona como la del ejemplo necesita equilibrar su proporción 1 Yang / 7 Ying. Los alimentos Yin generan adrenalina; producen una chispa momentánea porque al vibrar tan rápidamente hacen fluir la energía estancada por los alimentos estáticos y sin

¿Por qué estamos tan apegados a ciertas sustancias?

Quizá porque al mismo tiempo que nos hacen vibrar, también nos permiten evadirnos del presente y soñar con un futuro hipotético. Y decimos «evadirnos» porque al tomar sustancias de efecto expansivo salimos de nuestro estado real: puede que nos sintamos menos cansados después del café, o que tras la copa de alcohol ya no nos acordemos de la deuda con el banco... **¡Aunque la realidad presente no ha cambiado; sigue estando ahí!**

Se necesita mucha fuerza, determinación y autoconocimiento para estar despiertos y vivir el presente; para aceptar nuestra realidad y responsabilizarnos de nuestro camino y acciones. Y todo ello sin culpabilizar a los demás de nuestra «mala suerte».

¿Por qué en vez de utilizar sustancias exteriores que alteran momentáneamente nuestro estado de conciencia no utilizamos las endorfinas, unas sustancias bioquímicas que genera nuestro cuerpo y que nos proporcionan placer y relajación? Para ello tenemos que vivir en el presente, observándonos constantemente y generando situaciones positivas en nuestras vidas; situaciones que generen luz y armonía, y que nos conecten con nuestro poder interior, que es la fuerza que realmente nos hará sentir vivos.

Vivencia interior

Vamos a relajarnos, a hacer varias respiraciones pro-fundas y a sentirnos cómodos. Nos sentaremos con los pies firmemente enraizados al suelo, a nuestra madre Tierra.

Podemos tener a nuestro lado papel, lápiz, tizas de colores, etc.

Nos relajamos más y más, inspirando y expirando muy lentamente...

Podemos imaginar que en nuestro cuerpo crecer raíces fuertes y potentes que van al centro de la Tierra y nos sentimos sólidos y seguros.

Pasado

Invitamos a una persona que represente nuestro pasado a venir a nuestra mente. Podemos coger lápiz y papel, e intentar dibujar esta figura...

• ¿Es hombre o mujer? ¿Cómo es físicamente? ¿Cómo va vestido/a?
• Ponemos el dibujo delante de nosotros y le preguntamos:
• ¿Qué necesitas para que tu misión esté totalmente concluida?

• ¿Qué debo hacer para que te sientas totalmente honrado y purificado?
• ¿Hay algo más que necesito tener en cuenta?

Escucha sus respuestas y escríbelas en un papel. Si no tienes nada más que hablar con él, guarda el papel con sus comunicaciones y medita sobre ellas. A continuación, purificamos la imagen con una llama; dejamos que el fuego la haga desaparecer de nuestra vida y eliminamos su poder sobre nosotros.

Volvemos a recogernos, relajarnos y respirar profundamente.

Podemos coger lápiz y papel, y dibujar esta figura... Podemos crear lo que deseemos, ya que como seres humanos tenemos un poder de creación inmenso, y lo que creamos a nivel energético se hace realidad en un futuro próximo. ¿Cómo deseamos que sea nuestro futuro? ¿Es hombre o mujer? ¿Cómo es físicamente? ¿Cómo va vestido?

Futuro

Nos sentamos de nuevo y, sintiendo nuestras raíces, **invitamos a una persona que represente nuestro futuro** a que venga a nuestra mente.

Dibujamos lo que nuestra mente nos comunica y, con el dibujo delante de nosotros, preguntamos a la figura:

• ¿Qué deseas? ¿Cuáles son tus metas?
• ¿Qué misión deseas realizar?
• ¿De qué forma te puedo ayudar?
• ¿Qué cualidades, energías y forma de vida necesitas para hacer realidad tus metas?
• ¿Hay algo más que necesito tener en cuenta?

Escucha sus respuestas y escríbelas en el papel.

Dejamos que esta imagen se desvanezca y conservamos sus palabras y consejos.

Volvemos a recogernos, relajarnos y respirar profundamente...

Presente

Sentados de nuevo y sintiendo nuestras raíces, **invitamos a una persona que represente nuestro presente** a que venga a nuestra mente.

Podemos coger lápiz y papel, y dibujar esta figura con detalle... ¿Cómo es?

• ¿Es hombre o mujer? ¿Cómo es físicamente? ¿Cómo va vestido/a?

Colocamos el dibujo delante de nosotros y preguntamos a la figura:

• ¿Cómo te encuentras?
• ¿Te sientes en el centro de tu vida? Si no es así, ¿qué situaciones te impiden estar en el centro de tu vida?
• ¿Qué necesitas ahora para sentirte en armonía y equilibrio?
• ¿Hay algo más que necesito tener en cuenta?

Escucha sus respuestas y escríbelas en un nuevo papel.

A continuación, junta las imágenes del presente y del futuro. Intenta que haya armonía entre ellas para que el trabajo del presente sirva de semilla energética al futuro para obtener sus metas. Aunque el presente necesite todavía completar alguna parte de su vida, generará y regará las semillas del futuro.

Terminaremos el trabajo interior estirados completamente en el suelo, dejando que nuestra mente se relaje totalmente y disfrutando de unos minutos de paz.

El ingrediente más importante en la cocina

Todavía no hemos hablado del ingrediente más importante en la cocina. Se trata de la fuerza más poderosa del universo y sin la cual no existiríamos: **el amor.**

Podría parecer un tópico pero, si queremos generar salud y vitalidad al cocinar, es muy importante que nunca falte este ingrediente. Si cocinamos con cansancio, agresividad y resentimiento transmitimos estos efectos a nuestros platos.

Somos creadores de energía, por lo que podemos escoger qué es lo que transmitimos en nuestras comidas. Si queremos que en casa reine la armonía y la comunicación, debemos poner mucha atención a la parte energética durante el proceso de cocinar.

Algunas pautas para obtener resultados

■ Antes de cocinar, **reconoceremos cómo nos encontramos.** Si no estamos bien anímicamente, dedicaremos cinco minutos a relajarnos, tomar una infusión y hacer varias respiraciones profundas antes que ir a la cocina a «pelearnos» con las ollas…

■ Antes incluso de pensar en lo que vamos a cocinar intentaremos generar **un ambiente de paz y armonía.** Quizá un poco de música suave nos inspire y nos lleve a un estado de ánimo más tranquilo, o puede que prefiramos ponernos ropa cómoda y nuestras zapatillas favoritas. Cada persona tendrá su propia forma de sentirse a gusto.

■ **Desconectar todos los aparatos eléctricos** que puedan interferir durante nuestra vivencia en la cocina: teléfono móvil, lavadora, televisión, etc... Mucha gente se queja de que cocinar lleva mucho tiempo, pero no es verdad. **Generar salud y vitali**

dad en la cocina es muy rápido si tenemos claro el propósito.

Si, al mismo tiempo que cocinamos, hablamos por teléfono, vemos las malas noticias de la tele, planchamos y bañamos a los niños, acabaremos agotados y con resentimiento. Y cuando vayamos a comer la ensalada, la sopa o la pasta que hayamos preparado, lo único que absorberemos será agobio, cansancio y mal humor. Podemos decidir, ¡nuestra salud y la de nuestra familia está en juego!

■ No hay por qué comenzar abriendo armarios y neveras más o menos repletos. Antes conviene tener claro qué queremos preparar, y recomiendo anotarlo antes de buscar los ingredientes. Así, no sólo se ahorra mucho tiempo, sino que empezaremos a generar energía de **claridad, propósito y simplicidad,** que luego absorberemos y veremos reflejada poco a poco en nuestras vidas.

■ **Visión energética.** Podemos imaginar el efecto final de lo que deseamos crear.

Si, por ejemplo, hemos decidido elaborar un estofado, o un plato que nos caliente y reconforte en un frío día de invierno, al mismo tiempo que pelamos cebollas y zanahorias podemos imaginar cómo nos sentiremos al comerlo y la energía que nos generará. Nuestra mente es potente, por lo que antes de experimentar los efectos energéticos de la comida podemos generarlos con nuestro **cuerpo mental.** Para ello tenemos que vivir la experiencia al cien por cien, sin confundirnos con otras tareas domésticas.

Si cocinamos con esa perspectiva nueva y diferente, y disfrutamos de la experiencia generando amor y respeto, también generaremos estas energías en cada plato y nos sentiremos en paz, sin conflictos o cuestiones externas que nos alejan de nuestro centro y equlibrio.

El poder de la simplicidad

Hemos procurado que la información ofrecida en este libro sea simple, y con mucho sentido común. Por eso a veces puede que no se valore lo suficiente; sería como percibir la belleza de las nubes, la fortaleza de un roble, la pureza de una gota de agua, la sonrisa de un niño, el calor de un abrazo..., que aunque sean verdades muy poderosas, se desvanecen hasta desaparecer en una sociedad de consumo que fomenta otros valores.

Sin embargo, todos podemos comprender, practicar y recoger los beneficios de lo que propongo en este libro. Se trata de equilibrar nuestra balanza energética interna con intuición y flexibilidad.

• Si nos centramos en los detalles perderemos la perspectiva general del paisaje que estemos mirando. Lo mismo ocurre si enfocamos con demasiada atención mental nuestro cuerpo físico: no percibiremos sus necesidades reales.

• Y si nos olvidamos de escuchar las necesidades del cuerpo emocional, tarde o temprano nos controlará con sus **aullidos.** Es cuando nos volvemos más insensibles para poder sentir, fluir, vivir con intuición escuchando los susurros de nuestro Ser.

• Y lo más importante: cuanto más nos centremos en la parte mental, más nos alejaremos de nuestra conexión interior, que no se puede escuchar con la mente, sino que necesita **un trabajo constante de autoobservación flexibilidad y humildad a través de un poderoso transmisor: el corazón**.

Procurar que todas nuestras partes sean escuchadas, respetadas y honradas por igual es una tarea constante de malabarismo. Pero tened en cuenta que, normalmente, **quienes necesitan mucha más información** son los que **no ponen en práctica** lo expuesto. Porque no lo valoran. Les resulta demasiado sencillo y por eso no pueden experimentar los resultados del milagro energético.

Si realmente practicamos, poco a poco necesitaremos menos información nutricional ajena (especialmente mental) porque la propia sabiduría interna guiará nuestro camino.

El interminable baile energético es muy sencillo. No hay secretos, ni tenemos por qué estudiar durante años complicadas tablas y fórmulas. El único secreto es **atreverse a experimentar** en la vida diaria lo expuesto en el libro.

Imaginar nuestro jardín interior

Vivencias personales para ver qué crece dentro de nosotros.

Vamos a relajarnos, a hacer varias respiraciones profundas y a sentirnos enraizados al suelo, conectados con nuestra Madre Tierra.

Vamos a imaginar nuestro jardín interior. Observamos primero el jardín y nos sentimos parte de él. El calor del Sol, el olor de la hierba, el perfume de las flores, el canto de los pájaros… Todo es paz, belleza y sosiego.

Observamos qué crece en él en estos momentos:

- ¿Hay abundancia de plantas, colores, formas y olores?

- ¿Crecen las plantas con exhuberancia? ¿Tienen suficiente agua y tierra de buena calidad? ¿Tienen luz o están a la sombra y no pueden crecer?

- ¿Estamos satisfechos con lo que crece en nuestro jardín o deseamos algo nuevo?

- ¿Qué le falta a nuestro jardín para sentirnos totalmente satisfechos cuando llegue la cosecha?

- ¿Qué cambios deseamos hacer?

- ¿Tenemos la suficiente determinación, fuerza y flexibilidad para hacer estos cambios? ¿Qué nos impide hacerlos?

Abrazar el mundo

«Algo dentro de mí hizo que de repente me sintiera parte de algo más grande. Yo era Uno con la hierba, los árboles, los pájaros, los insectos... todo lo que hay en la naturaleza. Me regocijaba por el mero hecho de existir, por ser parte del Todo: la lluvia, la sombra de las nubes, los troncos de los árboles...»

CITADO POR EDWIN DILLER STARBUCK

Algunas sugerencias prácticas para no perdernos

Cambiar nuestros hábitos alimentarios puede llegar a ser descorazonador si no nos sentimos apoyados por otras personas que compartan los mismos ideales y con quienes podamos intercambiar experiencias.

¿Acaso el bebé no aprende a andar por su cuenta pero con los brazos de sus padres preparados para ayudarlo en caso de caída?

Recomiendo empezar este camino (que puede llegar a ser tortuoso al principio) con ayuda: ir a cursos y tener un grupo de apoyo. De este modo disfrutaremos el viaje energético con mucha más claridad interior. ¡Vale la pena!

Pero, ¿estamos preparados para un cambio integral? Muchas personas, inspiradas por páginas como éstas, empiezan con mucha ilusión, pero sólo hacen unos tímidos cambios en su alimentación y luego pretenden sentirse con vitalidad y armonía, echando la culpa de que no funcione a lo exterior... Otros, muy animados, hacen los cambios bruscamente y dan un bajón en picado a todos los niveles, abandonando de la misma forma que empezaron.

Y otros que sí sienten los cambios, al no tener un círculo de apoyo, se desaniman y lo abandonan.

¿Acaso cuando queremos limpiar a fondo una habitación, no tenemos que mover antes los muebles para llegar a todos los rincones? ¿Parece entonces la habitación un lugar acogedor para sentarnos y relajarnos? No, pues en ese momento hay desorden, pero para crear armonía es necesario antes el caos. Del mismo modo, si hacemos un cambio integral de alimentación, al principio sentiremos desconfianza ante lo nuevo, pero si perpetuamos patrones de alimentación erróneos durante toda la vida, los efectos que recogeremos serán también erróneos.

■ ¿Qué excusas nos sabotean el deseo de cambiar?

■ ¿Necesitamos ayuda? ¿De qué clase?

Podemos imaginar qué necesitamos y efectuar los cambios si realmente lo deseamos. En nuestro corazón, estos cambios son tan importantes como la necesidad de respirar.

Si siempre plantamos y regamos las mismas semillas, las mismas creencias, siempre cosecharemos los mismos resultados. Tenemos que aventurarnos, pues ¡el cambio genera vida, fluidez y energía!

El camino más largo
siempre empieza con unos primeros pasos

Primer paso

- Come sólo cuando tengas hambre y bebe sólo cuando tengas sed.
- Reduce el consumo de huevos y carnes rojas (cerdo, buey, ternera, cordero, embutidos).
- Introduce en tu alimentación toda clase de pescado fresco.
- Reduce el consumo de productos lácteos y de grasas saturadas.
- Incluye en cada comida una buena ensalada o un plato de verdura.
- Reduce el consumo de congelados, enlatados y comidas preparadas.

- Consume alimentos frescos y de cultivo biológico.
- Sustituye en tu cocina ingredientes refinados por ingredientes integrales y biológicos.
- Dedica un lugar específico en tu cocina a tus propios ingredientes. No los tengas mezclados con los del resto de la familia.
- Acepta la sociedad que te rodea; tú has decidido hacer un cambio, ¡ellos no!
- Empieza a tomar clases de cocina natural y energética.
- Consolida un grupo de apoyo para hablar de las experiencias o cocinar juntos.

- No intentes cambiar a nadie especialmente a tu familia.
- Relájate al salir con los amigos. Puedes comer de forma natural y saludable en cualquier parte.
- Comparte tu comida con quienes se interesen por ella.
- Prueba una vez por semana un plato nuevo. Experimenta con nuevos ingredientes.
- Cocina al menos una vez al día.
- Si deseas alimentos «de los de antes», tómalos en pequeñas cantidades. Piensa que, si te resistes, los acabarás tomando de forma descontrolada.

¡Ámate!: Respeta y escucha con atención las necesidades y los deseos de tus distintos cuerpos (físico, mental y emocional).

Los cambios rápidos no duran. ¡Esto no es una dieta más! Es la base para una forma de vida sana y duradera, para crear calidad en nuestras vidas.

Segundo paso

Reduce el consumo de azúcares refinados y de energía extrema: azúcar blanco o moreno, fructosa, sacarina, miel, sirope de arce, chocolate, pastelería, horneados con azúcar, mermeladas con azúcar, chicles, bebidas azucaradas, gaseosas.

Reduce el consumo de bebidas alcohólicas.

Reduce el consumo de estimulantes: cafés, tés, bebidas azucaradas y con gas...

Incrementa el consumo de bebidas más naturales: zumos de frutas o verduras, infusiones, café de cereales, té sin estimulantes...

Come fruta fresca o seca (sin sulfato) en lugar de pastelería y dulces.

Cambia a aliños, aderezos y salsas de buena calidad, sin aditivos, colorantes o sabores artificiales.

Aumenta el consumo de verduras y ensaladas.

Inspírate en el mercado, aprende de la gran variedad y riqueza que se ofrece.

Descubre la variedad de las proteínas vegetales y practica recetas simples.

Consume verduras y frutas locales y de la estación.

Descubre el valor depurativo y remineralizante de las verduras del mar.

Toma fermentados naturales cada día.

Sigue con las clases de cocina y el grupo de apoyo.

Observa los cambios que se van produciendo en ti poco a poco. Coméntalo con expertos y dale tiempo al tiempo. No seas impaciente.

Tercer paso

Empieza un diario energético: anota tus comidas, emociones, estados de ánimo y nivel de energía. Obsérvalo al cabo de unos días para ver cómo te generaste estos efectos.

Responsabilízate (habilidad para responder a los cambios) de cómo te encuentras. Tú te los has creado.

Intenta que en cada comida tengas los ingredientes que tu cuerpo necesita para su óptimo funcionamiento: cereales, proteínas, verduras, algas, fermentados.

Acuérdate de generar paz y armonía antes de empezar a cocinar (crear salud y vitalidad).

Si todavía deseas alimentos de antes, intenta observar qué clase de energía y vibración es realmente esta carencia. No te culpabilices, ¡experimenta!

Nutre tus cuerpos mental y emocional con los alimentos que corresponden a sus vibraciones (relajación, masaje, paseos por el campo, música suave, hablar con un amigo, etc.).

Cocina con claridad, simplicidad y un propósito claro.

Empieza a explorar la cocina energética, creando distintos efectos: reforzar, nutrir, relajar, activar, enfriar, calentar, endulzar... con ingredientes simples.

Aplica los siete niveles de nutrición siempre que puedas.

Disfruta del camino; tienes toda una vida por delante. ¡No hay prisa!

capítulo 13

Nutrición para la paz
y la armonía interior

Las mismas **acciones** generan
las mismas **reacciones**.

Si cambiamos y practicamos poco a poco no
necesitaremos más información exterior, ya
que nuestra conexión y sabiduría interna nos
guiarán en nuestro camino.

Ésta no se escucha con la mente.
Su poderoso transmisor ¡es el **corazón**!

Conectar con nuestra unidad

V amos a descolgar el teléfono y a disponer de unos minutos para vivir una jornada interior. Nos relajamos como de costumbre, estirados en el suelo o sentados en una silla, cómodos y con la espalda erguida. Hacemos varias inspiraciones profundas y expiramos muy lentamente, sintiéndonos más y más relajados, pesados y conectados con nuestra Madre Tierra.

Vamos a imaginar, a visualizar, la parte masculina que todos poseemos.

¿Qué imagen acude a nosotros? Sea cual sea es válida y dejaremos que se intensifique. Puede ser la imagen de una persona, un animal, una planta, un objeto, un color, una forma, una emoción, un paisaje…

Observamos esta parte **masculina**
- ¿Qué imagen acude a nosotros?
- ¿Qué apariencia tiene?
- ¿Qué está haciendo?
- ¿Qué emociones tiene?
- ¿Está en equilibrio?

- ¿Se siente en paz y feliz?
- ¿Qué necesita para encontrar su armonía?
- ¿Cómo se le puede ayudar?
- ¿Cuál es su misión en la vida?

Poco a poco, dejaremos que esta imagen se desvanezca y volveremos a dirigir la atención a nuestro cuerpo físico, a su pesadez, a su conexión con el suelo… a sentir nuestro estado de relajación y silencio.

A continuación vamos a imaginar, a visualizar, la parte femenina que todos poseemos.

¿Qué imagen nos la evoca? Cualquiera que sea es válida y dejaremos que se intensifique, Puede ser la imagen de una persona, un animal, una planta, un objeto, un color, una forma, una emoción, un paisaje…

Observamos esta parte **femenina**
- ¿Qué imagen viene a nosotros?
- ¿Qué aspecto tiene?
- ¿Qué está haciendo?
- ¿Qué emociones tiene?

- ¿Está en equilibrio?
- ¿Se siente en paz y feliz?
- ¿Qué necesita para encontrar su armonía?
- ¿Cómo se le puede ayudar?
- ¿Cuál es su misión en la vida?

A continuación, tenemos presente las dos partes, la masculina y la femenina: ¿Se conocen? ¿Tienen misiones afines, con las que colaborar y trabajar al unísono, o tal vez siguen direcciones opuestas? ¿Cómo podrían encontrar un punto común para ayudarse a alcanzar sus metas? ¿Cómo se las podría ayudar?

Podemos coger lápiz y papel, y anotar estas experiencias para meditar sobre ellas con tiempo y detenimiento.

Para acabar, volvemos a la realidad de nuestra habitación y de nuestro cuerpo.

Si deseamos unidad, armonía y equilibrio en nuestra vida, necesitamos trabajar al unísono tanto la parte femenina como la masculina; de este modo tendrán metas comunes y se ayudarán mutuamente a conseguirlas. Y es que, si cada una tiene objetivos opuestos, ¿cómo podremos encontrar la armonía interior?

A veces, haciendo este ejercicio podemos distinguir claramente una de las partes, mientras que la otra aparece borrosa porque todavía no se ha presentado en nuestra vida. Quizá ahora estemos en disposición de relacionar esta parte aún desconocida con las energías descritas en el libro.

¿Puede que nuestra parte femenina esté ausente, ambigua y distante porque incidimos más en el «hacer» (parte masculina) que en el «ser» (parte femenina)?

¿Es posible que tengamos sobrepeso, estrés, tensión o problemas menstruales, y hayamos decidido depurarnos y relajarnos? (Parte energética femenina).

¿O puede que nuestra parte masculina esté ausente o sin fuerzas para seguir su misión? ¿Es probable que nos sintamos débiles, con frío, con falta de concentración y depresivos, y hayamos decidido remineralizarnos y nutrirnos? (Parte energética masculina).

Sea cual sea la parte que deseamos regenerar y equilibrar, es importante no olvidarnos de generarnos dulzor a todos los niveles.

Potenciando los efectos que necesitamos

En las páginas anteriores hemos visto cómo crear diferentes efectos energéticos con la alquimia de los ingredientes, los estilos de cocción y los aderezos.

Aunque a simple vista parezcan instrucciones demasiado simples, si se practican a diario comprobaremos su profundidad ¡y el poder que generan! Su efecto será a largo plazo, por lo que el camino vital que crearemos será lento pero seguro.

Hemos estudiado los efectos para generar diferentes energías:

- Remineralizar / Reforzar
- Nutrir
- Calentar
- Generar dulzor
- Depurar
- Enfriar
- Relajar
- Activar

Si observamos la parte energética de los estilos de cocción, veremos que mientras unos se presentan con efectos más activos, dinámicos, reforzantes; con energía de construir, añadir e integrar...

Otros se presentan con efectos más pasivos, relajados, lentos; con energía de desintegrar, disipar y diluir...

De hecho, podríamos clasificarlos en dos polos opuestos energéticamente: masculino y femenino.

La parte masculina se generará y nutrirá con las energías de reforzar/remineralizar, nutrir, calentar y activar. La parte femenina, en cambio, se generará y nutrirá más con las energías de dulzor, relajar, enfriar y depurar.

Es probable que ahora, casi al finalizar el libro, ya tengamos una idea de qué efectos necesitamos potenciar en nuestra vida y en nuestra cocina.

Vivencia interior
La conexión con nuestra voz interna

Con la siguiente visualización observaremos nuestras emociones y estados de ánimo. Aconsejo efectuarla cuando nos encontremos libres de emociones y pensamientos extremos. Si éstos existen, es mejor hacer una visualización cuyos efectos energéticos sean opuestos a lo que estemos sintiendo; por ejemplo, si sentimos ira, rabia o calor, podemos hacer los ejercicios de los capítulos de depurar, enfriar, relajar... En cambio, si nos sentimos débiles, víctimas de la vida y sin confianza en nosotros mismos, podemos hacer los ejercicios de los capítulos de reforzar, nutrir, generar calor interior, activar... Y luego, dejar que pase el tiempo necesario para que nuestro estado de ánimo se regularice y equilibre...

Vamos a relajarnos, a hacer varias respiraciones profundas y a sentirnos cómodos y pesados, con el cuerpo físico en contacto con el suelo, con nuestra Madre Tierra. Imaginamos que estamos en la cima de nuestra montaña; un lugar en la naturaleza que nos da fuerza y energía; un paisaje al que siempre nos sentimos atraídos.

Nos sentimos parte de la montaña y, tras explorar un poco, nos sentamos en un lugar que nos inspire protección, energía y vida.

En este lugar tan especial se encuentran todos los elementos de la naturaleza, que nos regalan sus cualidades y que nos hacen sentir más ligeros, abiertos, rejuvenecidos y reforzados.

Sabemos que estamos esperando a un amigo muy especial: un ser de luz que nos conoce y que camina siempre con nosotros. Miramos alrededor, nuestros sentidos se agudizan lentamente y percibimos con sorpresa que este ser en realidad nunca se ha apartado de nuestro lado.

> Vamos a imaginar que estamos en la cima de nuestra montaña.

Notamos su energía, su alta vibración, su luz, su amor incondicional y su poder. Y también advertimos que esta luz se va integrando poco a poco en nosotros.

Las sombras, las dudas y los temores van desapareciendo... y las cualidades de apertura, paz, humildad, perdón y amor van impregnando todos los rincones de nuestro ser.

Nos sentimos más ligeros y nuestro cuerpo parece expandirse...

Inspiramos y expiramos lentamente. Notamos cómo fluyen las energías a través de nuestra columna vertebral y cómo se funden en una sola; también sentimos vibrar nuestro canal espiritual, que va regenerándose con energía renovada.

Disfrutamos de estos momentos únicos de conexión con la certeza de que siempre que lo deseemos podremos conectarnos con nuestra voz interior, especialmente cuando necesitemos escuchar un sabio consejo para tomar alguna decisión importante.

Y es que la luz interior siempre nos guiará de forma mucho más objetiva que nuestra mente o nuestras emociones, casi siempre tan inmersas en el proceso de forma terrenal.

Poco a poco, volveremos a las sensaciones físicas de nuestro cuerpo. Podemos frotarnos las extremidades para sentirnos totalmente reincorporados y volver a la rutina diaria, pero tratando de enriquecer constantemente está conexión para sentirla cada día más fuerte.

El susurro de la voz interior. Aumentando su volumen

En una sociedad dominada por el estrés, el volumen de lo **exterior** es mucho más potente que el susurro interior. Del mismo modo, se valora a los individuos por la **cantidad** en lugar de por la **calidad**; es decir, por lo que pueden hacer en un día, en lugar de por cómo se sienten. Desde la infancia nos vemos bombardeados con estos principios, y sin plantearnos su veracidad acabamos funcionando como una máquina de producción, sin la libertad que ofrece cada nuevo día. Esta forma de vivir nos hace creer que no tenemos tiempo para hacerlo todo, que los días son cortos . . . Y las semanas, los meses y los años nos pasan sin darnos cuenta...

Es el síndrome de «hacer», por el cual estamos tan ocupados con nuestro «exterior» que nos olvidamos de que existe un «interior». Es realmente revelador hacer una lista de todas las actividades diarias que «hacemos»: desayunar, lavarnos los dientes, conducir, ir a la oficina, comprar... Se trata de actividades rutinarias que nos ocupan el día entero y que nos impiden vivirlo con intensidad.

Asimismo, podemos hacer otra lista con los momentos del día en que «somos»; puede que escuchando una música reconfortante, acariciando a nuestra mascota, oliendo el perfume de una flor, mirando a un amigo a los ojos... Estos momentos de calidad no desaparecen tan rápidamente como los anteriores: nos reconfortan tanto que parece que ¡duran más!

Cuando hacemos este ejercicio, nos damos cuenta de que son pocos los momentos que dedicamos al día a conectarnos con nuestro corazón, y que debemos incrementarlos, ya que es entonces cuando percibimos el susurro de nuestra **voz interior.** Al principio, puede que sea tímida o esté cansada por no haber sido escuchada y valorada desde hace mucho tiempo... Sin embargo, **siempre ha estado con nosotros, esperando pacientemente a que un día nos acordáramos de ella.** Si deseamos hacer más énfasis en esta conexión, debemos equilibrar la balanza del «hacer» con la del «ser»; complementar los momentos de actividad con los de calidad para llegar a sentirnos más equilibrados.

Y, con respecto a la alimentación, mientras todavía consumamos alimentos con efectos extremos **Yin** (azúcar, chocolate, estimulantes, helados, alcohol, exceso de frutas tropicales y de líquidos, los cuales producen dispersión y desconexión) o de efectos extremos **Yang** (grasas saturadas, carnes, embutidos, huevos, quesos, sal cruda, horneados... que producen tensión, rigidez y contracción), experimentaremos emociones y efectos extremos que anularán nuestra voz y conexión interiores. Precisamente **en esta conexión es donde debemos hacer énfasis, ya que es la que nos guiará hacia nuestro centro con equilibrio, paz y armonía.**

La escuela de la vida

E l siguiente texto, de autor desconocido, siempre me ha ayudado en los momentos difíciles y oscuros de mi vida. Por ello deseo compartirlo con vosotros, para que os ayude a reflexionar y a agradecer a la vida el impagable regalo de la existencia.

Recibirás un cuerpo

Te guste o no, será tuyo durante el resto de tu vida.

Aprenderás lecciones

¡Felicidades! Estás matriculado en un curso intensivo en la escuela de la vida. Cada día recibirás oportunidades para aprender las lecciones. Puede que estas lecciones te gusten o quizá pienses que no tienen sentido.

Sabiduría interior

«¿No oyes a veces una voz que te viene de fuera, como si te hablara en el silencio? No viene de fuera. No vienen de fuera las voces. Siempre somos nosotros que nos hablamos a nosotros mismos.»

FRANÇOIS MAURIAC

Nunca dejamos de aprender lecciones

No existe ninguna parte de la vida que no contenga sus lecciones. Si estás vivo, hay lecciones por aprender.

El «allí» no es mejor que el «aquí».

Cuando tu «allí» se convierta en «aquí» simplemente obtendrás otro «allí» que te parecerá mejor que tu «aquí».

Los demás actúan simplemente de espejo

No puedes amar o aborrecer algo de otra persona, que no refleje algo que ames o aborrezcas en ti.

Los errores no existen, sólo las lecciones

El crecimiento interior es un proceso de prueba, error y experimentación. Las experiencias que creas que te han fallado tienen igual valor que las que tú crees que funcionan.

Lo que decidas hacer de tu vida, depende absolutamente de ti.

Tienes todos los recursos que necesitas; cómo los utilices depende sólo de ti.

Cada lección se repite hasta que se aprende

Cada lección se presenta de varias formas, hasta que la aprendemos. Y cuando esto ocurre, pasamos a la siguiente.

Todas las respuestas están en ti

Todas las respuestas que necesitas están en tu interior. Todo lo que necesitas hacer es reflexionar, escuchar y confiar.

Creas o no que puedes o no puedes, en cualquier caso tienes razón.

Reforzando
nuestro campo vibracional

Somos energía, y una parte de ella es densa y sólida (cuerpo físico), y otras dos son etéreas y vibracionales (cuerpos emocional y mental). Todas estas partes son importantes y debemos honrarlas y aceptarlas por igual.

A nuestro alrededor también tenemos un campo vibracional, energético o aura que vibra en función de cómo vivamos a todos los niveles; es decir, que depende de la **calidad de la energía que absorbamos,** tanto en nuestra alimentación como en nuestros pensamientos, emociones, hábitos y forma de vida...

En cuanto a la alimentación, si decidimos comer **alimentos extremos Yang que tensan, cierran, contraen, condensan, paralizan, y tienen efecto de rigidez y densidad,** también nuestra aura o campo energético se verá afectado. Nos sentiremos más insensibles, aislados, sin conexión; como si entre nosotros y el mundo hubiera una barrera.

Asimismo, al haber un exceso de energía de contracción nos sentiremos pesados, sin chispa y estancados; **las energías vitales del cielo y de la tierra (Yin/Yang)** no podrán fluir a través de nosotros con facilidad y nuestra evolución interior será más lenta.

Por otro lado, la energía Yang de las proteínas animales con grasas saturadas es especialmente pegajosa, pesada y densa, y hace que vibraciones de la misma índole se unan a nuestra vibración igualmente densa, pesada y sin vida.

Si, por el contrario, decidimos tomar **alimentos extremos Yin que desintegran y dispersan, de efecto expansivo y disperso, con vibración volátil, inestable...** nuestro campo vibracional estará totalmente abierto y todo nos afectará, tanto los problemas de los demás, como virus, bacterias, gérmenes patógenos... **Nuestra vida estará sin control; no tendremos protección y todo nos influirá.** Vemos esto especialmente en personas que abusan de las energías Yin extremas (alcohol, azúcar...).

El equilibrio interior no empieza sólo en nuestro cuerpo físico, sino en **nuestros campos energéticos,** los cuales deberíamos reforzar para que cualquier desequilibrio externo no llegue a nuestro cuerpo físico.

Una alimentación con alimentos de vibración moderada y natural mantendrá en óptimo estado nuestro campo energético o aura. Al mismo tiempo que se encontrará fuerte y vital, fluirá con sensibilidad.

Ejercicios rápidos para equilibrar el campo energético

Nuestro campo energético se ve afectado continuamente por numerosas influencias, por lo que es recomendable centrarlo, armonizarlo y equilibrarlo a diario, como una forma más del cuidado integral de nuestra salud y bienestar.

Ejercicio 1

De pie o sentados, con la espalda bien recta y el cuerpo en equilibrio (sin cruzar piernas, pies ni brazos), observaremos el ritmo de nuestra respiración.

Inspiramos imaginando que la energía / aire entra por los pies y pasa a las piernas, hacia el centro del cuerpo. Cuando sintamos la necesidad de expirar, lo haremos imaginando que la energía / aire fluye hacia arriba, hasta lo alto de nuestra cabeza (chakra coronario) y, por tanto, hacia el cielo / universo. Repetiremos este proceso cinco veces.

A continuación, cambiamos el sentido de la respiración. Inspiramos imaginando que la energía / aire entra a través de nuestro chakra coronario y va bajando hacia el centro del cuerpo. Cuando sintamos la necesidad de expirar, lo haremos imaginando que la energía / aire baja a través de las piernas y los pies hacia la Madre Tierra. Repetiremos este proceso cinco veces.

Si nos sentimos un poco mareados, pararemos por completo y centraremos la atención en los pies y en su contacto con el suelo.

Ejercicio 2

Este ejercicio es ideal efectuarlo en algún lugar tranquilo al aire libre.

Buscamos un árbol robusto y nos apoyamos en su tronco con la espalda bien recta, y con los pies descalzos a ser posible. Observamos el ritmo normal de nuestra respiración. Imaginamos que somos el árbol y sentimos nuestras raíces profundamente enterradas en la Madre Tierra, y nuestras ramas orientadas hacia el universo. Nos nutrimos con la energía que generan los cuatro elementos de la naturaleza:

• El sol / energía nos calienta y revigoriza.
• El aire juega entre nuestras ramas, purificándonos y reforzándonos.
• Nuestras raíces se nutren de la Tierra, buscando agua de corrientes subterráneas puras y cristalinas.

Inspiramos a través de las ramas los elementos aire y sol. Dirigimos la inspiración a través del tronco y expiramos profundamente a través de las raíces, hacia la tierra y las corrientes subterráneas de agua.

A continuación, inspiramos mediante las raíces los nutrientes que la tierra y el agua nos ofrecen. Los conducimos por el tronco hacia las ramas. Expiramos esta energía hacia el universo, hacia los elementos aire y sol.

Al terminar, dirigimos la atención al contacto con el suelo, a los pies, a las raíces.

Ejercicio 3

Imaginamos que nuestro campo energético nos envuelve en forma de una burbuja de luz dorada. Nuestro cuerpo físico se encuentra justo en el centro de este círculo de luz.
Imaginamos una fuente de luz que emana desde nuestra cabeza a todas partes, como una cascada, uniéndose y fluyendo de nuevo… formando un círculo de luz pura.

Ejercicio 4

Haremos este ejercicio por la mañana, antes de empezar la jornada. Es un ejercicio muy rápido que implica muy poco tiempo, pero muy eficaz y revitalizador.
Nos visualizamos de pie debajo de una ducha o cascada de agua o energía purificadora. Sentimos cómo esta agua o energía nos limpia de todas las impurezas acumuladas…
Sentimos cómo esta ducha o cascada nos cae sobre la cabeza, los hombros, la espalda, el pecho, y baja por las piernas y los pies hasta caer en la Tierra, donde es absorbida y purificada.
Podemos usar diferentes colores de agua o energía, de acuerdo con lo que necesitemos en ese momento.

Ejercicio 5

Haremos este ejercicio sentados en el suelo.
Imaginamos que estamos dentro del **signo energético Yang, una pirámide muy sólida** con una gran base. Vemos que de esta gran base surgen raíces muy profundas hacia el interior de la Tierra que dan todavía más solidez a la pirámide y a nosotros mismos.
Cuando tengamos bien consolidada esta figura, crearemos la imagen del **signo energético Yin, una pirámide en posición invertida a la anterior y cuya base es una punta.** Poco a poco ambas pirámides se unen, formando una estrella de seis puntas.
Nos encontramos en el centro de la estrella y nos sentimos protegidos y regenerados por ambas energías, que fluyen a través nuestro.

Centros energéticos
y alimentación

«C hakra» es una palabra sánscrita que significa 'Rueda de luz' o 'Vórtice de energía', por lo que los chakras son transformadores de luz y energía a materia. Coordinan las actividades mecánicas, eléctricas y químicas del cuerpo físico con las necesidades del ser espiritual o voz interior, y las leyes universales.

Los chakras controlan e integran las energías universales del mundo vibracional y energético con las energías del mundo físico. Son los intermediarios entre las energías universales y nuestro cuerpo físico.

Todas estas ruedas o canales energéticos giran incesantemente, y por ellas fluyen las energías universales. Sin este flujo de energía no existiría el cuerpo físico.

Cada chakra está relacionado con unas glándulas y nervios determinados, por lo que nuestra salud está muy ligada al estado de nuestros chakras y viceversa.

Existe mucha información al respecto, y mi intención aquí es establecer la conexión entre un tema que puede parecer un tanto «esotérico» con la vida diaria. Veremos la importancia de mantener en armonía nuestros chakras y cómo podemos regularlos por medio de la alimentación natural.

Existen muchos chakras localizados alrededor del cuerpo físico, pero los centros energéticos más importantes son los que aparecen en la tabla de la derecha.

El grado de energía y equilibrio de cada canal energético depende de nuestra constitución corporal, alimentación, desarrollo anímico, armonía mental y conexión interior.

La alimentación afecta a cada chakra en el sentido en que éstos pueden armonizarse y nutrirse con una alimentación equilibrada y natural; o bien desequilibrarse y bloquearse con alimentos de efectos y vibraciones extremas.

■ **Los tres chakras inferiores** (básico, sacral y plexo solar) están más relacionados con la vida diaria, aportando estabilidad y equilibrio al individuo. Si deseamos darles una óptima energía en cocina, podemos usar:

• **Chakra básico:** Efectos que refuercen, nutran y calienten.
• **Chakra sacral:** Efectos que refuercen, nutran y calienten.
• **Chakra plexo solar:** Efectos que relajen.

■ **Los cuatro chakras superiores** están relacionados con el desarrollo superior del individuo, con su armonía, paz y riqueza interior. No se alimentan o equilibran tanto con alimentación física, aunque con los dos primeros podemos utilizar:
• **Chakra del corazón:** Efectos de dulzor.
• **Chakra laríngeo:** Efectos de activar.

CHAKRAS. Los centros energétic

Chakra coronario

Se encuentra en medio de la cabeza, entre los dos hemisferios craneales.
Es un centro de refinamiento, belleza y espiritualidad. Cuando este canal está equilibrado, nos ofrece un sentido muy profundo de conexión con el universo.
Cualidad espiritual: Amar a todos los niveles.

Chakra frontal

Se encuentra en el centro de la frente.
Está asociado con la clarividencia, la visión, la comprensión y la sabiduría interior. Es el centro de la intuición, la percepción y la visualización creativa.
Cualidad espiritual: Ser responsables de nosotros mismos, empezando a ser receptivos a los mensajes de nuestra voz interior.

■ Los chakras superiores frontal y coronario son de vibraciones altas y, por ello, no podemos utilizar alimentos físicos para nutrirlos. Debemos generar riquezas interiores para que puedan vibrar y aportarnos esa conexión con la voz interior que tanto deseamos.

Otra forma de alimentar y equilibrar los chakras es con el poder del sonido. Sus vibraciones ayudan a armonizar y purificarnos a todos los niveles. Podemos utilizarlos cada día como una forma práctica de armonizar nuestros chakras, del mismo modo que utilizamos ejercicios físicos para nuestro cuerpo de vibraciones más lentas.

Sonidos básicos para nuestros chakras

Chakra coronario iiiiiiiiii
Chakra frontal IIIII
Chakra laríngeo .... EEEE
Chakra del corazón .... AAA
Chakra del plexo solar .... OOO
Chakra sacral .... UUU
Chakra básico .... mmmmm

Sugiero utilizar cada sonido tres veces, excepto para los dos chakras superiores (coronario y frontal), que son de vibraciones y frecuencias muy altas, y que necesitan riquezas interiores para vibrar, fluir y aportarnos la conexión con nuestra voz interior.

Al emitir estos sonidos veremos que unos surgen con fuerza, en tanto que otros aparecen débiles y sin energía. ¡Sin duda, se trata de un buen barómetro para trabajar con nosotros mismos!

más importantes

Chakra laríngeo

Se halla en medio de la garganta.

Centro de la voluntad y la expresión creativa. Responsable de la dirección del desarrollo del individuo y su comunicación con los demás. Nuestra pequeña voz se manifiesta por medio de él, expresando nuestra verdad y comunicándola al mundo exterior. Esta verdad no se refiere al día a día, sino a los susurros de nuestra voz interior. Este canal energético debería fluir y estar activo y desbloqueado, teniendo la habilidad de poder expresar con respeto, pero con firmeza y claridad, nuestra verdad.

Cualidad espiritual: La expresión de nosotros mismos.

Chakra del corazón

Está situado en el pecho, a la altura del esternón.

Centro del amor incondicional. Implica tener conciencia de las necesidades de los demás y de su presencia. Pero, ¿cómo podemos amar a los demás si no nos amamos a nosotros mismos? Si no lo hacemos, nos sentiremos muy dependientes de los demás. Cuando el corazón está abierto y libre emite sentimientos de alegría y paz.

Cualidad espiritual: Amarse a uno mismo.

Chakra del plexo solar

Se encuentra en la zona del estómago.

Está relacionado con el desarrollo de la conciencia social y con las emociones y los deseos personales. Es donde el ego y la personalidad se expresan. Es el centro de las emociones.

Cualidad espiritual: La valoración de nuestra persona.

Chakra sacral

Parte inferior del abdomen, situado a unos centímetros por debajo del ombligo.

Relacionado con la capacidad de reproducción del individuo y su supervivencia genética.

Respeto hacia uno mismo a todos los niveles. Crea también espacio para nuestras capacidades creativas. Habilidad de aceptar nuestras partes masculina y femenina en nosotros mismos.

Cualidad espiritual: Respeto hacia uno mismo.

Chakra básico

Situado en el perineo, en la base de la espina dorsal.

Voluntad de vivir en el mundo físico. Se relaciona con la seguridad a todos los niveles.

Cualidad espiritual: Conciencia de uno mismo como ser humano.

Contribuyendo
a la paz del planeta

En el fondo de nuestro corazón, todos deseamos un mundo en paz; ser felices y estar conectados a la fuerza universal del Amor.

Aunque a veces nuestra intención inicial se vea enmascarada por nuestros propios problemas, emociones pasadas, el ego y creencias que generamos a nivel mental, sólo nosotros somos los generadores de nuestra felicidad. Somos los artistas de nuestra vida, por lo que el resultado final de esta obra de arte sólo depende de nosotros; ¡de nadie mas!

Recuerda:

- Para que exista un cambio global en el planeta, antes debemos generar un cambio en nuestro mundo interior.
- Para que el cambio personal se produzca, debemos abrir nuestra conexión interior y conectarnos a la fuente infinita del amor universal.
- Si existe paz y armonía interior, todo lo que surja de nosotros lo hará con amor, claridad y respeto.

> Para que exista un cambio global en el planeta, antes debemos generar un cambio en nuestro mundo interior.

- Para que exista armonía interior tenemos que conocer todas las piezas de nuestro puzzle e intentar el equilibrio entre todos nuestros cuerpos energéticos: físico, emocional y mental, reforzando nuestra conexión interior.
- No sólo debemos conocer nuestros cuerpos, sino ser amigos de ellos: escucharlos, aceptarlos y ayudarlos. El primer paso para cambiar algo es aceptarlo incondicionalmente.
- Para poder escucharlos, aceptarlos y transformarlos, debemos estar abiertos al cambio; tener un compromiso muy íntimo y real con nosotros mismos, con total dedicación a nuestra evolución espiritual y conexión interior. Y no con palabras, sino con hechos.
- Debemos tener auténtica pasión por la vida y estar infinitamente agradecidos por cada nuevo día. También, desear ser mejores, buscar la verdad y la claridad en cada situación, y sentirnos creadores y responsables de nuestro propio camino y de sus resultados.

Continuamos inspirando y expirando muy lentamente, relajados, manteniendo esta imagen del planeta en nuestro corazón.

Nos imaginamos en un lugar con mucha gente: están nuestros amigos, familiares, conocidos y puede que incluso personas que no conocemos en absoluto. Este lugar está oscuro, pero con nuestra vela encendemos la vela de la persona que está a nuestro lado y así sucesivamente, hasta que cada individuo ayude a encender las velas de su alrededor.

Poco a poco, veremos cómo empiezan a aparecer la luz, la claridad, la comunicación, el entendimiento y la hermandad en este lugar, así como la luz y el amor en todos los corazones de las personas que viven en él.

Enlazamos estas dos imágenes luminosas: la del planeta Tierra y la de sus habitantes unidos para a un bien común: la paz y el amor en el planeta y en nuestros corazones.

Vivencia interior

Vamos a disponer de unos minutos para una jornada interior.

Ponemos música ambiental suave y encendemos una vela que guardemos para ocasiones especiales.

Nos relajarnos como de costumbre, estirados en el suelo o sentados en una silla, y con la espalda en posición vertical. Hacemos varias inspiraciones profundas y expiramos muy lentamente, sintiéndonos más y más relajados, pesados y conectados con la Madre Tierra.

Dirigimos nuestra atención y energía al chakra del corazón, centro de amor incondicional. Imaginamos una rosa con los pétalos cerrados, pero muy fresca, pura y viva. Inspiramos y expiramos muy lentamente, y con cada expiración sus pétalos se van abriendo muy gradualmente... Poco a poco, podemos apreciar la belleza de esta flor, abierta al mundo y ofreciendo su perfume, dulzor y delicadeza.

Con cada expiración, se van desprendiendo de esta flor luz y energía que van esparciéndose por nuestro cuerpo, la habitación, la casa, el lugar donde vivimos… hasta que apreciaremos nuestro planeta cubierto de luz y amor.

El poder de nuestro nombre

Otra forma de depurar acumulaciones energéticas, de dejar ir emociones que no deseamos y sentir cómo fluyen de nuevo nuestra energía y vitalidad, consiste en cantar nuestro propio nombre.

Se trata de algo muy sencillo y en lo que nadie piensa. Si estamos solos, podemos cantarlo en voz alta; y si estamos en medio de la calle o en el autobús, por ejemplo, podemos cantarlo en nuestro interior.

Cada nombre (no el apellido) contiene unas vocales diferentes que nos harán vibrar de forma diferente, armonizando y equilibrando nuestros chakras.

Nosotros hemos escogido nuestro nombre ahora que somos adultos; la forma que deseamos que el mundo nos llame es una resonancia, una frecuencia, una vibración individual.

ANA   JULIA

ESTHER   ADRIÁN

MARÍA

MÓNICA

DIEGO

Términos equivalentes en España e

A

Aceituna. Oliva.
Aguacate. Palta, panudo, sute.
Ajonjolí. Sésamo.
Alcachofa. Alcaucil.
Albaricoque. Chabacano, damasco, prisco.
Aliño. Adobo, condimento.
Alubia. Judía blanca, habichuela, poroto.
Azafrán. Camotillo, cúrcuma, yuquillo.
Azúcar moreno. Azúcar negra.

B

Batata. Camote, papa dulce.
Bechamel. Besamel, salsa blanca.
Berro. Balsamita, mastuerzo.
Bizcocho. Biscote, bizcochuelo.
Bocadillo. Emparedado, sandwich.
Boniato. Camote, papa dulce.
Brécol. Brecolera, brócul, brócoli.

Brocheta. pinchito, pincho.
Budín. Cake.

C

Cacahuete. Cacahuate, cacahuey, maní.
Cacao. Cocoa.
Calabacín. Calabacita, hoco, zapallito.
Calabaza. Zapallo.
Canela en polvo. Canela molida.
Cereza. Guinda.
Champiñón. Callampa, hongo.
Cilantro. Culantro, coriandro
Ciruela pasa. Ciruela seca.
Clavo de especias. Clavo de olor.
Cogollo. Corazón.
Col. Repollo.
Col lombarda. Col morada.
Coles de Bruselas. Repollitos de Bruselas.
Condimento. Adobo, aliño.
Confitura. Dulce, mermelada.

Crepe. Crepa, panqueque.
Cúrcuma. Azafrán, camotillo, yuquillo.
Curry. Carry.
Cuscús. Alcuzcuz.

E

Empanada. Empanadilla.
Endibia. Alcohela, escarola.
Enebro. Junípero, grojo, cada.
Escalibado. Asado, a la brasa.
Escarola. Alcohela, endibia
Espaguetis. Fideos largos, tallarines.
Estragón. Dragoncillo.

F

Fresa. Amiésgado, fraga, frutilla, metra.

G

Guindilla. Ají, chile.
Guisante. Arveja, chícharo

Hispanoamérica

H

Habichuela. Frijol, fríjol, fréjol, poroto.
Haba. Faba.
Hamburguesa. Doiche.
Harina. Harina de trigo.
Harina de maíz. Fécula de maíz.
Hierbabuena. Menta fresca, yerbabuena.
Higo. Breva, tuna.
Hinojo. Finojo, finoquio.

J

Jengibre. Cojatillo.
Judías verdes. Chauchas, peronas, porotos verdes.
Judía blanca. Alubia, habichuela, poroto.
Jugo. Zumo.

L

Levadura en polvo. Polvo de hornear.
Loncha. Feta, lonja.

M

Macarrones. Amaretis, mostachones.
Maicena. Harina de maíz.
Maíz. Abatí, guate, mijo.
Maíz tierno. Choclo, elote.
Mandarina. Clementina.
Maní. Cacahuate, cacahuete, cacahuey.

M

Mazorca. Panocha, elote.
Melocotón. Durazno.
Menta fresca. Yerbabuena, hierbabuena.
Mermelada. Confitura, dulce.
Mijo. Abatí, guate, maíz.

N

Nabo. Coyocho, naba.
Natilla. Chunio.
Nuez moscada. Macis.

O

Oliva. Aceituna.
Olla. Cocido, puchero.
Orejón. Huesillo.

P

Pan integral. Pan negro.
Panocha. Mazorca.
Papaya. Lechosa.
Pasas. Uvas pasas.
Patata. Papa.
Pepino. Cohombro.

P

Perifollo. Cerafolio.
Pimentón. Color, paprika.
Pimiento. Ají.
Piña. Ananá.
Plátano. Banano.
Polenta. Chuchoca, sémola de maíz.
Pomelo. Pamplemusa, toronja.
Puerro. Ajo puerro, porro, poro.

R

Rábano. Rabanito.
Ravioles. Raviolis
Remolacha. Beterraga, betabel.

S

Sandía. Patilla.
Sémola de maíz. Chuchoca, polenta.
Seta. Níscalo.
Soja. Soya.

T

Tarta. Torta.
Tartaleta. Tortita, torta pequeña.
Taza de café. Pocillo de café.
Tomate. Jitomate.
Tomillo. Ajedrea, hisopillo.

U

Uva pasa. Pasita.

Z

Zumo. Jugo.

Equivalencias

1 taza. Aunque equivale a 25 g., esta unidad de medida varía según el alimento, ya que es en sí un tipo de medidor.
1 cucharada sopera (c.s.) = 2 g.
1 cucharada de postre o **cucharadita** (c.p.) = 5 g.

Índice de recetas

Más información

Montse Bradford Bort es barcelonesa de nacimiento. Establecida en Londres desde 1978 hasta 2006, desarrolla su carrera profesional como pionera en el campo energético de la salud integral por todo el continente europeo.

Escritora, experta en nutrición natural y energética, terapeuta de Psicología Transpersonal y del arte de la curación vibracional.

Desde temprana edad empezó a interesarse por todo lo relacionado con la salud y la armonía interior. Ha estudiado y vivido con destacados profesores del campo de la alimentación energética en Francia, Inglaterra, Bélgica, Italia, Holanda, Estados Unidos (Filadelfia, Boston, Washington y California) y Japón.

Entusiasta de la innovación e investigación, ha sabido complementar todas estas disciplinas para ofrecer seminarios únicos, con poder de autotransformación y salud integral.

Diplomada en terapia emocional *Second Aid* en Inglaterra, *Insight Seminars* en América y *Samurai* por el Instituto de Actores de Londres. Es miembro del *College of Healing* y del *National Federation of Spiritual Healers* en Inglaterra.

Durante varios años ha sido directora de cocina energética en el Instituto Kushi de Londres. Fue fundadora, directora y profesora del Centro Residencial de Salud Integral, en Brighton (Inglaterra).

Ha viajado constantemente ofreciendo sus cursos por España y el resto de Europa (Inglaterra, Francia, Italia, Bélgica, Holanda, Suiza, antigua Yugoslavia, Portugal).

Fundadora de las escuelas de cocina en Bath (Inglaterra) y en Barcelona donde actualmente imparte sus cursos de formación de cocina natural y energética, seminarios monográficos y cursos de profesorado.

Ha impartido clases en la Escuela Universitaria de Enfermería y Fisioterapia Blanquerna de Barcelona.

Compagina la escritura con la enseñanza de la nutrición natural y salud holística. Imparte charlas, cursos de formación y conferencias por toda España y el resto de Europa. Participa en programas de radio y televisión. Colabora desde hace más de 30 años con varias revistas y publicaciones de salud alternativa inglesas y españolas como *Vital, Ecoespaña, DDona, Aqua, Yoga Journal…* entre otras.

Coopera con distintas empresas de alimentos naturales (en España e Inglaterra) con sus manuales, folletos y libros. Regularmente participa en todas las ferias y congresos de alimentación natural del país (Biocultura, Exposalud, Bioterra, entre otras).

Galardonada por la Fundación José Navarro con el PREMIO VERDE 2008 por su obra y trabajo a favor de la alimentación responsable y el desarrollo sostenible.

Contactos personales

LA ALIMENTACIÓN NATURAL y ENERGÉTICA
de MONTSE BRADFORD

En BARCELONA: Telf. 618 28 74 84
Correo electrónico: info@montsebradford.es
WEB: www.montsebradford.es

Direcciones de interés

Natursoy 93 866 60 42
Central de Productos Biológicos 93 843 65 17
Mimasa 93 332 51 00
Vegetalia 93 866 61 61
BioSpirit, S.L. 972 42 86 85
Can Valls 973 324 125
La finestra sul cielo 93 713 26 70
El Granero 902 180 793
Algamar 986 404 857

Libros publicados

Libros en español

Publicados en esta misma editorial:

- LA ALIMENTACIÓN NATURAL Y ENERGÉTICA
  (16ª edición - LA NUEVA COCINA ENERGÉTICA
  ampliada y mejorada)
- EL PESO NATURAL. Cómo eliminar el sobrepeso
  (3ª edición)
- LA ALIMENTACIÓN DE NUESTROS HIJOS (5ª edición)
- ALGAS, las verduras del mar (7ª edición)
- LA COCINA DE LA ABUELA (2ª edición)
- PROTEÍNAS VEGETALES (7ª edición)
- LA ALIMENTACIÓN Y LAS EMOCIONES (3ª edición)

Libros en inglés

Cuatro títulos de su popular serie de
COCINA SANA INTEGRAL:

- HEALTHY EATING / SIMPLE COOKING
- DISCOVERING VEGETARIAN PROTEINS
- VEGETARIAN CLASSICS
- COOKING WITH SEA VEGETABLES

Objetivos de los cursos de formación

Los cursos de formación que imparte Montse Bradford están enfocados a ayudar a cada estudiante a explorar su propia vida con relación a la alimentación. Sus clases teórico-prácticas nos abren una nueva perspectiva sobre la alimentación, con la elaboración de dietas y la preparación adecuada de menús según las necesidades de cada persona. Sus enseñanzas integran la exploración de todos los niveles del ser: físico, mental, emocional y espiritual, que nos permiten la identificación de los bloqueos que causan los problemas de salud, desarmonía o falta de vitalidad.

Como profesora de cocina y terapeuta emocional, su objetivo principal es dar a conocer la manera de integrar todos los aspectos de la persona para facilitar el fluir de la energía vital.

Durante el ciclo de formación, se ayuda al alumno a explorar y profundizar en sus vidas hacia el camino de la integración y equilibrio personal a través de la experimentación y el trabajo energético y emocional tanto a nivel individual como en grupo. El contenido de los cursos pretende abrirnos una conciencia más profunda de nosotros mismos y así poder sentirnos libres para elegir aquello que nos llevará hacia la salud, armonía y paz interior.